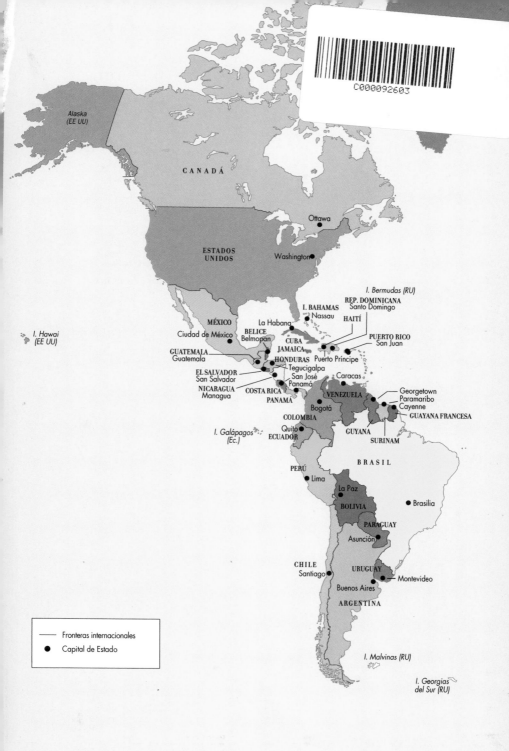

Alaska
(EE UU)

CANADÁ

Ottawa

ESTADOS
UNIDOS

Washington

I. Hawai
(EE UU)

I. Bermudas (RU)

REP. DOMINICANA
Santo Domingo

I. BAHAMAS
Nassau

HAITÍ

MÉXICO

Ciudad de México

La Habana

BELICE
Belmopan

CUBA

JAMAICA

PUERTO RICO
San Juan

GUATEMALA
Guatemala

HONDURAS

Puerto Príncipe

Tegucigalpa

Caracas

EL SALVADOR
San Salvador

San José

Panamá

NICARAGUA
Managua

COSTA RICA

PANAMÁ

VENEZUELA

Georgetown
Paramaribo
Cayenne

GUAYANA FRANCESA

Bogotá

COLOMBIA

GUYANA

SURINAM

I. Galápagos
(Ec.)

Quito

ECUADOR

B R A S I L

PERÚ

Lima

La Paz

Brasilia

BOLIVIA

PARAGUAY

Asunción

CHILE

Santiago

URUGUAY

Montevideo

Buenos Aires

ARGENTINA

I. Malvinas (RU)

I. Georgias
del Sur (RU)

— Fronteras internacionales

● Capital de Estado

C000092603

La conjugación verbal

El uso de los verbos en el español de España y de América Latina

Proyecto editorial
Equipo de Idiomas SM

Redacción
Ana García Herranz
Ricardo Jabato

Revisión
Aurora Centellas
Julia Fernández Valdor
Olalla Hervás Daza

Diseño de interiores
Maritxu Eizaguirre

Diseño de cubierta
Alfonso Ruano
Leire Mayendía

Coordinación técnica editorial
Ricardo Jabato
Marta Román

Coordinación editorial
Paloma Jover
Pilar García

Dirección editorial
Concepción Maldonado

www.sm-ele.com

Comercializa

Para el extranjero:

Grupo Editorial SM Internacional
Impresores, 2 Urb. Prado del Espino
28660 Boadilla del Monte – Madrid (España)
Teléfono: (34) 91 422 88 00 – Fax: (34) 91 422 61 09
internacional@grupo-sm.com

Para España:

CESMA, SA
Joaquín Turina, 39 – 28044 Madrid
Teléfono: 902 12 13 23 – Fax: 902 24 12 22
clientes@grupo-sm.com

© Ediciones SM
ISBN: 978-84-348-8545-5 / Depósito legal: M-16.969-2010
Impreso en España / *Printed in Spain*
Huertas Industrias Gráficas, S. A. Fuenlabrada (Madrid)

Índice

El verbo en español

1. ¿QUÉ ES EL VERBO?

El verbo expresa la acción del sujeto indicando, normalmente:

- tiempo: presente, pasado o futuro
- número: singular o plural
- persona: primera, segunda o tercera
- modo: indicativo, subjuntivo o imperativo
- aspecto: perfectivo o imperfectivo
- voz: activa o pasiva

Las modificaciones del verbo para expresar *tiempo, persona, número, modo, aspecto* y *voz* se llaman **accidentes del verbo**.

2. ACCIDENTES DEL VERBO

- **La persona y el número.** El verbo en español se conjuga en tres personas, cada una de ellas en singular y plural. Las formas *usted* y *ustedes* coinciden, en la conjugación, con la tercera persona del singular y con la tercera del plural respectivamente.

	singular	plural
1.ª pers.	*Yo hablo* español	*Nosotros hablamos* español
2.ª pers.	*Tú vives* en Perú / *Usted vive* en Perú	*Vosotros vivís* en Perú / *Ustedes viven* en Perú
3.ª pers.	*Él/ella bebe* mate	*Ellos/ellas beben* mate

Generalmente, en español no aparecen los pronombres en función de sujeto (*Soy mexicana*), salvo cuando se expresa un contraste (***Ella*** *es española y* ***yo*** *soy mexicana*).

- **El modo.** Indica la actitud o punto de vista del que habla con relación a la acción. Hay tres modos en español:

  a) **Indicativo:** expresa una acción en presente, pasado o futuro.

    Todos los días ***voy*** *a la piscina.*

b) **Subjuntivo:** expresa acciones o hechos imaginados en el presente, en el pasado o en el futuro.

> *Quisiera viajar por todo el mundo.*

> *Cuando **vuelvas** de clase, iremos al cine.*

c) **Imperativo:** expresa un mandato, ruego o petición.

> ***Espérame** en la estación de metro.*

- **El tiempo verbal**

  a) **Formas personales del verbo:** el tiempo indica el momento en el que se realiza la acción (presente, pasado, futuro). Sin embargo, en ocasiones se puede usar una forma de presente con significado de futuro, una de pasado como futuro, etcétera.

  > *Hoy **voy** al museo.* → presente con uso presente

  > *Mañana **voy** al museo.* → presente con uso futuro

  > *Colón **descubre** América en 1492.* → presente con uso pasado

  b) **Formas no personales del verbo:** las formas no personales del verbo no indican la persona que realiza la acción ni el tiempo en el que sucede. Hay tres formas no personales:

  > **infinitivo:** *hablar (Juan y yo hemos quedado para **hablar**)*

  > **gerundio:** *hablando (¿De qué estabais **hablando**?)*

  > **participio:** *hablado (Todavía no he **hablado** con él)*

- **La voz**

  a) La **voz activa** indica que la acción la realiza el sujeto.

  > *Juan **come** manzanas.*

  b) La **voz pasiva** indica que es el sujeto el que recibe la acción.

  > *Las manzanas **son comidas** por mí.*

- **El aspecto verbal.** El aspecto verbal informa sobre si la acción que expresa el verbo está terminada (aspecto perfectivo) o no (aspecto imperfectivo).

  a) Los tiempos que tienen un aspecto **perfectivo** son todos los tiempos compuestos de la conjugación y el pretérito indefinido. Ejemplos: *bebí, he ido.*

  b) Los tiempos que tienen un aspecto **imperfectivo** son los tiempos simples de la conjugación, excepto el indefinido. Ejemplos: *bebo, iré.*

3. LOS TIEMPOS Y MODOS VERBALES

- **Modo Indicativo**

  a) **Presente de indicativo (*hablo*):** sitúa la acción en el momento en que se encuentra el hablante.

     *El profesor **habla** con los estudiantes.*

     Existen diversos tipos de presente:

     - **Presente actual:** se utiliza para hablar del momento justo en que se realiza la acción.

       ***Vemos** el partido de fútbol.*

     - **Presente habitual:** se utiliza para expresar hechos habituales.

       *Todos los días **salgo** con mis amigos.*

     - **Presente histórico:** se utiliza para hablar de hechos pasados.

       *Ricardo **vuelve** a Colombia en 1957.*

     - **Presente atemporal:** se utiliza para expresar verdades universales, sin tiempo.

       *La Tierra **gira** alrededor del Sol.*

     - **Presente** con valor **futuro:** se utiliza para acercar el futuro hacia el momento en el que se encuentra el hablante.

       *La próxima semana **empiezo** un nuevo trabajo.*

> – **Presente** con valor **imperativo:** se utiliza con valor imperativo, acompañado de una entonación exclamativa.
>
> *¡Ahora **te vas** y **pides** disculpas al conductor!*

b) **Pretérito perfecto de indicativo (*he hablado*):** se utiliza para expresar una acción terminada, pero muy cercana al tiempo presente en el que se habla.

> *Hoy no **he visto** a Inés.*

A veces puede utilizarse este tiempo con valor **futuro:** se adelanta una acción futura al momento en el que se habla.

> *En un momento **he acabado** y nos vamos.*

Es un tiempo poco utilizado en algunas zonas de España y de América Latina. En su lugar suele usarse el pretérito indefinido.

> *Esta mañana **he ido** (→ **fui**) al médico.*

c) **Pretérito imperfecto de indicativo (*hablaba*):** expresa una acción pasada de la que no interesa ni el principio ni el final.

> ***Nevaba*** *mucho en la montaña.*

El pretérito imperfecto de indicativo tiene las siguientes características:

– Se usa en las descripciones.

> ***Llevaba*** *un vestido oscuro y gafas de sol.*
>
> ***Llovía*** *intensamente.*

– Tiene un valor habitual y repetitivo.

> *Todos los días **leía** el periódico en la cafetería.*
>
> *Cuando **era** joven **iba** todos los días al parque.*

– Se puede utilizar con valor de cortesía, en lugar del presente.

> *¿**Podía** decirme donde hay una parada de autobús?*

d) **Pretérito indefinido de indicativo (*hablé*):** se utiliza para hablar de acciones pasadas y terminadas.

*La semana pasada **vi** al Sr. Juárez.*

*Anoche **llamé** a mi familia por teléfono.*

e) **Pretérito pluscuamperfecto de indicativo (*había hablado*):** expresa una acción terminada y pasada, anterior a otra acción del pasado.

*Cuando **llamé**, ya te **habías marchado**.*

*Cuando **llegué** a casa, mis padres ya **habían comido**.*

f) **Pretérito anterior (*hube hablado*):** expresa una acción terminada, inmediatamente anterior a otra del pasado. Se usa con expresiones como *apenas, en cuanto...*

Es un tiempo que ya no se utiliza y en su lugar se emplea el pretérito indefinido o el pretérito pluscuamperfecto.

*En cuanto **hubo llegado** (= **llegó**) se **metió** en la cama.*

g) **Futuro simple (*hablaré*):** expresa una acción futura.

*Ernesto no **vendrá** esta noche.*

El futuro simple puede tener además otros valores:

– Puede expresar probabilidad en el presente.

*¿Cuánto años **tendrá** su padre?*

– Puede expresar mandato, prohibición u obligación.

*No te **moverás** de aquí en toda la tarde.*

– Puede tener valor de cortesía.

*¿**Querrás** hacer algo por mí?*

h) **Futuro perfecto (*habré hablado*):** expresa una acción futura, terminada, anterior a otra acción futura.

*Cuando **llegue** a la fiesta, ya se **habrán marchado** todos.*

El futuro perfecto puede tener además otros valores:

– Puede expresar probabilidad en un pasado cercano (equivale a un pretérito perfecto).

> *Pedro y Cristina **habrán ido** al cine seguramente.* =
> *Pedro y Cristina **han ido** al cine seguramente.*

– Puede tener valor concesivo (equivale a «aunque» + pretérito perfecto).

> ***Habrá estudiado** mucho, pero no ha aprobado.* =
> ***Aunque ha estudiado** mucho, no ha aprobado.*

i) **Condicional simple (*hablaría*):** expresa una acción futura en relación con un pasado (equivale a un futuro de pasado).

> *Luis dijo que **sacaría** las entradas.*

El condicional simple puede tener además otros valores:

– Puede expresar probabilidad en un pasado lejano (equivale a un pretérito indefinido o a un pretérito imperfecto).

> *El estudiante **llegaría** pronto al examen.* =
> *El estudiante **llegó** pronto al examen.*

– Puede expresar deseo, consejo, sugerencia y cortesía.

> ***Me gustaría** ir a Toledo.* (deseo)
>
> ***Deberías** ir a Toledo.* (consejo/sugerencia)
>
> *¿**Podría** decirme cómo puedo ir a Toledo?* (cortesía)

j) **Condicional compuesto (*habría hablado*):** expresa una acción futura terminada en relación con un pasado.

> *Anoche **habría ido** a cenar a su casa, pero tenía una cita.*

Además, puede expresar probabilidad de una acción anterior a otra pasada (equivale a un pretérito pluscuamperfecto).

> *Ayer te llamé pero ya te **habrías marchado** porque no cogiste el teléfono. = Ayer te llamé pero ya te **habías marchado** porque no cogiste el teléfono.*

- **Modo subjuntivo**

a) **Presente (*hable*):** expresa la acción en un momento presen-te o futuro pero con un valor de incertidumbre, prohibición, duda, etc.

  *Quiero que **te vayas** pronto.*

  *Cuando **puedas**, llámame por teléfono.*

b) **Pretérito perfecto (*haya hablado*):** expresa una acción aca-bada en el futuro o en el pasado aunque la acción acabada no se haya realizado aún.

  *Cuando **haya salido**, te **llamará**.*

c) **Pretérito imperfecto (*hablara/hablase*):** expresa una ac-ción presente, pasada o futura. La acción puede ser simultá-nea, anterior o posterior a la acción principal.

  *Te dijo que **hablaras** más español.*

  *Si me **acompañaras**, te **contaría** mis problemas.*

  El pretérito imperfecto se usa además para expresar cortesía.

  ***Quisiera** hablar con tu jefe.*

d) **Pretérito pluscuamperfecto (*hubiera hablado*):** expresa una acción pasada anterior a otra pasada, aunque es una acción hipotética y no realizada.

  ***Hubiera salido** contigo, pero **estaba** muy enferma.*

e) **Futuro imperfecto y Futuro perfecto (*hablare, hubiere hablado*):** son tiempos de muy poco uso. Los encontramos en algunos refranes.

  *Allá donde **fueres**, haz lo que **vieres**.*

4. LA CONJUGACIÓN DEL VERBO

Existen en español tres conjugaciones atendiendo a su terminación:

- La **1.ª conjugación**: verbos acabados en -AR: *amar, hablar...*

- La **2.ª conjugación**: verbos acabados en -ER: *beber, temer...*
- La **3.ª conjugación**: verbos acabados en -IR: *vivir, escribir...*

La conjugación puede ser **regular** (cuando al conjugar el verbo no cambia su raíz y tiene la misma terminación que los verbos tomados como modelo: *hablar, beber, vivir*) o **irregular** (cuando al conjugar el verbo cambia su raíz y su terminación respecto de los verbos modelo).

En español existen dos tipos de irregularidades:

a) **Irregularidades vocálicas**

– Verbos que cambian la **e** en **ie**: p*e*nsar (*pienso...*).
– Verbos que cambian la **e** en **i**: p*e*dir (*pidieron...*).
– Verbos que cambien la **e** en **ie** o en **i**: s*e*ntir (*sientas, sintió...*).
– Verbos que cambian la **o** en **ue**: c*o*ntar (*cuenten...*).
– Verbos que cambian la **u** en **ue**: j*u*gar (*juegues...*).
– Verbos que cambian la **o** en **ue** o **u**: d*o*rmir (*duermo, durmiese...*).
– Verbos que cambian la **i** en **ie**: adqu*i*rir (*adquiera...*).

b) **Irregularidades consonánticas**

– Verbos que cambian la **c** en **g**: ha*c*er (*hagamos...*).
– Verbos que cambian la **c** en **zc**: pare*c*er (*parezcan...*).

Además de estas irregularidades generales, pueden existir irregularidades específicas en ciertos tiempos verbales:

a) **Futuros irregulares:** algunos verbos cambian su raíz en la formación del futuro. La irregularidad se mantiene en todas las personas del futuro y en las del condicional, ya que ambos tiempos han evolucionado paralelamente a partir del infinitivo.

caber: *cabré, cabrás, cabrá, cabremos, cabréis, cabrán.*

tener: *tendré, tendrás, tendrá, tendremos, tendréis, tendrán.*

poner: *pondré, pondrás, pondrá, pondremos, pondréis, pondrán.*

venir: *vendré, vendrás, vendrá, vendremos, vendréis, vendrán.*

salir: *saldré, saldrás, saldrá, saldremos, saldréis, saldrán.*

poder: *podré, podrás, podrá, podremos, podréis, podrán.*

haber: *habré, habrás, habrá, habremos, habréis, habrán.*

saber: *sabré, sabrás, sabrá, sabremos, sabréis, sabrán.*

querer: *querré, querrás, querrá, querremos, querréis, querrán.*

decir: *diré, dirás, dirá, diremos, diréis, dirán.*

hacer: *haré, harás, hará, haremos, haréis, harán.*

b) **Pretéritos indefinidos irregulares:** hay verbos que en el pasado tienen terminaciones diferentes, cambios en el acento de la 1.ª y 3.ª persona del singular y alteraciones en la raíz. Los más frecuentes son:

andar: *anduve, anduviste, anduvo, anduvimos, anduvisteis, anduvieron.*

caber: *cupe, cupiste, cupo, cupimos, cupisteis, cupieron.*

conducir: *conduje, condujiste, condujo, condujimos, condujisteis, condujeron.*

dar: *di, diste, dio, dimos, disteis, dieron.*

decir: *dije, dijiste, dijo, dijimos, dijisteis, dijeron.*

estar: *estuve, estuviste, estuvo, estuvimos, estuvisteis, estuvieron.*

haber: *hube, hubiste, hubo, hubimos, hubisteis, hubieron.*

hacer: *hice, hiciste, hizo, hicimos, hicisteis, hicieron.*

ir/ser: *fui, fuiste, fue, fuimos, fuisteis, fueron.*

poder: *pude, pudiste, pudo, pudimos, pudisteis, pudieron.*

poner: *puse, pusiste, puso, pusimos, pusisteis, pusieron.*

querer: *quise, quisiste, quiso, quisimos, quisisteis, quisieron.*

tener: *tuve, tuviste, tuvo, tuvimos, tuvisteis, tuvieron.*

traer: *traje, trajiste, trajo, trajimos, trajisteis, trajeron.*

venir: *vine, viniste, vino, vinimos, vinisteis, vinieron.*

c) **Participios irregulares:** hay verbos en cuyos participios hay un cambio en el acento y cambios vocálicos y consonánticos.

abrir: *abierto*	decir: *dicho*	escribir: *escrito*
hacer: *hecho*	ir: *ido*	morir: *muerto*
poner: *puesto*	romper: *roto*	ver: *visto*

Además de las irregularidades explicadas anteriormente pueden existir:

a) **Verbos defectivos:** son verbos que no tienen una conjugación completa. Pueden no conjugarse en todas las personas (*abolir* → **abolo, *abole*) o no conjugarse en algún tiempo (*soler* → **soleré, *solería*).

b) **Verbos con irregularidades ortográficas:** son verbos que para añadir la terminación regular deben realizar algún cambio ortográfico (*prote**g**er* → *prote**j**o; re**z**ar* → *re**c**emos; sa**c**ar* → *sa**qu**emos;* etc.).

5. CLASES DE VERBOS

- **Verbos auxiliares:** son aquellos que se utilizan para construir las formas compuestas (*haber*), la voz pasiva (*ser*) o las perífrasis verbales (*estar* en *estoy estudiando, deber* en *deben de ser las tres, poner* en *se puso a llorar...*).

- **Verbos reflexivos:** son aquellos cuya acción recae sobre el sujeto que la realiza. Estos verbos llevan delante los pronombres **me, te, se, nos, os, se**.

  *Ángel **se afeita** por las mañanas.*

- **Verbos recíprocos:** son aquellos en los que dos o más sujetos realizan la acción del verbo y a la vez la reciben.

  *Juana y su padre **se adoran**.*

- **Verbos pronominales:** son aquellos que se conjugan siempre con el pronombre.

  *No **me arrepiento** de lo que dije.*

Modelos de conjugación

1. HABER verbo auxiliar

INDICATIVO	SUBJUNTIVO
Presente	**Presente**
he	haya
has	hayas
ha*	haya
hemos	hayamos
habéis	hayáis
han	hayan
Pretérito imperfecto	**Pretérito imperfecto**
había	hubiera o hubiese
habías	hubieras o hubieses
había	hubiera o hubiese
habíamos	hubiéramos o hubiésemos
habíais	hubierais o hubieseis
habían	hubieran o hubiesen
Pretérito indefinido	**Futuro imperfecto**
hube	hubiere
hubiste	hubieres
hubo	hubiere
hubimos	hubiéremos
hubisteis	hubiereis
hubieron	hubieren

Futuro imperfecto	**IMPERATIVO**
habré	
habrás	he (tú)
habrá	haya (usted)
habremos	hayamos (nosotros)
habréis	habed (vosotros)
habrán	hayan (ustedes)

Condicional simple	**FORMAS NO PERSONALES**
habría	**Infinitivo**
habrías	haber
habría	
habríamos	**Gerundio**
habríais	habiendo
habrían	
	Participio
	habido

---

* Cuando este verbo se usa como impersonal, la 3.ª persona del singular es *hay*.

2. SER | verbo auxiliar

INDICATIVO			SUBJUNTIVO		
Presente	**Pretérito perfecto**		**Presente**	**Pretérito perfecto**	
soy	he	sido	sea	haya	sido
eres	has	sido	seas	hayas	sido
es	ha	sido	sea	haya	sido
somos	hemos	sido	seamos	hayamos	sido
sois	habéis	sido	seáis	hayáis	sido
son	han	sido	sean	hayan	sido
Pretérito imperfecto	**Pretérito pluscuamperfecto**		**Pretérito imperfecto**	**Pretérito pluscuamperfecto**	
era	había	sido	fuera, -ese	hubiera, -ese	sido
eras	habías	sido	fueras, -eses	hubieras, -eses	sido
era	había	sido	fuera, -ese	hubiera, -ese	sido
éramos	habíamos	sido	fuéramos, -ésemos	hubiéramos, -ésemos	sido
erais	habíais	sido	fuerais, -eseis	hubierais, -eseis	sido
eran	habían	sido	fueran, -esen	hubieran, -esen	sido
Pretérito indefinido	**Pretérito anterior**		**Futuro imperfecto**	**Futuro perfecto**	
fui	hube	sido	fuere	hubiere	sido
fuiste	hubiste	sido	fueres	hubieres	sido
fue	hubo	sido	fuere	hubiere	sido
fuimos	hubimos	sido	fuéremos	hubiéremos	sido
fuisteis	hubisteis	sido	fuereis	hubiereis	sido
fueron	hubieron	sido	fueren	hubieren	sido

Futuro imperfecto	**Futuro perfecto**		IMPERATIVO
seré	habré	sido	
serás	habrás	sido	*sé* (tú)
será	habrá	sido	*sea* (usted)
seremos	habremos	sido	seamos (nosotros)
seréis	habréis	sido	*sed* (vosotros)
serán	habrán	sido	*sean* (ustedes)

Condicional simple	**Condicional compuesto**		FORMAS NO PERSONALES	
			Infinitivo	**Infinitivo compuesto**
sería	habría	sido	ser	haber sido
serías	habrías	sido	**Gerundio**	**Gerundio compuesto**
sería	habría	sido	siendo	habiendo sido
seríamos	habríamos	sido	**Participio**	
seríais	habríais	sido	sido	
serían	habrían	sido		

3. ESTAR verbo auxiliar

INDICATIVO			SUBJUNTIVO		
Presente	**Pretérito perfecto**		**Presente**	**Pretérito perfecto**	
estoy	he	estado	esté	haya	estado
estás	has	estado	estés	hayas	estado
está	ha	estado	esté	haya	estado
estamos	hemos	estado	estemos	hayamos	estado
estáis	habéis	estado	estéis	hayáis	estado
están	han	estado	estén	hayan	estado
Pretérito imperfecto	**Pretérito pluscuamperfecto**		**Pretérito imperfecto**	**Pretérito pluscuamperfecto**	
estaba	había	estado	estuviera, -ese	hubiera, -ese	estado
estabas	habías	estado	estuvieras, -eses	hubieras, -eses	estado
estaba	había	estado	estuviera, -ese	hubiera, -ese	estado
estábamos	habíamos	estado	estuviéramos, -ésemos	hubiéramos, -ésemos	estado
estabais	habíais	estado	estuvierais, -eseis	hubierais, -eseis	estado
estaban	habían	estado	estuvieran, -esen	hubieran, -esen	estado
Pretérito indefinido	**Pretérito anterior**		**Futuro imperfecto**	**Futuro perfecto**	
estuve	hube	estado	estuviere	hubiere	estado
estuviste	hubiste	estado	estuvieres	hubieres	estado
estuvo	hubo	estado	estuviere	hubiere	estado
estuvimos	hubimos	estado	estuviéremos	hubiéremos	estado
estuvisteis	hubisteis	estado	estuviereis	hubiereis	estado
estuvieron	hubieron	estado	estuvieren	hubieren	estado

Futuro imperfecto	**Futuro perfecto**	
estaré	habré	estado
estarás	habrás	estado
estará	habrá	estado
estaremos	habremos	estado
estaréis	habréis	estado
estarán	habrán	estado

IMPERATIVO

está (tú)
esté (usted)
estemos (nosotros)
estad (vosotros)
estén (ustedes)

Condicional simple	**Condicional compuesto**	
estaría	habría	estado
estarías	habrías	estado
estaría	habría	estado
estaríamos	habríamos	estado
estaríais	habríais	estado
estarían	habrían	estado

FORMAS NO PERSONALES

Infinitivo	Infinitivo compuesto
estar	haber estado

Gerundio	Gerundio compuesto
estando	habiendo estado

Participio
estado

4. HABLAR verbo regular

INDICATIVO			SUBJUNTIVO		
Presente	**Pretérito perfecto**		**Presente**	**Pretérito perfecto**	
hablo	he	hablado	hable	haya	hablado
hablas	has	hablado	hables	hayas	hablado
habla	ha	hablado	hable	haya	hablado
hablamos	hemos	hablado	hablemos	hayamos	hablado
habláis	habéis	hablado	habléis	hayáis	hablado
hablan	han	hablado	hablen	hayan	hablado
Pretérito imperfecto	**Pretérito pluscuamperfecto**		**Pretérito imperfecto**	**Pretérito pluscuamperfecto**	
hablaba	había	hablado	hablara, -ase	hubiera, -ese	hablado
hablabas	habías	hablado	hablaras, -ases	hubieras, -eses	hablado
hablaba	había	hablado	hablara, -ase	hubiera, -ese	hablado
hablábamos	habíamos	hablado	habláramos, -ásemos	hubiéramos, -ésemos	hablado
hablabais	habíais	hablado	hablarais, -aseis	hubierais, -eseis	hablado
hablaban	habían	hablado	hablaran, -asen	hubieran, -esen	hablado
Pretérito indefinido	**Pretérito anterior**		**Futuro imperfecto**	**Futuro perfecto**	
hablé	hube	hablado	hablare	hubiere	hablado
hablaste	hubiste	hablado	hablares	hubieres	hablado
habló	hubo	hablado	hablare	hubiere	hablado
hablamos	hubimos	hablado	habláremos	hubiéremos	hablado
hablasteis	hubisteis	hablado	hablareis	hubiereis	hablado
hablaron	hubieron	hablado	hablaren	hubieren	hablado

Futuro imperfecto	**Futuro perfecto**	
hablaré	habré	hablado
hablarás	habrás	hablado
hablará	habrá	hablado
hablaremos	habremos	hablado
hablaréis	habréis	hablado
hablarán	habrán	hablado

IMPERATIVO

habla (tú)
hable (usted)
hablemos (nosotros)
hablad (vosotros)
hablen (ustedes)

Condicional simple	**Condicional compuesto**	
hablaría	habría	hablado
hablarías	habrías	hablado
hablaría	habría	hablado
hablaríamos	habríamos	hablado
hablaríais	habríais	hablado
hablarían	habrían	hablado

FORMAS NO PERSONALES

Infinitivo	**Infinitivo compuesto**
hablar	haber hablado

Gerundio	**Gerundio compuesto**
hablando	habiendo hablado

Participio
hablado

5. BEBER verbo regular

INDICATIVO			SUBJUNTIVO		
Presente	**Pretérito perfecto**		**Presente**	**Pretérito perfecto**	
bebo	he	bebido	beba	haya	bebido
bebes	has	bebido	bebas	hayas	bebido
bebe	ha	bebido	beba	haya	bebido
bebemos	hemos	bebido	bebamos	hayamos	bebido
bebéis	habéis	bebido	bebáis	hayáis	bebido
beben	han	bebido	beban	hayan	bebido
Pretérito imperfecto	**Pretérito pluscuamperfecto**		**Pretérito imperfecto**	**Pretérito pluscuamperfecto**	
bebía	había	bebido	bebiera, -ese	hubiera, -ese	bebido
bebías	habías	bebido	bebieras, -eses	hubieras, -eses	bebido
bebía	había	bebido	bebiera, -ese	hubiera, -ese	bebido
bebíamos	habíamos	bebido	bebiéramos, -ésemos	hubiéramos, -ésemos	bebido
bebíais	habíais	bebido	bebierais, -eseis	hubierais, -eseis	bebido
bebían	habían	bebido	bebieran, -esen	hubieran, -esen	bebido
Pretérito indefinido	**Pretérito anterior**		**Futuro imperfecto**	**Futuro perfecto**	
bebí	hube	bebido	bebiere	hubiere	bebido
bebiste	hubiste	bebido	bebieres	hubieres	bebido
bebió	hubo	bebido	bebiere	hubiere	bebido
bebimos	hubimos	bebido	bebiéremos	hubiéremos	bebido
bebisteis	hubisteis	bebido	bebiereis	hubiereis	bebido
bebieron	hubieron	bebido	bebieren	hubieren	bebido

Futuro imperfecto	Futuro perfecto	
beberé	habré	bebido
beberás	habrás	bebido
beberá	habrá	bebido
beberemos	habremos	bebido
beberéis	habréis	bebido
beberán	habrán	bebido

IMPERATIVO

bebe (tú)
beba (usted)
bebamos (nosotros)
bebed (vosotros)
beban (ustedes)

Condicional simple	Condicional compuesto	
bebería	habría	bebido
beberías	habrías	bebido
bebería	habría	bebido
beberíamos	habríamos	bebido
beberíais	habríais	bebido
beberían	habrían	bebido

FORMAS NO PERSONALES

Infinitivo	Infinitivo compuesto
beber	haber bebido
Gerundio	**Gerundio compuesto**
bebiendo	habiendo bebido
Participio	
bebido	

6. VIVIR verbo regular

INDICATIVO			SUBJUNTIVO		
Presente	**Pretérito perfecto**		**Presente**	**Pretérito perfecto**	
vivo	he	vivido	viva	haya	vivido
vives	has	vivido	vivas	hayas	vivido
vive	ha	vivido	viva	haya	vivido
vivimos	hemos	vivido	vivamos	hayamos	vivido
vivís	habéis	vivido	viváis	hayáis	vivido
viven	han	vivido	vivan	hayan	vivido
Pretérito imperfecto	**Pretérito pluscuamperfecto**		**Pretérito imperfecto**	**Pretérito pluscuamperfecto**	
vivía	había	vivido	viviera, -ese	hubiera, -ese	vivido
vivías	habías	vivido	vivieras, -eses	hubieras, -eses	vivido
vivía	había	vivido	viviera, -ese	hubiera, -ese	vivido
vivíamos	habíamos	vivido	viviéramos, -ésemos	hubiéramos, -ésemos	vivido
vivíais	habíais	vivido	vivierais, -eseis	hubierais, -eseis	vivido
vivían	habían	vivido	vivieran, -esen	hubieran, -esen	vivido
Pretérito indefinido	**Pretérito anterior**		**Futuro imperfecto**	**Futuro perfecto**	
viví	hube	vivido	viviere	hubiere	vivido
viviste	hubiste	vivido	vivieres	hubieres	vivido
vivió	hubo	vivido	viviere	hubiere	vivido
vivimos	hubimos	vivido	viviéremos	hubiéremos	vivido
vivisteis	hubisteis	vivido	viviereis	hubiereis	vivido
vivieron	hubieron	vivido	vivieren	hubieren	vivido

Futuro imperfecto	**Futuro perfecto**		IMPERATIVO
viviré	habré	vivido	vive (tú)
vivirás	habrás	vivido	viva (usted)
vivirá	habrá	vivido	vivamos (nosotros)
viviremos	habremos	vivido	vivid (vosotros)
viviréis	habréis	vivido	vivan (ustedes)
vivirán	habrán	vivido	

Condicional simple	**Condicional compuesto**		FORMAS NO PERSONALES
			Infinitivo — **Infinitivo compuesto**
viviría	habría	vivido	vivir — haber vivido
vivirías	habrías	vivido	**Gerundio** — **Gerundio compuesto**
viviría	habría	vivido	viviendo — habiendo vivido
viviríamos	habríamos	vivido	
viviríais	habríais	vivido	**Participio**
vivirían	habrían	vivido	vivido

7. SER AMADO — verbo en pasiva

INDICATIVO				SUBJUNTIVO			
Presente		**Pretérito perfecto**		**Presente**		**Pretérito perfecto**	
soy	amado*	he	sido amado*	sea	amado	haya	sido amado
eres	amado	has	sido amado	seas	amado	hayas	sido amado
es	amado	ha	sido amado	sea	amado	haya	sido amado
somos	amados	hemos	sido amados	seamos	amados	hayamos	sido amados
sois	amados	habéis	sido amados	seáis	amados	hayáis	sido amados
son	amados	han	sido amados	sean	amados	hayan	sido amados
Pretérito imperfecto		**Pretérito pluscuamperfecto**		**Pretérito imperfecto**		**Pretérito pluscuamperfecto**	
era	amado	había	sido amado	fuera, -ese	amado	hubiera, -ese	sido amado
eras	amado	habías	sido amado	fueras, -eses	amado	hubieras, -eses	sido amado
era	amado	había	sido amado	fuera, -ese	amado	hubiera, -ese	sido amado
éramos	amados	habíamos	sido amados	fuéramos, -ésemos	amados	hubiéramos, -ésemos	sido amados
erais	amados	habíais	sido amados	fuerais, -eseis	amados	hubierais, -eseis	sido amados
eran	amados	habían	sido amados	fueran, -esen	amados	hubieran, -esen	sido amados
Pretérito indefinido		**Pretérito anterior**		**Futuro imperfecto**		**Futuro perfecto**	
fui	amado	hube	sido amado	fuere	amado	hubiere	sido amado
fuiste	amado	hubiste	sido amado	fueres	amado	hubieres	sido amado
fue	amado	hubo	sido amado	fuere	amado	hubiere	sido amado
fuimos	amados	hubimos	sido amados	fuéremos	amados	hubiéremos	sido amados
fuisteis	amados	hubisteis	sido amados	fuereis	amados	hubiereis	sido amados
fueron	amados	hubieron	sido amados	fueren	amados	hubieren	sido amados

Futuro imperfecto		**Futuro perfecto**	
seré	amado	habré	sido amado
serás	amado	habrás	sido amado
será	amado	habrá	sido amado
seremos	amados	habremos	sido amados
seréis	amados	habréis	sido amados
serán	amados	habrán	sido amados

IMPERATIVO

sé amado (tú)
sea amado (usted)
seamos amados (nosotros)
sed amados (vosotros)
sean amados (ustedes)

Condicional simple		**Condicional compuesto**	
sería	amado	habría	sido amado
serías	amado	habrías	sido amado
sería	amado	habría	sido amado
seríamos	amados	habríamos	sido amados
seríais	amados	habríais	sido amados
serían	amados	habrían	sido amados

FORMAS NO PERSONALES

Infinitivo	Infinitivo compuesto
ser amado	haber sido amado
Gerundio	**Gerundio compuesto**
siendo amado	habiendo sido amado
Participio	
sido amado	

* En la voz pasiva, el participio del verbo conjugado concuerda también en género con el sujeto.

8. ATREVERSE verbo pronominal

INDICATIVO			SUBJUNTIVO		
Presente	**Pretérito perfecto**		**Presente**	**Pretérito perfecto**	
me atrevo	me he	atrevido	me atreva	me haya	atrevido
te atreves	te has	atrevido	te atrevas	te hayas	atrevido
se atreve	se ha	atrevido	se atreva	se haya	atrevido
nos atrevemos	nos hemos	atrevido	nos atrevamos	nos hayamos	atrevido
os atrevéis	os habéis	atrevido	os atreváis	os hayáis	atrevido
se atreven	se han	atrevido	se atrevan	se hayan	atrevido
Pretérito imperfecto	**Pretérito pluscuamperfecto**		**Pretérito imperfecto**	**Pretérito pluscuamperfecto**	
me atrevía	me había	atrevido	me atreviera, -ese	me hubiera, -ese	atrevido
te atrevías	te habías	atrevido	te atrevieras, -eses	te hubieras, -eses	atrevido
se atrevía	se había	atrevido	se atreviera, -ese	se hubiera, -ese	atrevido
nos atrevíamos	nos habíamos	atrevido	nos atreviéramos, -ésemos	nos hubiéramos, -ésemos	atrevido
os atrevíais	os habíais	atrevido	os atrevierais, -eseis	os hubierais, -eseis	atrevido
se atrevían	se habían	atrevido	se atrevieran, -esen	se hubieran, -esen	atrevido
Pretérito indefinido	**Pretérito anterior**		**Futuro imperfecto**	**Futuro perfecto**	
me atreví	me hube	atrevido	me atreviere	me hubiere	atrevido
te atreviste	te hubiste	atrevido	te atrevieres	te hubieres	atrevido
se atrevió	se hubo	atrevido	se atreviere	se hubiere	atrevido
nos atrevimos	nos hubimos	atrevido	nos atreviéremos	nos hubiéremos	atrevido
os atrevisteis	os hubisteis	atrevido	os atreviereis	os hubiereis	atrevido
se atrevieron	se hubieron	atrevido	se atrevieren	se hubieren	atrevido

Futuro imperfecto	**Futuro perfecto**		**IMPERATIVO**
me atreveré	me habré	atrevido	atrévete (tú)
te atreverás	te habrás	atrevido	atrévase (usted)
se atreverá	se habrá	atrevido	atrevámonos (nosotros)
nos atreveremos	nos habremos	atrevido	atreveos (vosotros)
os atreveréis	os habréis	atrevido	atrévanse (ustedes)
se atreverán	se habrán	atrevido	

Condicional simple	**Condicional compuesto**		**FORMAS NO PERSONALES**	
			Infinitivo	**Infinitivo compuesto**
			atreverse	haberse atrevido
me atrevería	me habría	atrevido		
te atreverías	te habrías	atrevido	**Gerundio**	**Gerundio compuesto**
se atrevería	se habría	atrevido	atreviéndose	habiéndose atrevido
nos atreveríamos	nos habríamos	atrevido		
os atreveríais	os habríais	atrevido	**Participio**	
se atreverían	se habrían	atrevido	atrevido	

9. ABOLIR verbo defectivo

INDICATIVO			SUBJUNTIVO		
Presente	**Pretérito perfecto**		**Presente**	**Pretérito perfecto**	
—	he	abolido	—	haya	abolido
—	has	abolido	—	hayas	abolido
—	ha	abolido	—	haya	abolido
abolimos	hemos	abolido	—	hayamos	abolido
abolís	habéis	abolido	—	hayáis	abolido
—	han	abolido	—	hayan	abolido
Pretérito imperfecto	**Pretérito pluscuamperfecto**		**Pretérito imperfecto**	**Pretérito pluscuamperfecto**	
abolía	había	abolido	aboliera, -ese	hubiera, -ese	abolido
abolías	habías	abolido	abolieras, -eses	hubieras, -eses	abolido
abolía	había	abolido	aboliera, -ese	hubiera, -ese	abolido
abolíamos	habíamos	abolido	aboliéramos, -ésemos	hubiéramos, -ésemos	abolido
abolíais	habíais	abolido	abolierais, -eseis	hubierais, -eseis	abolido
abolían	habían	abolido	abolieran, -esen	hubieran, -esen	abolido
Pretérito indefinido	**Pretérito anterior**		**Futuro imperfecto**	**Futuro perfecto**	
abolí	hube	abolido	aboliere	hubiere	abolido
aboliste	hubiste	abolido	abolieres	hubieres	abolido
abolió	hubo	abolido	aboliere	hubiere	abolido
abolimos	hubimos	abolido	aboliéremos	hubiéremos	abolido
abolisteis	hubisteis	abolido	aboliereis	hubiereis	abolido
abolieron	hubieron	abolido	abolieren	hubieren	abolido

Futuro imperfecto	**Futuro perfecto**		**IMPERATIVO**
aboliré	habré	abolido	—
abolirás	habrás	abolido	—
abolirá	habrá	abolido	—
aboliremos	habremos	abolido	abolid (vosotros)
aboliréis	habréis	abolido	—
abolirán	habrán	abolido	

Condicional simple	**Condicional compuesto**		**FORMAS NO PERSONALES**	
aboliría	habría	abolido	**Infinitivo**	**Infinitivo compuesto**
abolirías	habrías	abolido	abolir	haber abolido
aboliría	habría	abolido	**Gerundio**	**Gerundio compuesto**
aboliríamos	habríamos	abolido	aboliendo	habiendo abolido
aboliríais	habríais	abolido	**Participio**	
abolirían	habrían	abolido	abolido	

10. ACTUAR verbo irregular

INDICATIVO			SUBJUNTIVO		
Presente	**Pretérito perfecto**		**Presente**	**Pretérito perfecto**	
actúo	he	actuado	actúe	haya	actuado
actúas	has	actuado	actúes	hayas	actuado
actúa	ha	actuado	actúe	haya	actuado
actuamos	hemos	actuado	actuemos	hayamos	actuado
actuáis	habéis	actuado	actuéis	hayáis	actuado
actúan	han	actuado	actúen	hayan	actuado
Pretérito imperfecto	**Pretérito pluscuamperfecto**		**Pretérito imperfecto**	**Pretérito pluscuamperfecto**	
actuaba	había	actuado	actuara, -ase	hubiera, -ese	actuado
actuabas	habías	actuado	actuaras, -ases	hubieras, -eses	actuado
actuaba	había	actuado	actuara, -ase	hubiera, -ese	actuado
actuábamos	habíamos	actuado	actuáramos, -ásemos	hubiéramos, -ésemos	actuado
actuabais	habíais	actuado	actuarais, -aseis	hubierais, -eseis	actuado
actuaban	habían	actuado	actuaran, -asen	hubieran, -esen	actuado
Pretérito indefinido	**Pretérito anterior**		**Futuro imperfecto**	**Futuro perfecto**	
actué	hube	actuado	actuare	hubiere	actuado
actuaste	hubiste	actuado	actuares	hubieres	actuado
actuó	hubo	actuado	actuare	hubiere	actuado
actuamos	hubimos	actuado	actuáremos	hubiéremos	actuado
actuasteis	hubisteis	actuado	actuareis	hubiereis	actuado
actuaron	hubieron	actuado	actuaren	hubieren	actuado

Futuro imperfecto	**Futuro perfecto**		**IMPERATIVO**
actuaré	habré	actuado	
actuarás	habrás	actuado	actúa (tú)
actuará	habrá	actuado	actúe (usted)
actuaremos	habremos	actuado	actuemos (nosotros)
actuaréis	habréis	actuado	actuad (vosotros)
actuarán	habrán	actuado	actúen (ustedes)

Condicional simple	**Condicional compuesto**		**FORMAS NO PERSONALES**	
			Infinitivo	**Infinitivo compuesto**
actuaría	habría	actuado	actuar	haber actuado
actuarías	habrías	actuado		
actuaría	habría	actuado	**Gerundio**	**Gerundio compuesto**
actuaríamos	habríamos	actuado	actuando	habiendo actuado
actuaríais	habríais	actuado		
actuarían	habrían	actuado	**Participio**	
			actuado	

11. ADQUIRIR verbo irregular

INDICATIVO			SUBJUNTIVO		
Presente	**Pretérito perfecto**		**Presente**	**Pretérito perfecto**	
adquiero	he	adquirido	*adquiera*	haya	adquirido
adquieres	has	adquirido	*adquieras*	hayas	adquirido
adquiere	ha	adquirido	*adquiera*	haya	adquirido
adquirimos	hemos	adquirido	adquiramos	hayamos	adquirido
adquirís	habéis	adquirido	adquiráis	hayáis	adquirido
adquieren	han	adquirido	*adquieran*	hayan	adquirido
Pretérito imperfecto	**Pretérito pluscuamperfecto**		**Pretérito imperfecto**	**Pretérito pluscuamperfecto**	
adquiría	había	adquirido	adquiriera, -ese	hubiera, -ese	adquirido
adquirías	habías	adquirido	adquirieras, -eses	hubieras, -eses	adquirido
adquiría	había	adquirido	adquiriera, -ese	hubiera, -ese	adquirido
adquiríamos	habíamos	adquirido	adquiriéramos, -ésemos	hubiéramos, -ésemos	adquirido
adquiríais	habíais	adquirido	adquirierais, -eseis	hubierais, -eseis	adquirido
adquirían	habían	adquirido	adquirieran, -esen	hubieran, -esen	adquirido
Pretérito indefinido	**Pretérito anterior**		**Futuro imperfecto**	**Futuro perfecto**	
adquirí	hube	adquirido	adquiriere	hubiere	adquirido
adquiriste	hubiste	adquirido	adquirieres	hubieres	adquirido
adquirió	hubo	adquirido	adquiriere	hubiere	adquirido
adquirimos	hubimos	adquirido	adquiriéremos	hubiéremos	adquirido
adquiristeis	hubisteis	adquirido	adquiriereis	hubiereis	adquirido
adquirieron	hubieron	adquirido	adquirieren	hubieren	adquirido

Futuro imperfecto	**Futuro perfecto**		**IMPERATIVO**
adquiriré	habré	adquirido	
adquirirás	habrás	adquirido	*adquiere* (tú)
adquirirá	habrá	adquirido	*adquiera* (usted)
adquiriremos	habremos	adquirido	adquiramos (nosotros)
adquiriréis	habréis	adquirido	adquirid (vosotros)
adquirirán	habrán	adquirido	*adquieran* (ustedes)

Condicional simple	**Condicional compuesto**		**FORMAS NO PERSONALES**	
			Infinitivo	**Infinitivo compuesto**
adquiriría	habría	adquirido	adquirir	haber adquirido
adquirirías	habrías	adquirido		
adquiriría	habría	adquirido	**Gerundio**	**Gerundio compuesto**
adquiriríamos	habríamos	adquirido	adquiriendo	habiendo adquirido
adquiriríais	habríais	adquirido		
adquirirían	habrían	adquirido	**Participio**	
			adquirido	

12. AGORAR verbo irregular

INDICATIVO			SUBJUNTIVO		
Presente	**Pretérito perfecto**		**Presente**	**Pretérito perfecto**	
agüero	he	agorado	agüere	haya	agorado
agüeras	has	agorado	agüeres	hayas	agorado
agüera	ha	agorado	agüere	haya	agorado
agoramos	hemos	agorado	agoremos	hayamos	agorado
agoráis	habéis	agorado	agoréis	hayáis	agorado
agüeran	han	agorado	agüeren	hayan	agorado
Pretérito imperfecto	**Pretérito pluscuamperfecto**		**Pretérito imperfecto**	**Pretérito pluscuamperfecto**	
agoraba	había	agorado	agorara, -ase	hubiera, -ese	agorado
agorabas	habías	agorado	agoraras, -ases	hubieras, -eses	agorado
agoraba	había	agorado	agorara, -ase	hubiera, -ese	agorado
agorábamos	habíamos	agorado	agoráramos, -ásemos	hubiéramos, -ésemos	agorado
agorabais	habíais	agorado	agorarais, -aseis	hubierais, -eseis	agorado
agoraban	habían	agorado	agoraran, -asen	hubieran, -esen	agorado
Pretérito indefinido	**Pretérito anterior**		**Futuro imperfecto**	**Futuro perfecto**	
agoré	hube	agorado	agorare	hubiere	agorado
agoraste	hubiste	agorado	agorares	hubieres	agorado
agoró	hubo	agorado	agorare	hubiere	agorado
agoramos	hubimos	agorado	agoráremos	hubiéremos	agorado
agorasteis	hubisteis	agorado	agorareis	hubiereis	agorado
agoraron	hubieron	agorado	agoraren	hubieren	agorado

Futuro imperfecto	**Futuro perfecto**	
agoraré	habré	agorado
agorarás	habrás	agorado
agorará	habrá	agorado
agoraremos	habremos	agorado
agoraréis	habréis	agorado
agorarán	habrán	agorado

IMPERATIVO

agüera (tú)
agüere (usted)
agoremos (nosotros)
agorad (vosotros)
agüeren (ustedes)

Condicional simple	**Condicional compuesto**	
agoraría	habría	agorado
agorarías	habrías	agorado
agoraría	habría	agorado
agoraríamos	habríamos	agorado
agoraríais	habríais	agorado
agorarían	habrían	agorado

FORMAS NO PERSONALES

Infinitivo	**Infinitivo compuesto**
agorar	haber agorado

Gerundio	**Gerundio compuesto**
agorando	habiendo agorado

Participio

agorado

13. ANDAR | verbo irregular

INDICATIVO			SUBJUNTIVO		
Presente	**Pretérito perfecto**		**Presente**	**Pretérito perfecto**	
ando	he	andado	ande	haya	andado
andas	has	andado	andes	hayas	andado
anda	ha	andado	ande	haya	andado
andamos	hemos	andado	andemos	hayamos	andado
andáis	habéis	andado	andéis	hayáis	andado
andan	han	andado	anden	hayan	andado
Pretérito imperfecto	**Pretérito pluscuamperfecto**		**Pretérito imperfecto**	**Pretérito pluscuamperfecto**	
andaba	había	andado	*anduviera, -ese*	hubiera, -ese	andado
andabas	habías	andado	*anduvieras, -eses*	hubieras, -eses	andado
andaba	había	andado	*anduviera, -ese*	hubiera, -ese	andado
andábamos	habíamos	andado	*anduviéramos, -ésemos*	hubiéramos, -ésemos	andado
andabais	habíais	andado	*anduvierais, -eseis*	hubierais, -eseis	andado
andaban	habían	andado	*anduvieran, -esen*	hubieran, -esen	andado
Pretérito indefinido	**Pretérito anterior**		**Futuro imperfecto**	**Futuro perfecto**	
anduve	hube	andado	*anduviere*	hubiere	andado
anduviste	hubiste	andado	*anduvieres*	hubieres	andado
anduvo	hubo	andado	*anduviere*	hubiere	andado
anduvimos	hubimos	andado	*anduviéremos*	hubiéremos	andado
anduvisteis	hubisteis	andado	*anduviereis*	hubiereis	andado
anduvieron	hubieron	andado	*anduvieren*	hubieren	andado

Futuro imperfecto	**Futuro perfecto**	
andaré	habré	andado
andarás	habrás	andado
andará	habrá	andado
andaremos	habremos	andado
andaréis	habréis	andado
andarán	habrán	andado

IMPERATIVO

anda (tú)
ande (usted)
andemos (nosotros)
andad (vosotros)
anden (ustedes)

Condicional simple	**Condicional compuesto**	
andaría	habría	andado
andarías	habrías	andado
andaría	habría	andado
andaríamos	habríamos	andado
andaríais	habríais	andado
andarían	habrían	andado

FORMAS NO PERSONALES

Infinitivo	**Infinitivo compuesto**
andar	haber andado

Gerundio	**Gerundio compuesto**
andando	habiendo andado

Participio

andado

14. ARGÜIR verbo irregular

INDICATIVO			SUBJUNTIVO		
Presente	**Pretérito perfecto**		**Presente**	**Pretérito perfecto**	
arguyo	he	argüido	arguya	haya	argüido
arguyes	has	argüido	arguyas	hayas	argüido
arguye	ha	argüido	arguya	haya	argüido
argüimos	hemos	argüido	arguyamos	hayamos	argüido
argüís	habéis	argüido	arguyáis	hayáis	argüido
arguyen	han	argüido	arguyan	hayan	argüido
Pretérito imperfecto	**Pretérito pluscuamperfecto**		**Pretérito imperfecto**	**Pretérito pluscuamperfecto**	
argüía	había	argüido	arguyera, -ese	hubiera, -ese	argüido
argüías	habías	argüido	arguyeras, -eses	hubieras, -eses	argüido
argüía	había	argüido	arguyera, -ese	hubiera, -ese	argüido
argüíamos	habíamos	argüido	arguyéramos,	hubiéramos,	
argüíais	habíais	argüido	-ésemos	-ésemos	argüido
argüían	habían	argüido	arguyerais, -eseis	hubierais, -eseis	argüido
			arguyeran, -esen	hubieran, -esen	argüido
Pretérito indefinido	**Pretérito anterior**		**Futuro imperfecto**	**Futuro perfecto**	
argüí	hube	argüido	arguyere	hubiere	argüido
argüiste	hubiste	argüido	arguyeres	hubieres	argüido
arguyó	hubo	argüido	arguyere	hubiere	argüido
argüimos	hubimos	argüido	arguyéremos	hubiéremos	argüido
argüisteis	hubisteis	argüido	arguyereis	hubiereis	argüido
arguyeron	hubieron	argüido	arguyeren	hubieren	argüido
Futuro imperfecto	**Futuro perfecto**				
argüiré	habré	argüido			
argüirás	habrás	argüido			
argüirá	habrá	argüido			
argüiremos	habremos	argüido			
argüiréis	habréis	argüido			
argüirán	habrán	argüido			

IMPERATIVO

arguye (tú)
arguya (usted)
arguyamos (nosotros)
argüid (vosotros)
arguyan (ustedes)

Condicional simple	**Condicional compuesto**	
argüiría	habría	argüido
argüirías	habrías	argüido
argüiría	habría	argüido
argüiríamos	habríamos	argüido
argüiríais	habríais	argüido
argüirían	habrían	argüido

FORMAS NO PERSONALES

Infinitivo	**Infinitivo compuesto**
argüir	haber argüido
Gerundio	**Gerundio compuesto**
arguyendo	habiendo argüido
Participio	
argüido	

15. ASIR verbo irregular

INDICATIVO			SUBJUNTIVO		
Presente	**Pretérito perfecto**		**Presente**	**Pretérito perfecto**	
asgo	he	asido	asga	haya	asido
ases	has	asido	asgas	hayas	asido
ase	ha	asido	asga	haya	asido
asimos	hemos	asido	asgamos	hayamos	asido
asís	habéis	asido	asgáis	hayáis	asido
asen	han	asido	asgan	hayan	asido
Pretérito imperfecto	**Pretérito pluscuamperfecto**		**Pretérito imperfecto**	**Pretérito pluscuamperfecto**	
asía	había	asido	asiera, -ese	hubiera, -ese	asido
asías	habías	asido	asieras, -eses	hubieras, -eses	asido
asía	había	asido	asiera, -ese	hubiera, -ese	asido
asíamos	habíamos	asido	asiéramos, -ésemos	hubiéramos, -ésemos	asido
asíais	habíais	asido	asierais, -eseis	hubierais, -eseis	asido
asían	habían	asido	asieran, -esen	hubieran, -esen	asido
Pretérito indefinido	**Pretérito anterior**		**Futuro imperfecto**	**Futuro perfecto**	
así	hube	asido	asiere	hubiere	asido
asiste	hubiste	asido	asieres	hubieres	asido
asió	hubo	asido	asiere	hubiere	asido
asimos	hubimos	asido	asiéremos	hubiéremos	asido
asisteis	hubisteis	asido	asiereis	hubiereis	asido
asieron	hubieron	asido	asieren	hubieren	asido
Futuro imperfecto	**Futuro perfecto**				
asiré	habré	asido			
asirás	habrás	asido			
asirá	habrá	asido			
asiremos	habremos	asido			
asiréis	habréis	asido			
asirán	habrán	asido			

IMPERATIVO

ase (tú)
asga (usted)
asgamos (nosotros)
asid (vosotros)
asgan (ustedes)

Condicional simple	**Condicional compuesto**	
asiría	habría	asido
asirías	habrías	asido
asiría	habría	asido
asiríamos	habríamos	asido
asiríais	habríais	asido
asirían	habrían	asido

FORMAS NO PERSONALES

Infinitivo	**Infinitivo compuesto**
asir	haber asido
Gerundio	**Gerundio compuesto**
asiendo	habiendo asido
Participio	
asido	

16. AVERGONZAR verbo irregular

INDICATIVO		SUBJUNTIVO	
Presente	**Pretérito perfecto**	**Presente**	**Pretérito perfecto**
avergüenzo	he avergonzado	avergüence	haya avergonzado
avergüenzas	has avergonzado	avergüences	hayas avergonzado
avergüenza	ha avergonzado	avergüence	haya avergonzado
avergonzamos	hemos avergonzado	avergoncemos	hayamos avergonzado
avergonzáis	habéis avergonzado	avergoncéis	hayáis avergonzado
avergüenzan	han avergonzado	avergüencen	hayan avergonzado
Pretérito imperfecto	**Pretérito pluscuamperfecto**	**Pretérito imperfecto**	**Pretérito pluscuamperfecto**
avergonzaba	había avergonzado	avergonzara, -ase	hubiera, -ese avergonzado
avergonzabas	habías avergonzado	avergonzaras, -ases	hubieras, -eses avergonzado
avergonzaba	había avergonzado	avergonzara, -ase	hubiera, -ese avergonzado
avergonzábamos	habíamos avergonzado	avergonzáramos,	hubiéramos,
avergonzabais	habíais avergonzado	-ásemos	-ésemos avergonzado
avergonzaban	habían avergonzado	avergonzarais, -aseis	hubierais, -eseis avergonzado
		avergonzaran, -asen	hubieran, -esen avergonzado
Pretérito indefinido	**Pretérito anterior**	**Futuro imperfecto**	**Futuro perfecto**
avergoncé	hube avergonzado	avergonzare	hubiere avergonzado
avergonzaste	hubiste avergonzado	avergonzares	hubieres avergonzado
avergonzó	hubo avergonzado	avergonzare	hubiere avergonzado
avergonzamos	hubimos avergonzado	avergonzáremos	hubiéremos avergonzado
avergonzasteis	hubisteis avergonzado	avergonzareis	hubiereis avergonzado
avergonzaron	hubieron avergonzado	avergonzaren	hubieren avergonzado

Futuro imperfecto	**Futuro perfecto**	**IMPERATIVO**
avergonzaré	habré avergonzado	
avergonzarás	habrás avergonzado	avergüenza (tú)
avergonzará	habrá avergonzado	avergüence (usted)
avergonzaremos	habremos avergonzado	avergoncemos (nosotros)
avergonzaréis	habréis avergonzado	avergonzad (vosotros)
avergonzarán	habrán avergonzado	avergüencen (ustedes)

Condicional simple	**Condicional compuesto**	**FORMAS NO PERSONALES**	
		Infinitivo	**Infinitivo compuesto**
avergonzaría	habría avergonzado	avergonzar	haber avergonzado
avergonzarías	habrías avergonzado	**Gerundio**	**Gerundio compuesto**
avergonzaría	habría avergonzado	avergonzando	habiendo avergonzado
avergonzaríamos	habríamos avergonzado		
avergonzaríais	habríais avergonzado	**Participio**	
avergonzarían	habrían avergonzado	avergonzado	

17. AVERIGUAR verbo irregular

INDICATIVO			SUBJUNTIVO		
Presente	**Pretérito perfecto**		**Presente**	**Pretérito perfecto**	
averiguo	he	averiguado	*averigüe*	haya	averiguado
averiguas	has	averiguado	*averigües*	hayas	averiguado
averigua	ha	averiguado	*averigüe*	haya	averiguado
averiguamos	hemos	averiguado	*averigüemos*	hayamos	averiguado
averiguáis	habéis	averiguado	*averigüéis*	hayáis	averiguado
averiguan	han	averiguado	*averigüen*	hayan	averiguado
Pretérito imperfecto	**Pretérito pluscuamperfecto**		**Pretérito imperfecto**	**Pretérito pluscuamperfecto**	
averiguaba	había	averiguado	averiguara, -ase	hubiera, -ese	averiguado
averiguabas	habías	averiguado	averiguaras, -ases	hubieras, -eses	averiguado
averiguaba	había	averiguado	averiguara, -ase	hubiera, -ese	averiguado
averiguábamos	habíamos	averiguado	averiguáramos, -ásemos	hubiéramos, -ésemos	averiguado
averiguabais	habíais	averiguado	averiguarais, -aseis	hubierais, -eseis	averiguado
averiguaban	habían	averiguado	averiguaran, -asen	hubieran, -esen	averiguado
Pretérito indefinido	**Pretérito anterior**		**Futuro imperfecto**	**Futuro perfecto**	
averigüé	hube	averiguado	averiguare	hubiere	averiguado
averiguaste	hubiste	averiguado	averiguares	hubieres	averiguado
averiguó	hubo	averiguado	averiguare	hubiere	averiguado
averiguamos	hubimos	averiguado	averiguáremos	hubiéremos	averiguado
averiguasteis	hubisteis	averiguado	averiguareis	hubiereis	averiguado
averiguaron	hubieron	averiguado	averiguaren	hubieren	averiguado

Futuro imperfecto	**Futuro perfecto**		**IMPERATIVO**
averiguaré	habré	averiguado	
averiguarás	habrás	averiguado	averigua (tú)
averiguará	habrá	averiguado	*averigüe* (usted)
averiguaremos	habremos	averiguado	*averigüemos* (nosotros)
averiguaréis	habréis	averiguado	averiguad (vosotros)
averiguarán	habrán	averiguado	*averigüen* (ustedes)

Condicional simple	**Condicional compuesto**		**FORMAS NO PERSONALES**	
			Infinitivo	**Infinitivo compuesto**
averiguaría	habría	averiguado	averiguar	haber averiguado
averiguarías	habrías	averiguado	**Gerundio**	**Gerundio compuesto**
averiguaría	habría	averiguado	averiguando	habiendo averiguado
averiguaríamos	habríamos	averiguado		
averiguaríais	habríais	averiguado	**Participio**	
averiguarían	habrían	averiguado	averiguado	

18. BENDECIR verbo irregular

INDICATIVO			SUBJUNTIVO		
Presente	**Pretérito perfecto**		**Presente**	**Pretérito perfecto**	
bendigo	he	bendecido	*bendiga*	haya	bendecido
bendices	has	bendecido	*bendigas*	hayas	bendecido
bendice	ha	bendecido	*bendiga*	haya	bendecido
bendecimos	hemos	bendecido	*bendigamos*	hayamos	bendecido
bendecís	habéis	bendecido	*bendigáis*	hayáis	bendecido
bendicen	han	bendecido	*bendigan*	hayan	bendecido
Pretérito imperfecto	**Pretérito pluscuamperfecto**		**Pretérito imperfecto**	**Pretérito pluscuamperfecto**	
bendecía	había	bendecido	*bendijera, -ese*	hubiera, -ese	bendecido
bendecías	habías	bendecido	*bendijeras, -eses*	hubieras, -eses	bendecido
bendecía	había	bendecido	*bendijera, -ese*	hubiera, -ese	bendecido
bendecíamos	habíamos	bendecido	*bendijéramos, -ésemos*	hubiéramos, -ésemos	bendecido
bendecíais	habíais	bendecido	*bendijerais, -eseis*	hubierais, -eseis	bendecido
bendecían	habían	bendecido	*bendijeran, -esen*	hubieran, -esen	bendecido
Pretérito indefinido	**Pretérito anterior**		**Futuro imperfecto**	**Futuro perfecto**	
bendije	hube	bendecido	*bendijere*	hubiere	bendecido
bendijiste	hubiste	bendecido	*bendijeres*	hubieres	bendecido
bendijo	hubo	bendecido	*bendijere*	hubiere	bendecido
bendijimos	hubimos	bendecido	*bendijéremos*	hubiéremos	bendecido
bendijisteis	hubisteis	bendecido	*bendijereis*	hubiereis	bendecido
bendijeron	hubieron	bendecido	*bendijeren*	hubieren	bendecido

Futuro imperfecto	**Futuro perfecto**	
bendeciré	habré	bendecido
bendecirás	habrás	bendecido
bendecirá	habrá	bendecido
bendeciremos	habremos	bendecido
bendeciréis	habréis	bendecido
bendecirán	habrán	bendecido

IMPERATIVO

bendice (tú)
bendiga (usted)
bendigamos (nosotros)
bendecid (vosotros)
bendigan (ustedes)

Condicional simple	**Condicional compuesto**	
bendeciría	habría	bendecido
bendecirías	habrías	bendecido
bendeciría	habría	bendecido
bendeciríamos	habríamos	bendecido
bendeciríais	habríais	bendecido
bendecirían	habrían	bendecido

FORMAS NO PERSONALES

Infinitivo	**Infinitivo compuesto**
bendecir	haber bendecido
Gerundio	**Gerundio compuesto**
bendiciendo	habiendo bendecido
Participio	
bendecido	

35

19. CABER | verbo irregular

INDICATIVO			SUBJUNTIVO		
Presente	**Pretérito perfecto**		**Presente**	**Pretérito perfecto**	
quepo	he	cabido	quepa	haya	cabido
cabes	has	cabido	quepas	hayas	cabido
cabe	ha	cabido	quepa	haya	cabido
cabemos	hemos	cabido	quepamos	hayamos	cabido
cabéis	habéis	cabido	quepáis	hayáis	cabido
caben	han	cabido	quepan	hayan	cabido
Pretérito imperfecto	**Pretérito pluscuamperfecto**		**Pretérito imperfecto**	**Pretérito pluscuamperfecto**	
cabía	había	cabido	cupiera, -ese	hubiera, -ese	cabido
cabías	habías	cabido	cupieras, -eses	hubieras, -eses	cabido
cabía	había	cabido	cupiera, -ese	hubiera, -ese	cabido
cabíamos	habíamos	cabido	cupiéramos, -ésemos	hubiéramos, -ésemos	cabido
cabíais	habíais	cabido	cupierais, -eseis	hubierais, -eseis	cabido
cabían	habían	cabido	cupieran, -esen	hubieran, -esen	cabido
Pretérito indefinido	**Pretérito anterior**		**Futuro imperfecto**	**Futuro perfecto**	
cupe	hube	cabido	cupiere	hubiere	cabido
cupiste	hubiste	cabido	cupieres	hubieres	cabido
cupo	hubo	cabido	cupiere	hubiere	cabido
cupimos	hubimos	cabido	cupiéremos	hubiéremos	cabido
cupisteis	hubisteis	cabido	cupiereis	hubiereis	cabido
cupieron	hubieron	cabido	cupieren	hubieren	cabido

Futuro imperfecto	**Futuro perfecto**	
cabré	habré	cabido
cabrás	habrás	cabido
cabrá	habrá	cabido
cabremos	habremos	cabido
cabréis	habréis	cabido
cabrán	habrán	cabido

IMPERATIVO

cabe (tú)
quepa (usted)
quepamos (nosotros)
cabed (vosotros)
quepan (ustedes)

Condicional simple	**Condicional compuesto**	
cabría	habría	cabido
cabrías	habrías	cabido
cabría	habría	cabido
cabríamos	habríamos	cabido
cabríais	habríais	cabido
cabrían	habrían	cabido

FORMAS NO PERSONALES

Infinitivo	**Infinitivo compuesto**
caber	haber cabido
Gerundio	**Gerundio compuesto**
cabiendo	habiendo cabido
Participio	
cabido	

20. CAER verbo irregular

INDICATIVO			SUBJUNTIVO		
Presente	**Pretérito perfecto**		**Presente**	**Pretérito perfecto**	
caigo	he	caído	caiga	haya	caído
caes	has	caído	caigas	hayas	caído
cae	ha	caído	caiga	haya	caído
caemos	hemos	caído	caigamos	hayamos	caído
caéis	habéis	caído	caigáis	hayáis	caído
caen	han	caído	caigan	hayan	caído
Pretérito imperfecto	**Pretérito pluscuamperfecto**		**Pretérito imperfecto**	**Pretérito pluscuamperfecto**	
caía	había	caído	cayera, -ese	hubiera, -ese	caído
caías	habías	caído	cayeras, -eses	hubieras, -eses	caído
caía	había	caído	cayera, -ese	hubiera, -ese	caído
caíamos	habíamos	caído	cayéramos,	hubiéramos,	
caíais	habíais	caído	-ésemos	-ésemos	caído
caían	habían	caído	cayerais, -eseis	hubierais, -eseis	caído
			cayeran, -esen	hubieran, -esen	caído
Pretérito indefinido	**Pretérito anterior**		**Futuro imperfecto**	**Futuro perfecto**	
caí	hube	caído	cayere	hubiere	caído
caíste	hubiste	caído	cayeres	hubieres	caído
cayó	hubo	caído	cayere	hubiere	caído
caímos	hubimos	caído	cayéremos	hubiéremos	caído
caísteis	hubisteis	caído	cayereis	hubiereis	caído
cayeron	hubieron	caído	cayeren	hubieren	caído

Futuro imperfecto	**Futuro perfecto**		**IMPERATIVO**
caeré	habré	caído	
caerás	habrás	caído	cae (tú)
caerá	habrá	caído	caiga (usted)
caeremos	habremos	caído	caigamos (nosotros)
caeréis	habréis	caído	caed (vosotros)
caerán	habrán	caído	caigan (ustedes)

Condicional simple	**Condicional compuesto**		**FORMAS NO PERSONALES**	
			Infinitivo	**Infinitivo compuesto**
caería	habría	caído	caer	haber caído
caerías	habrías	caído	**Gerundio**	**Gerundio compuesto**
caería	habría	caído	cayendo	habiendo caído
caeríamos	habríamos	caído		
caeríais	habríais	caído	**Participio**	
caerían	habrían	caído	caído	

21. CEÑIR verbo irregular

INDICATIVO			SUBJUNTIVO		
Presente	**Pretérito perfecto**		**Presente**	**Pretérito perfecto**	
ciño	he	ceñido	*ciña*	haya	ceñido
ciñes	has	ceñido	*ciñas*	hayas	ceñido
ciñe	ha	ceñido	*ciña*	haya	ceñido
ceñimos	hemos	ceñido	*ciñamos*	hayamos	ceñido
ceñís	habéis	ceñido	*ciñáis*	hayáis	ceñido
ciñen	han	ceñido	*ciñan*	hayan	ceñido
Pretérito imperfecto	**Pretérito pluscuamperfecto**		**Pretérito imperfecto**	**Pretérito pluscuamperfecto**	
ceñía	había	ceñido	*ciñera, -ese*	hubiera, -ese	ceñido
ceñías	habías	ceñido	*ciñeras, -eses*	hubieras, -eses	ceñido
ceñía	había	ceñido	*ciñera, -ese*	hubiera, -ese	ceñido
ceñíamos	habíamos	ceñido	*ciñéramos,*	hubiéramos,	
ceñíais	habíais	ceñido	*-ésemos*	*-ésemos*	ceñido
ceñían	habían	ceñido	*ciñerais, -eseis*	hubierais, -eseis	ceñido
			ciñeran, -esen	hubieran, -esen	ceñido
Pretérito indefinido	**Pretérito anterior**		**Futuro imperfecto**	**Futuro perfecto**	
ceñí	hube	ceñido	*ciñere*	hubiere	ceñido
ceñiste	hubiste	ceñido	*ciñeres*	hubieres	ceñido
ciñó	hubo	ceñido	*ciñere*	hubiere	ceñido
ceñimos	hubimos	ceñido	*ciñéremos*	hubiéremos	ceñido
ceñisteis	hubisteis	ceñido	*ciñereis*	hubiereis	ceñido
ciñeron	hubieron	ceñido	*ciñeren*	hubieren	ceñido

Futuro imperfecto	Futuro perfecto		IMPERATIVO
ceñiré	habré	ceñido	
ceñirás	habrás	ceñido	*ciñe* (tú)
ceñirá	habrá	ceñido	*ciña* (usted)
ceñiremos	habremos	ceñido	*ciñamos* (nosotros)
ceñiréis	habréis	ceñido	ceñid (vosotros)
ceñirán	habrán	ceñido	*ciñan* (ustedes)

Condicional simple	Condicional compuesto		FORMAS NO PERSONALES
			Infinitivo — **Infinitivo compuesto**
ceñiría	habría	ceñido	ceñir — haber ceñido
ceñirías	habrías	ceñido	
ceñiría	habría	ceñido	**Gerundio** — **Gerundio compuesto**
ceñiríamos	habríamos	ceñido	*ciñendo* — habiendo ceñido
ceñiríais	habríais	ceñido	
ceñirían	habrían	ceñido	**Participio**
			ceñido

22. COCER verbo irregular

INDICATIVO			SUBJUNTIVO		
Presente	**Pretérito perfecto**		**Presente**	**Pretérito perfecto**	
cuezo	he	cocido	*cueza*	haya	cocido
cueces	has	cocido	*cuezas*	hayas	cocido
cuece	ha	cocido	*cueza*	haya	cocido
cocemos	hemos	cocido	*cozamos*	hayamos	cocido
cocéis	habéis	cocido	*cozáis*	hayáis	cocido
cuecen	han	cocido	*cuezan*	hayan	cocido
Pretérito imperfecto	**Pretérito pluscuamperfecto**		**Pretérito imperfecto**	**Pretérito pluscuamperfecto**	
cocía	había	cocido	cociera, -ese	hubiera, -ese	cocido
cocías	habías	cocido	cocieras, -eses	hubieras, -eses	cocido
cocía	había	cocido	cociera, -ese	hubiera, -ese	cocido
cocíamos	habíamos	cocido	cociéramos, -ésemos	hubiéramos, -ésemos	cocido
cocíais	habíais	cocido	cocierais, -eseis	hubierais, -eseis	cocido
cocían	habían	cocido	cocieran, -esen	hubieran, -esen	cocido
Pretérito indefinido	**Pretérito anterior**		**Futuro imperfecto**	**Futuro perfecto**	
cocí	hube	cocido	cociere	hubiere	cocido
cociste	hubiste	cocido	cocieres	hubieres	cocido
coció	hubo	cocido	cociere	hubiere	cocido
cocimos	hubimos	cocido	cociéremos	hubiéremos	cocido
cocisteis	hubisteis	cocido	cociereis	hubiereis	cocido
cocieron	hubieron	cocido	cocieren	hubieren	cocido

Futuro imperfecto	**Futuro perfecto**	
coceré	habré	cocido
cocerás	habrás	cocido
cocerá	habrá	cocido
coceremos	habremos	cocido
coceréis	habréis	cocido
cocerán	habrán	cocido

IMPERATIVO

cuece (tú)
cueza (usted)
cozamos (nosotros)
coced (vosotros)
cuezan (ustedes)

Condicional simple	**Condicional compuesto**	
cocería	habría	cocido
cocerías	habrías	cocido
cocería	habría	cocido
coceríamos	habríamos	cocido
coceríais	habríais	cocido
cocerían	habrían	cocido

FORMAS NO PERSONALES

Infinitivo	Infinitivo compuesto
cocer	haber cocido
Gerundio	**Gerundio compuesto**
cociendo	habiendo cocido
Participio	
cocido	

23. COLGAR verbo irregular

INDICATIVO			SUBJUNTIVO		
Presente	**Pretérito perfecto**		**Presente**	**Pretérito perfecto**	
cuelgo	he	colgado	cuelgue	haya	colgado
cuelgas	has	colgado	cuelgues	hayas	colgado
cuelga	ha	colgado	cuelgue	haya	colgado
colgamos	hemos	colgado	colguemos	hayamos	colgado
colgáis	habéis	colgado	colguéis	hayáis	colgado
cuelgan	han	colgado	cuelguen	hayan	colgado

Pretérito imperfecto	**Pretérito pluscuamperfecto**		**Pretérito imperfecto**	**Pretérito pluscuamperfecto**	
colgaba	había	colgado	colgara, -ase	hubiera, -ese	colgado
colgabas	habías	colgado	colgaras, -ases	hubieras, -eses	colgado
colgaba	había	colgado	colgara, -ase	hubiera, -ese	colgado
colgábamos	habíamos	colgado	colgáramos, -ásemos	hubiéramos, -ésemos	colgado
colgabais	habíais	colgado	colgarais, -aseis	hubierais, -eseis	colgado
colgaban	habían	colgado	colgaran, -asen	hubieran, -esen	colgado

Pretérito indefinido	**Pretérito anterior**		**Futuro imperfecto**	**Futuro perfecto**	
colgué	hube	colgado	colgare	hubiere	colgado
colgaste	hubiste	colgado	colgares	hubieres	colgado
colgó	hubo	colgado	colgare	hubiere	colgado
colgamos	hubimos	colgado	colgáremos	hubiéremos	colgado
colgasteis	hubisteis	colgado	colgareis	hubiereis	colgado
colgaron	hubieron	colgado	colgaren	hubieren	colgado

Futuro imperfecto	**Futuro perfecto**	
colgaré	habré	colgado
colgarás	habrás	colgado
colgará	habrá	colgado
colgaremos	habremos	colgado
colgaréis	habréis	colgado
colgarán	habrán	colgado

IMPERATIVO

cuelga (tú)
cuelgue (usted)
colguemos (nosotros)
colgad (vosotros)
cuelguen (ustedes)

Condicional simple	**Condicional compuesto**	
colgaría	habría	colgado
colgarías	habrías	colgado
colgaría	habría	colgado
colgaríamos	habríamos	colgado
colgaríais	habríais	colgado
colgarían	habrían	colgado

FORMAS NO PERSONALES

Infinitivo	**Infinitivo compuesto**
colgar	haber colgado

Gerundio	**Gerundio compuesto**
colgando	habiendo colgado

Participio
colgado

24. CONDUCIR verbo irregular

INDICATIVO				SUBJUNTIVO		
Presente	**Pretérito perfecto**			**Presente**	**Pretérito perfecto**	
conduzco	he	conducido		*conduzca*	haya	conducido
conduces	has	conducido		*conduzcas*	hayas	conducido
conduce	ha	conducido		*conduzca*	haya	conducido
conducimos	hemos	conducido		*conduzcamos*	hayamos	conducido
conducís	habéis	conducido		*conduzcáis*	hayáis	conducido
conducen	han	conducido		*conduzcan*	hayan	conducido
Pretérito imperfecto	**Pretérito pluscuamperfecto**			**Pretérito imperfecto**	**Pretérito pluscuamperfecto**	
conducía	había	conducido		*condujera, -ese*	hubiera, -ese	conducido
conducías	habías	conducido		*condujeras, -eses*	hubieras, -eses	conducido
conducía	había	conducido		*condujera, -ese*	hubiera, -ese	conducido
conducíamos	habíamos	conducido		*condujéramos, -ésemos*	hubiéramos, -ésemos	conducido
conducíais	habíais	conducido		*condujerais, -eseis*	hubierais, -eseis	conducido
conducían	habían	conducido		*condujeran, -esen*	hubieran, -esen	conducido
Pretérito indefinido	**Pretérito anterior**			**Futuro imperfecto**	**Futuro perfecto**	
conduje	hube	conducido		*condujere*	hubiere	conducido
condujiste	hubiste	conducido		*condujeres*	hubieres	conducido
condujo	hubo	conducido		*condujere*	hubiere	conducido
condujimos	hubimos	conducido		*condujéremos*	hubiéremos	conducido
condujisteis	hubisteis	conducido		*condujereis*	hubiereis	conducido
condujeron	hubieron	conducido		*condujeren*	hubieren	conducido

Futuro imperfecto	**Futuro perfecto**	
conduciré	habré	conducido
conducirás	habrás	conducido
conducirá	habrá	conducido
conduciremos	habremos	conducido
conduciréis	habréis	conducido
conducirán	habrán	conducido

IMPERATIVO

conduce [tú]
conduzca [usted]
conduzcamos [nosotros]
conducid [vosotros]
conduzcan [ustedes]

Condicional simple	**Condicional compuesto**	
conduciría	habría	conducido
conducirías	habrías	conducido
conduciría	habría	conducido
conduciríamos	habríamos	conducido
conduciríais	habríais	conducido
conducirían	habrían	conducido

FORMAS NO PERSONALES

Infinitivo	**Infinitivo compuesto**
conducir	haber conducido
Gerundio	**Gerundio compuesto**
conduciendo	habiendo conducido
Participio	
conducido	

25. CONTAR verbo irregular

INDICATIVO			SUBJUNTIVO		
Presente	**Pretérito perfecto**		**Presente**	**Pretérito perfecto**	
cuento	he	contado	cuente	haya	contado
cuentas	has	contado	cuentes	hayas	contado
cuenta	ha	contado	cuente	haya	contado
contamos	hemos	contado	contemos	hayamos	contado
contáis	habéis	contado	contéis	hayáis	contado
cuentan	han	contado	cuenten	hayan	contado
Pretérito imperfecto	**Pretérito pluscuamperfecto**		**Pretérito imperfecto**	**Pretérito pluscuamperfecto**	
contaba	había	contado	contara, -ase	hubiera, -ese	contado
contabas	habías	contado	contaras, -ases	hubieras, -eses	contado
contaba	había	contado	contara, -ase	hubiera, -ese	contado
contábamos	habíamos	contado	contáramos, -ásemos	hubiéramos, -ésemos	contado
contabais	habíais	contado	contarais, -aseis	hubierais, -eseis	contado
contaban	habían	contado	contaran, -asen	hubieran, -esen	contado
Pretérito indefinido	**Pretérito anterior**		**Futuro imperfecto**	**Futuro perfecto**	
conté	hube	contado	contare	hubiere	contado
contaste	hubiste	contado	contares	hubieres	contado
contó	hubo	contado	contare	hubiere	contado
contamos	hubimos	contado	contáremos	hubiéremos	contado
contasteis	hubisteis	contado	contareis	hubiereis	contado
contaron	hubieron	contado	contaren	hubieren	contado

Futuro imperfecto	**Futuro perfecto**	
contaré	habré	contado
contarás	habrás	contado
contará	habrá	contado
contaremos	habremos	contado
contaréis	habréis	contado
contarán	habrán	contado

IMPERATIVO

cuenta (tú)
cuente (usted)
contemos (nosotros)
contad (vosotros)
cuenten (ustedes)

Condicional simple	**Condicional compuesto**	
contaría	habría	contado
contarías	habrías	contado
contaría	habría	contado
contaríamos	habríamos	contado
contaríais	habríais	contado
contarían	habrían	contado

FORMAS NO PERSONALES

Infinitivo	Infinitivo compuesto
contar	haber contado
Gerundio	**Gerundio compuesto**
contando	habiendo contado
Participio	
contado	

26. DAR verbo irregular

INDICATIVO			SUBJUNTIVO		
Presente	**Pretérito perfecto**		**Presente**	**Pretérito perfecto**	
doy	he	dado	*dé*	haya	dado
das	has	dado	des	hayas	dado
da	ha	dado	*dé*	haya	dado
damos	hemos	dado	demos	hayamos	dado
dais	habéis	dado	deis	hayáis	dado
dan	han	dado	den	hayan	dado
Pretérito imperfecto	**Pretérito pluscuamperfecto**		**Pretérito imperfecto**	**Pretérito pluscuamperfecto**	
daba	había	dado	*diera, -ese*	hubiera, -ese	dado
dabas	habías	dado	*dieras, -eses*	hubieras, -eses	dado
daba	había	dado	*diera, -ese*	hubiera, -ese	dado
dábamos	habíamos	dado	*diéramos,*	hubiéramos,	
dabais	habíais	dado	*-ésemos*	-ésemos	dado
daban	habían	dado	*dierais, -eseis*	hubierais, -eseis	dado
			dieran, -esen	hubieran, -esen	dado
Pretérito indefinido	**Pretérito anterior**		**Futuro imperfecto**	**Futuro perfecto**	
di	hube	dado	*diere*	hubiere	dado
diste	hubiste	dado	*dieres*	hubieres	dado
dio	hubo	dado	*diere*	hubiere	dado
dimos	hubimos	dado	*diéremos*	hubiéremos	dado
disteis	hubisteis	dado	*diereis*	hubiereis	dado
dieron	hubieron	dado	*dieren*	hubieren	dado

Futuro imperfecto	Futuro perfecto		IMPERATIVO
Futuro imperfecto	**Futuro perfecto**		
daré	habré	dado	da (tú)
darás	habrás	dado	*dé* (usted)
dará	habrá	dado	demos (nosotros)
daremos	habremos	dado	dad (vosotros)
daréis	habréis	dado	den (ustedes)
darán	habrán	dado	

Condicional simple	**Condicional compuesto**		**FORMAS NO PERSONALES**	
			Infinitivo	**Infinitivo compuesto**
daría	habría	dado	dar	haber dado
darías	habrías	dado	**Gerundio**	**Gerundio compuesto**
daría	habría	dado	dando	habiendo dado
daríamos	habríamos	dado		
daríais	habríais	dado	**Participio**	
darían	habrían	dado	dado	

27. DECIR verbo irregular

INDICATIVO			SUBJUNTIVO		
Presente	**Pretérito perfecto**		**Presente**	**Pretérito perfecto**	
digo	he	dicho	diga	haya	dicho
dices	has	dicho	digas	hayas	dicho
dice	ha	dicho	diga	haya	dicho
decimos	hemos	dicho	digamos	hayamos	dicho
decís	habéis	dicho	digáis	hayáis	dicho
dicen	han	dicho	digan	hayan	dicho
Pretérito imperfecto	**Pretérito pluscuamperfecto**		**Pretérito imperfecto**	**Pretérito pluscuamperfecto**	
decía	había	dicho	dijera, -ese	hubiera, -ese	dicho
decías	habías	dicho	dijeras, -eses	hubieras, -eses	dicho
decía	había	dicho	dijera, -ese	hubiera, -ese	dicho
decíamos	habíamos	dicho	dijéramos, -ésemos	hubiéramos, -ésemos	dicho
decíais	habíais	dicho	dijerais, -eseis	hubierais, -eseis	dicho
decían	habían	dicho	dijeran, -esen	hubieran, -esen	dicho
Pretérito indefinido	**Pretérito anterior**		**Futuro imperfecto**	**Futuro perfecto**	
dije	hube	dicho	dijere	hubiere	dicho
dijiste	hubiste	dicho	dijeres	hubieres	dicho
dijo	hubo	dicho	dijere	hubiere	dicho
dijimos	hubimos	dicho	dijéremos	hubiéremos	dicho
dijisteis	hubisteis	dicho	dijereis	hubiereis	dicho
dijeron	hubieron	dicho	dijeren	hubieren	dicho

Futuro imperfecto	**Futuro perfecto**		**IMPERATIVO**
diré	habré	dicho	
dirás	habrás	dicho	di (tú)
dirá	habrá	dicho	diga (usted)
diremos	habremos	dicho	digamos (nosotros)
diréis	habréis	dicho	decid (vosotros)
dirán	habrán	dicho	digan (ustedes)

Condicional simple	**Condicional compuesto**		**FORMAS NO PERSONALES**	
			Infinitivo	**Infinitivo compuesto**
diría	habría	dicho	decir	haber dicho
dirías	habrías	dicho	**Gerundio**	**Gerundio compuesto**
diría	habría	dicho	diciendo	habiendo dicho
diríamos	habríamos	dicho		
diríais	habríais	dicho	**Participio**	
dirían	habrían	dicho	dicho	

44

28. DELINQUIR verbo irregular

INDICATIVO		SUBJUNTIVO	
Presente	**Pretérito perfecto**	**Presente**	**Pretérito perfecto**
delinco	he delinquido	*delinca*	haya delinquido
delinques	has delinquido	delincas	hayas delinquido
delinque	ha delinquido	delinca	haya delinquido
delinquimos	hemos delinquido	delincamos	hayamos delinquido
delinquís	habéis delinquido	delincáis	hayáis delinquido
delinquen	han delinquido	delincan	hayan delinquido
Pretérito imperfecto	**Pretérito pluscuamperfecto**	**Pretérito imperfecto**	**Pretérito pluscuamperfecto**
delinquía	había delinquido	delinquiera, -ese	hubiera, -ese delinquido
delinquías	habías delinquido	delinquieras, -eses	hubieras, -eses delinquido
delinquía	había delinquido	delinquiera, -ese	hubiera, -ese delinquido
delinquíamos	habíamos delinquido	delinquiéramos, -ésemos	hubiéramos, -ésemos delinquido
delinquíais	habíais delinquido	delinquierais, -eseis	hubierais, -eseis delinquido
delinquían	habían delinquido	delinquieran, -esen	hubieran, -esen delinquido
Pretérito indefinido	**Pretérito anterior**	**Futuro imperfecto**	**Futuro perfecto**
delinquí	hube delinquido	delinquiere	hubiere delinquido
delinquiste	hubiste delinquido	delinquieres	hubieres delinquido
delinquió	hubo delinquido	delinquiere	hubiere delinquido
delinquimos	hubimos delinquido	delinquiéremos	hubiéremos delinquido
delinquisteis	hubisteis delinquido	delinquiereis	hubiereis delinquido
delinquieron	hubieron delinquido	delinquieren	hubieren delinquido

Futuro imperfecto	**Futuro perfecto**	IMPERATIVO
delinquiré	habré delinquido	
delinquirás	habrás delinquido	delinque (tú)
delinquirá	habrá delinquido	*delinca* (usted)
delinquiremos	habremos delinquido	*delincamos* (nosotros)
delinquiréis	habréis delinquido	delinquid (vosotros)
delinquirán	habrán delinquido	*delincan* (ustedes)

Condicional simple	**Condicional compuesto**	FORMAS NO PERSONALES	
		Infinitivo	**Infinitivo compuesto**
delinquiría	habría delinquido	delinquir	haber delinquido
delinquirías	habrías delinquido	**Gerundio**	**Gerundio compuesto**
delinquiría	habría delinquido	delinquiendo	habiendo delinquido
delinquiríamos	habríamos delinquido		
delinquiríais	habríais delinquido	**Participio**	
delinquirían	habrían delinquido	delinquido	

29. DESOSAR verbo irregular

INDICATIVO			SUBJUNTIVO		
Presente	**Pretérito perfecto**		**Presente**	**Pretérito perfecto**	
deshueso	he	desosado	*deshuese*	haya	desosado
deshuesas	has	desosado	*deshueses*	hayas	desosado
deshuesa	ha	desosado	*deshuese*	haya	desosado
desosamos	hemos	desosado	desosemos	hayamos	desosado
desosáis	habéis	desosado	desoséis	hayáis	desosado
deshuesan	han	desosado	*deshuesen*	hayan	desosado
Pretérito imperfecto	**Pretérito pluscuamperfecto**		**Pretérito imperfecto**	**Pretérito pluscuamperfecto**	
desosaba	había	desosado	desosara, -ase	hubiera, -ese	desosado
desosabas	habías	desosado	desosaras, -ases	hubieras, -eses	desosado
desosaba	había	desosado	desosara, -ase	hubiera, -ese	desosado
desosábamos	habíamos	desosado	desosáramos, -ásemos	hubiéramos, -ésemos	desosado
desosabais	habíais	desosado	desosarais, -aseis	hubierais, -eseis	desosado
desosaban	habían	desosado	desosaran, -asen	hubieran, -esen	desosado
Pretérito indefinido	**Pretérito anterior**		**Futuro imperfecto**	**Futuro perfecto**	
desosé	hube	desosado	desosare	hubiere	desosado
desosaste	hubiste	desosado	desosares	hubieres	desosado
desosó	hubo	desosado	desosare	hubiere	desosado
desosamos	hubimos	desosado	desosáremos	hubiéremos	desosado
desosasteis	hubisteis	desosado	desosareis	hubiereis	desosado
desosaron	hubieron	desosado	desosaren	hubieren	desosado

Futuro imperfecto	**Futuro perfecto**		**IMPERATIVO**
desosaré	habré	desosado	
desosarás	habrás	desosado	*deshuesa* (tú)
desosará	habrá	desosado	*deshuese* (usted)
desosaremos	habremos	desosado	desosemos (nosotros)
desosaréis	habréis	desosado	desosad (vosotros)
desosarán	habrán	desosado	*deshuesen* (ustedes)

Condicional simple	**Condicional compuesto**		**FORMAS NO PERSONALES**	
			Infinitivo	**Infinitivo compuesto**
			desosar	haber desosado
desosaría	habría	desosado		
desosarías	habrías	desosado	**Gerundio**	**Gerundio compuesto**
desosaría	habría	desosado	desosando	habiendo desosado
desosaríamos	habríamos	desosado		
desosaríais	habríais	desosado	**Participio**	
desosarían	habrían	desosado	desosado	

46

30. DIRIGIR verbo irregular

INDICATIVO			SUBJUNTIVO		
Presente	**Pretérito perfecto**		**Presente**	**Pretérito perfecto**	
dirijo	he	dirigido	*dirija*	haya	dirigido
diriges	has	dirigido	*dirijas*	hayas	dirigido
dirige	ha	dirigido	*dirija*	haya	dirigido
dirigimos	hemos	dirigido	*dirijamos*	hayamos	dirigido
dirigís	habéis	dirigido	*dirijáis*	hayáis	dirigido
dirigen	han	dirigido	*dirijan*	hayan	dirigido
Pretérito imperfecto	**Pretérito pluscuamperfecto**		**Pretérito imperfecto**	**Pretérito pluscuamperfecto**	
dirigía	había	dirigido	*dirigiera, -ese*	hubiera, -ese	dirigido
dirigías	habías	dirigido	*dirigieras, -eses*	hubieras, -eses	dirigido
dirigía	había	dirigido	*dirigiera, -ese*	hubiera, -ese	dirigido
dirigíamos	habíamos	dirigido	*dirigiéramos, -ésemos*	hubiéramos, -ésemos	dirigido
dirigíais	habíais	dirigido	*dirigierais, -eseis*	hubierais, -eseis	dirigido
dirigían	habían	dirigido	*dirigieran, -esen*	hubieran, -esen	dirigido
Pretérito indefinido	**Pretérito anterior**		**Futuro imperfecto**	**Futuro perfecto**	
dirigí	hube	dirigido	*dirigiere*	hubiere	dirigido
dirigiste	hubiste	dirigido	*dirigieres*	hubieres	dirigido
dirigió	hubo	dirigido	*dirigiere*	hubiere	dirigido
dirigimos	hubimos	dirigido	*dirigiéremos*	hubiéremos	dirigido
dirigisteis	hubisteis	dirigido	*dirigiereis*	hubiereis	dirigido
dirigieron	hubieron	dirigido	*dirigieren*	hubieren	dirigido

Futuro imperfecto	**Futuro perfecto**		**IMPERATIVO**
dirigiré	habré	dirigido	
dirigirás	habrás	dirigido	dirige (tú)
dirigirá	habrá	dirigido	*dirija* (usted)
dirigiremos	habremos	dirigido	*dirijamos* (nosotros)
dirigiréis	habréis	dirigido	dirigid (vosotros)
dirigirán	habrán	dirigido	*dirijan* (ustedes)

Condicional simple	**Condicional compuesto**		**FORMAS NO PERSONALES**	
			Infinitivo	**Infinitivo compuesto**
dirigiría	habría	dirigido	dirigir	haber dirigido
dirigirías	habrías	dirigido		
dirigiría	habría	dirigido	**Gerundio**	**Gerundio compuesto**
dirigiríamos	habríamos	dirigido	dirigiendo	habiendo dirigido
dirigiríais	habríais	dirigido		
dirigirían	habrían	dirigido	**Participio**	
			dirigido	

31. DISCERNIR | verbo irregular

INDICATIVO		SUBJUNTIVO	
Presente	**Pretérito perfecto**	**Presente**	**Pretérito perfecto**
discierno	he discernido	*discierna*	haya discernido
disciernes	has discernido	*disciernas*	hayas discernido
discierne	ha discernido	*discierna*	haya discernido
discernimos	hemos discernido	discernamos	hayamos discernido
discernís	habéis discernido	discernáis	hayáis discernido
disciernen	han discernido	*disciernan*	hayan discernido
Pretérito imperfecto	**Pretérito pluscuamperfecto**	**Pretérito imperfecto**	**Pretérito pluscuamperfecto**
discernía	había discernido	discerniera, -ese	hubiera, -ese discernido
discernías	habías discernido	discernieras, -eses	hubieras, -eses discernido
discernía	había discernido	discerniera, -ese	hubiera, -ese discernido
discerníamos	habíamos discernido	discerniéramos,	hubiéramos,
discerníais	habíais discernido	-ésemos	-ésemos discernido
discernían	habían discernido	discernierais, -eseis	hubierais, -eseis discernido
		discernieran, -esen	hubieran, -esen discernido
Pretérito indefinido	**Pretérito anterior**	**Futuro imperfecto**	**Futuro perfecto**
discerní	hube discernido	discerniere	hubiere discernido
discerniste	hubiste discernido	discernieres	hubieres discernido
discernió	hubo discernido	discerniere	hubiere discernido
discernimos	hubimos discernido	discerniéremos	hubiéremos discernido
discernisteis	hubisteis discernido	discerniereis	hubiereis discernido
discernieron	hubieron discernido	discernieren	hubieren discernido

Futuro imperfecto	**Futuro perfecto**
discerniré	habré discernido
discernirás	habrás discernido
discernirá	habrá discernido
discerniremos	habremos discernido
discerniréis	habréis discernido
discernirán	habrán discernido

IMPERATIVO

discierne (tú)
discierna (usted)
discernamos (nosotros)
discernid (vosotros)
disciernan (ustedes)

Condicional simple	**Condicional compuesto**
discerniría	habría discernido
discernirías	habrías discernido
discerniría	habría discernido
discerniríamos	habríamos discernido
discerniríais	habríais discernido
discernirían	habrían discernido

FORMAS NO PERSONALES

Infinitivo	**Infinitivo compuesto**
discernir	haber discernido
Gerundio	**Gerundio compuesto**
discerniendo	habiendo discernido
Participio	
discernido	

32. DISTINGUIR verbo irregular

INDICATIVO		SUBJUNTIVO	
Presente	**Pretérito perfecto**	**Presente**	**Pretérito perfecto**
distingo	he distinguido	*distinga*	haya distinguido
distingues	has distinguido	*distingas*	hayas distinguido
distingue	ha distinguido	*distinga*	haya distinguido
distinguimos	hemos distinguido	*distingamos*	hayamos distinguido
distinguís	habéis distinguido	*distingáis*	hayáis distinguido
distinguen	han distinguido	*distingan*	hayan distinguido
Pretérito imperfecto	**Pretérito pluscuamperfecto**	**Pretérito imperfecto**	**Pretérito pluscuamperfecto**
distinguía	había distinguido	distinguiera, -ese	hubiera, -ese distinguido
distinguías	habías distinguido	distinguieras, -eses	hubieras, -eses distinguido
distinguía	había distinguido	distinguiera, -ese	hubiera, -ese distinguido
distinguíamos	habíamos distinguido	distinguiéramos,	hubiéramos,
distinguíais	habíais distinguido	-ésemos	-ésemos distinguido
distinguían	habían distinguido	distinguierais, -eseis	hubierais, -eseis distinguido
		distinguieran, -esen	hubieran, -esen distinguido
Pretérito indefinido	**Pretérito anterior**	**Futuro imperfecto**	**Futuro perfecto**
distinguí	hube distinguido	distinguiere	hubiere distinguido
distinguiste	hubiste distinguido	distinguieres	hubieres distinguido
distinguió	hubo distinguido	distinguiere	hubiere distinguido
distinguimos	hubimos distinguido	distinguiéremos	hubiéremos distinguido
distinguisteis	hubisteis distinguido	distinguiereis	hubiereis distinguido
distinguieron	hubieron distinguido	distinguieren	hubieren distinguido

Futuro imperfecto	**Futuro perfecto**
distinguiré	habré distinguido
distinguirás	habrás distinguido
distinguirá	habrá distinguido
distinguiremos	habremos distinguido
distinguiréis	habréis distinguido
distinguirán	habrán distinguido

IMPERATIVO
distingue (tú)
distinga (usted)
distingamos (nosotros)
distinguid (vosotros)
distingan (ustedes)

Condicional simple	**Condicional compuesto**
distinguiría	habría distinguido
distinguirías	habrías distinguido
distinguiría	habría distinguido
distinguiríamos	habríamos distinguido
distinguiríais	habríais distinguido
distinguirían	habrían distinguido

FORMAS NO PERSONALES	
Infinitivo	**Infinitivo compuesto**
distinguir	haber distinguido
Gerundio	**Gerundio compuesto**
distinguiendo	habiendo distinguido
Participio	
distinguido	

49

33. DORMIR verbo irregular

INDICATIVO			SUBJUNTIVO		
Presente	**Pretérito perfecto**		**Presente**	**Pretérito perfecto**	
duermo	he	dormido	duerma	haya	dormido
duermes	has	dormido	duermas	hayas	dormido
duerme	ha	dormido	duerma	haya	dormido
dormimos	hemos	dormido	durmamos	hayamos	dormido
dormís	habéis	dormido	durmáis	hayáis	dormido
duermen	han	dormido	duerman	hayan	dormido
Pretérito imperfecto	**Pretérito pluscuamperfecto**		**Pretérito imperfecto**	**Pretérito pluscuamperfecto**	
dormía	había	dormido	durmiera, -ese	hubiera, -ese	dormido
dormías	habías	dormido	durmieras, -eses	hubieras, -eses	dormido
dormía	había	dormido	durmiera, -ese	hubiera, -ese	dormido
dormíamos	habíamos	dormido	durmiéramos, -ésemos	hubiéramos, -ésemos	dormido
dormíais	habíais	dormido	durmierais, -eseis	hubierais, -eseis	dormido
dormían	habían	dormido	durmieran, -esen	hubieran, -esen	dormido
Pretérito indefinido	**Pretérito anterior**		**Futuro imperfecto**	**Futuro perfecto**	
dormí	hube	dormido	durmiere	hubiere	dormido
dormiste	hubiste	dormido	durmieres	hubieres	dormido
durmió	hubo	dormido	durmiere	hubiere	dormido
dormimos	hubimos	dormido	durmiéremos	hubiéremos	dormido
dormisteis	hubisteis	dormido	durmiereis	hubiereis	dormido
durmieron	hubieron	dormido	durmieren	hubieren	dormido

Futuro imperfecto	**Futuro perfecto**		**IMPERATIVO**
dormiré	habré	dormido	
dormirás	habrás	dormido	duerme (tú)
dormirá	habrá	dormido	duerma (usted)
dormiremos	habremos	dormido	durmamos (nosotros)
dormiréis	habréis	dormido	dormid (vosotros)
dormirán	habrán	dormido	duerman (ustedes)

Condicional simple	**Condicional compuesto**		**FORMAS NO PERSONALES**	
			Infinitivo	**Infinitivo compuesto**
dormiría	habría	dormido	dormir	haber dormido
dormirías	habrías	dormido		
dormiría	habría	dormido	**Gerundio**	**Gerundio compuesto**
dormiríamos	habríamos	dormido	durmiendo	habiendo dormido
dormiríais	habríais	dormido		
dormirían	habrían	dormido	**Participio**	
			dormido	

34. ELEGIR verbo irregular

INDICATIVO		SUBJUNTIVO	
Presente	**Pretérito perfecto**	**Presente**	**Pretérito perfecto**
elijo	he elegido	elija	haya elegido
eliges	has elegido	elijas	hayas elegido
elige	ha elegido	elija	haya elegido
elegimos	hemos elegido	elijamos	hayamos elegido
elegís	habéis elegido	elijáis	hayáis elegido
eligen	han elegido	elijan	hayan elegido
Pretérito imperfecto	**Pretérito pluscuamperfecto**	**Pretérito imperfecto**	**Pretérito pluscuamperfecto**
elegía	había elegido	eligiera, -ese	hubiera, -ese elegido
elegías	habías elegido	eligieras, -eses	hubieras, -eses elegido
elegía	había elegido	eligiera, -ese	hubiera, -ese elegido
elegíamos	habíamos elegido	eligiéramos,	hubiéramos,
elegíais	habíais elegido	-ésemos	-ésemos elegido
elegían	habían elegido	eligierais, -eseis	hubierais, -eseis elegido
		eligieran, -esen	hubieran, -esen elegido
Pretérito indefinido	**Pretérito anterior**	**Futuro imperfecto**	**Futuro perfecto**
elegí	hube elegido	eligiere	hubiere elegido
elegiste	hubiste elegido	eligieres	hubieres elegido
eligió	hubo elegido	eligiere	hubiere elegido
elegimos	hubimos elegido	eligiéremos	hubiéremos elegido
elegisteis	hubisteis elegido	eligiereis	hubiereis elegido
eligieron	hubieron elegido	eligieren	hubieren elegido

Futuro imperfecto	**Futuro perfecto**
elegiré	habré elegido
elegirás	habrás elegido
elegirá	habrá elegido
elegiremos	habremos elegido
elegiréis	habréis elegido
elegirán	habrán elegido

IMPERATIVO

elige (tú)
elija (usted)
elijamos (nosotros)
elegid (vosotros)
elijan (ustedes)

Condicional simple	**Condicional compuesto**
elegiría	habría elegido
elegirías	habrías elegido
elegiría	habría elegido
elegiríamos	habríamos elegido
elegiríais	habríais elegido
elegirían	habrían elegido

FORMAS NO PERSONALES

Infinitivo	Infinitivo compuesto
elegir	haber elegido
Gerundio	**Gerundio compuesto**
eligiendo	habiendo elegido
Participio	
elegido	

35. EMPEZAR verbo irregular

INDICATIVO			SUBJUNTIVO		
Presente	**Pretérito perfecto**		**Presente**	**Pretérito perfecto**	
empiezo	he	empezado	empiece	haya	empezado
empiezas	has	empezado	empieces	hayas	empezado
empieza	ha	empezado	empiece	haya	empezado
empezamos	hemos	empezado	empecemos	hayamos	empezado
empezáis	habéis	empezado	empecéis	hayáis	empezado
empiezan	han	empezado	empiecen	hayan	empezado
Pretérito imperfecto	**Pretérito pluscuamperfecto**		**Pretérito imperfecto**	**Pretérito pluscuamperfecto**	
empezaba	había	empezado	empezara, -ase	hubiera, -ese	empezado
empezabas	habías	empezado	empezaras, -ases	hubieras, -eses	empezado
empezaba	había	empezado	empezara, -ase	hubiera, -ese	empezado
empezábamos	habíamos	empezado	empezáramos, -ásemos	hubiéramos, -ésemos	empezado
empezabais	habíais	empezado			
empezaban	habían	empezado	empezarais, -aseis	hubierais, -eseis	empezado
			empezaran, -asen	hubieran, -esen	empezado
Pretérito indefinido	**Pretérito anterior**		**Futuro imperfecto**	**Futuro perfecto**	
empecé	hube	empezado	empezare	hubiere	empezado
empezaste	hubiste	empezado	empezares	hubieres	empezado
empezó	hubo	empezado	empezare	hubiere	empezado
empezamos	hubimos	empezado	empezáremos	hubiéremos	empezado
empezasteis	hubisteis	empezado	empezareis	hubiereis	empezado
empezaron	hubieron	empezado	empezaren	hubieren	empezado

Futuro imperfecto	**Futuro perfecto**		IMPERATIVO
empezaré	habré	empezado	
empezarás	habrás	empezado	empieza (tú)
empezará	habrá	empezado	empiece (usted)
empezaremos	habremos	empezado	empecemos (nosotros)
empezaréis	habréis	empezado	empezad (vosotros)
empezarán	habrán	empezado	empiecen (ustedes)

Condicional simple	**Condicional compuesto**		FORMAS NO PERSONALES	
			Infinitivo	**Infinitivo compuesto**
empezaría	habría	empezado	empezar	haber empezado
empezarías	habrías	empezado		
empezaría	habría	empezado	**Gerundio**	**Gerundio compuesto**
empezaríamos	habríamos	empezado	empezando	habiendo empezado
empezaríais	habríais	empezado		
empezarían	habrían	empezado	**Participio**	
			empezado	

INDICATIVO		SUBJUNTIVO	
Presente	**Pretérito perfecto**	**Presente**	**Pretérito perfecto**
enraízo	he enraizado	enraíce	haya enraizado
enraízas	has enraizado	enraíces	hayas enraizado
enraíza	ha enraizado	enraíce	haya enraizado
enraizamos	hemos enraizado	enraicemos	hayamos enraizado
enraizáis	habéis enraizado	enraicéis	hayáis enraizado
enraízan	han enraizado	enraícen	hayan enraizado
Pretérito imperfecto	**Pretérito pluscuamperfecto**	**Pretérito imperfecto**	**Pretérito pluscuamperfecto**
enraizaba	había enraizado	enraizara, -ase	hubiera, -ese enraizado
enraizabas	habías enraizado	enraizaras, -ases	hubieras, -eses enraizado
enraizaba	había enraizado	enraizara, -ase	hubiera, -ese enraizado
enraizábamos	habíamos enraizado	enraizáramos, -ásemos	hubiéramos, -ésemos enraizado
enraizabais	habíais enraizado	enraizarais, -aseis	hubierais, -eseis enraizado
enraizaban	habían enraizado	enraizaran, -asen	hubieran, -esen enraizado
Pretérito indefinido	**Pretérito anterior**	**Futuro imperfecto**	**Futuro perfecto**
enraicé	hube enraizado	enraizare	hubiere enraizado
enraizaste	hubiste enraizado	enraizares	hubieres enraizado
enraizó	hubo enraizado	enraizare	hubiere enraizado
enraizamos	hubimos enraizado	enraizáremos	hubiéremos enraizado
enraizasteis	hubisteis enraizado	enraizareis	hubiereis enraizado
enraizaron	hubieron enraizado	enraizaren	hubieren enraizado

Futuro imperfecto	**Futuro perfecto**
enraizaré	habré enraizado
enraizarás	habrás enraizado
enraizará	habrá enraizado
enraizaremos	habremos enraizado
enraizaréis	habréis enraizado
enraizarán	habrán enraizado

IMPERATIVO

enraíza (tú)
enraíce (usted)
enraicemos (nosotros)
enraizad (vosotros)
enraícen (ustedes)

Condicional simple	**Condicional compuesto**
enraizaría	habría enraizado
enraizarías	habrías enraizado
enraizaría	habría enraizado
enraizaríamos	habríamos enraizado
enraizaríais	habríais enraizado
enraizarían	habrían enraizado

FORMAS NO PERSONALES

Infinitivo	**Infinitivo compuesto**
enraizar	haber enraizado
Gerundio	**Gerundio compuesto**
enraizando	habiendo enraizado
Participio	
enraizado	

37. ERGUIR verbo irregular

INDICATIVO			SUBJUNTIVO		
Presente	**Pretérito perfecto**		**Presente**	**Pretérito perfecto**	
irgo o *yergo*	he	erguido	*irga* o *yerga*	haya	erguido
irgues o *yergues*	has	erguido	*irgas* o *yergas*	hayas	erguido
irgue o *yergue*	ha	erguido	*irga* o *yerga*	haya	erguido
erguimos	hemos	erguido	*irgamos* o *yergamos*	hayamos	erguido
erguís	habéis	erguido	*irgáis* o *yergáis*	hayáis	erguido
irguen o *yerguen*	han	erguido	*irgan* o *yergan*	hayan	erguido
Pretérito imperfecto	**Pretérito pluscuamperfecto**		**Pretérito imperfecto**	**Pretérito pluscuamperfecto**	
erguía	había	erguido	*irguiera, -ese*	hubiera, -ese	erguido
erguías	habías	erguido	*irguieras, -eses*	hubieras, -eses	erguido
erguía	había	erguido	*irguiera, -ese*	hubiera, -ese	erguido
erguíamos	habíamos	erguido	*irguiéramos, -ésemos*	hubiéramos, -ésemos	erguido
erguíais	habíais	erguido	*irguierais, -eseis*	hubierais, -eseis	erguido
erguían	habían	erguido	*irguieran, -esen*	hubieran, -esen	erguido
Pretérito indefinido	**Pretérito anterior**		**Futuro imperfecto**	**Futuro perfecto**	
erguí	hube	erguido	*irguiere*	hubiere	erguido
erguiste	hubiste	erguido	*irguieres*	hubieres	erguido
irguió	hubo	erguido	*irguiere*	hubiere	erguido
erguimos	hubimos	erguido	*irguiéremos*	hubiéremos	erguido
erguisteis	hubisteis	erguido	*irguiereis*	hubiereis	erguido
irguieron	hubieron	erguido	*irguieren*	hubieren	erguido

Futuro imperfecto	**Futuro perfecto**		**IMPERATIVO**
erguiré	habré	erguido	*irgue* o *yergue* (tú)
erguirás	habrás	erguido	*irga* o *yerga* (usted)
erguirá	habrá	erguido	*irgamos* o *yergamos* (nosotros)
erguiremos	habremos	erguido	erguid (vosotros)
erguiréis	habréis	erguido	*irgan* o *yergan* (ustedes)
erguirán	habrán	erguido	

Condicional simple	**Condicional compuesto**		**FORMAS NO PERSONALES**	
			Infinitivo	Infinitivo compuesto
erguiría	habría	erguido	erguir	haber erguido
erguirías	habrías	erguido		
erguiría	habría	erguido	**Gerundio**	**Gerundio compuesto**
erguiríamos	habríamos	erguido	*irguiendo*	habiendo erguido
erguiríais	habríais	erguido	**Participio**	
erguirían	habrían	erguido	erguido	

38. ERRAR verbo irregular

INDICATIVO			SUBJUNTIVO		
Presente	**Pretérito perfecto**		**Presente**	**Pretérito perfecto**	
yerro	he	errado	yerre	haya	errado
yerras	has	errado	yerres	hayas	errado
yerra	ha	errado	yerre	haya	errado
erramos	hemos	errado	erremos	hayamos	errado
erráis	habéis	errado	erréis	hayáis	errado
yerran	han	errado	yerren	hayan	errado
Pretérito imperfecto	**Pretérito pluscuamperfecto**		**Pretérito imperfecto**	**Pretérito pluscuamperfecto**	
erraba	había	errado	errara, -ase	hubiera, -ese	errado
errabas	habías	errado	erraras, -ases	hubieras, -eses	errado
erraba	había	errado	errara, -ase	hubiera, -ese	errado
errábamos	habíamos	errado	erráramos, -ásemos	hubiéramos, -ésemos	errado
errabais	habíais	errado	errarais, -aseis	hubierais, -eseis	errado
erraban	habían	errado	erraran, -asen	hubieran, -esen	errado
Pretérito indefinido	**Pretérito anterior**		**Futuro imperfecto**	**Futuro perfecto**	
erré	hube	errado	errare	hubiere	errado
erraste	hubiste	errado	errares	hubieres	errado
erró	hubo	errado	errare	hubiere	errado
erramos	hubimos	errado	erráremos	hubiéremos	errado
errasteis	hubisteis	errado	errareis	hubiereis	errado
erraron	hubieron	errado	erraren	hubieren	errado

Futuro imperfecto	Futuro perfecto		IMPERATIVO
erraré	habré	errado	
errarás	habrás	errado	yerra (tú)
errará	habrá	errado	yerre (usted)
erraremos	habremos	errado	erremos (nosotros)
erraréis	habréis	errado	errad (vosotros)
errarán	habrán	errado	yerren (ustedes)

Condicional simple	Condicional compuesto		FORMAS NO PERSONALES
			Infinitivo — **Infinitivo compuesto**
erraría	habría	errado	errar — haber errado
errarías	habrías	errado	**Gerundio** — **Gerundio compuesto**
erraría	habría	errado	errando — habiendo errado
erraríamos	habríamos	errado	
erraríais	habríais	errado	**Participio**
errarían	habrían	errado	errado

39. ESCOGER verbo irregular

INDICATIVO		SUBJUNTIVO	
Presente	**Pretérito perfecto**	**Presente**	**Pretérito perfecto**
escojo	he escogido	escoja	haya escogido
escoges	has escogido	escojas	hayas escogido
escoge	ha escogido	escoja	haya escogido
escogemos	hemos escogido	escojamos	hayamos escogido
escogéis	habéis escogido	escojáis	hayáis escogido
escogen	han escogido	escojan	hayan escogido
Pretérito imperfecto	**Pretérito pluscuamperfecto**	**Pretérito imperfecto**	**Pretérito pluscuamperfecto**
escogía	había escogido	escogiera, -ese	hubiera, -ese escogido
escogías	habías escogido	escogieras, -eses	hubieras, -eses escogido
escogía	había escogido	escogiera, -ese	hubiera, -ese escogido
escogíamos	habíamos escogido	escogiéramos,	hubiéramos,
escogíais	habíais escogido	-ésemos	-ésemos escogido
escogían	habían escogido	escogierais, -eseis	hubierais, -eseis escogido
		escogieran, -esen	hubieran, -esen escogido
Pretérito indefinido	**Pretérito anterior**	**Futuro imperfecto**	**Futuro perfecto**
escogí	hube escogido	escogiere	hubiere escogido
escogiste	hubiste escogido	escogieres	hubieres escogido
escogió	hubo escogido	escogiere	hubiere escogido
escogimos	hubimos escogido	escogiéremos	hubiéremos escogido
escogisteis	hubisteis escogido	escogiereis	hubiereis escogido
escogieron	hubieron escogido	escogieren	hubieren escogido
Futuro imperfecto	**Futuro perfecto**	**IMPERATIVO**	
escogeré	habré escogido		
escogerás	habrás escogido	escoge (tú)	
escogerá	habrá escogido	escoja (usted)	
escogeremos	habremos escogido	escojamos (nosotros)	
escogeréis	habréis escogido	escoged (vosotros)	
escogerán	habrán escogido	escojan (ustedes)	
Condicional simple	**Condicional compuesto**	**FORMAS NO PERSONALES**	
escogería	habría escogido	**Infinitivo** escoger	**Infinitivo compuesto** haber escogido
escogerías	habrías escogido		
escogería	habría escogido	**Gerundio** escogiendo	**Gerundio compuesto** habiendo escogido
escogeríamos	habríamos escogido		
escogeríais	habríais escogido	**Participio**	
escogerían	habrían escogido	escogido	

40. FORZAR verbo irregular

INDICATIVO			SUBJUNTIVO		
Presente	**Pretérito perfecto**		**Presente**	**Pretérito perfecto**	
fuerzo	he	forzado	*fuerce*	haya	forzado
fuerzas	has	forzado	*fuerces*	hayas	forzado
fuerza	ha	forzado	*fuerce*	haya	forzado
forzamos	hemos	forzado	*forcemos*	hayamos	forzado
forzáis	habéis	forzado	*forcéis*	hayáis	forzado
fuerzan	han	forzado	*fuercen*	hayan	forzado
Pretérito imperfecto	**Pretérito pluscuamperfecto**		**Pretérito imperfecto**	**Pretérito pluscuamperfecto**	
forzaba	había	forzado	forzara, -ase	hubiera, -ese	forzado
forzabas	habías	forzado	forzaras, -ases	hubieras, -eses	forzado
forzaba	había	forzado	forzara, -ase	hubiera, -ese	forzado
forzábamos	habíamos	forzado	forzáramos, -ásemos	hubiéramos, -ésemos	forzado
forzabais	habíais	forzado	forzarais, -aseis	hubierais, -eseis	forzado
forzaban	habían	forzado	forzaran, -asen	hubieran, -esen	forzado
Pretérito indefinido	**Pretérito anterior**		**Futuro imperfecto**	**Futuro perfecto**	
forcé	hube	forzado	forzare	hubiere	forzado
forzaste	hubiste	forzado	forzares	hubieres	forzado
forzó	hubo	forzado	forzare	hubiere	forzado
forzamos	hubimos	forzado	forzáremos	hubiéremos	forzado
forzasteis	hubisteis	forzado	forzareis	hubiereis	forzado
forzaron	hubieron	forzado	forzaren	hubieren	forzado

Futuro imperfecto	**Futuro perfecto**		**IMPERATIVO**
forzaré	habré	forzado	
forzarás	habrás	forzado	*fuerza* (tú)
forzará	habrá	forzado	*fuerce* (usted)
forzaremos	habremos	forzado	*forcemos* (nosotros)
forzaréis	habréis	forzado	forzad (vosotros)
forzarán	habrán	forzado	*fuercen* (ustedes)

Condicional simple	**Condicional compuesto**		**FORMAS NO PERSONALES**	
forzaría	habría	forzado	**Infinitivo** forzar	**Infinitivo compuesto** haber forzado
forzarías	habrías	forzado		
forzaría	habría	forzado	**Gerundio** forzando	**Gerundio compuesto** habiendo forzado
forzaríamos	habríamos	forzado		
forzaríais	habríais	forzado	**Participio**	
forzarían	habrían	forzado	forzado	

41. GUIAR verbo irregular

INDICATIVO			SUBJUNTIVO		
Presente	**Pretérito perfecto**		**Presente**	**Pretérito perfecto**	
guío	he	guiado	guíe	haya	guiado
guías	has	guiado	guíes	hayas	guiado
guía	ha	guiado	guíe	haya	guiado
guiamos	hemos	guiado	guiemos	hayamos	guiado
guiáis	habéis	guiado	guiéis	hayáis	guiado
guían	han	guiado	guíen	hayan	guiado
Pretérito imperfecto	**Pretérito pluscuamperfecto**		**Pretérito imperfecto**	**Pretérito pluscuamperfecto**	
guiaba	había	guiado	guiara, -ase	hubiera, -ese	guiado
guiabas	habías	guiado	guiaras, -ases	hubieras, -eses	guiado
guiaba	había	guiado	guiara, -ase	hubiera, -ese	guiado
guiábamos	habíamos	guiado	guiáramos, -ásemos	hubiéramos, -ésemos	guiado
guiabais	habíais	guiado	guiarais, -aseis	hubierais, -eseis	guiado
guiaban	habían	guiado	guiaran, -asen	hubieran, -esen	guiado
Pretérito indefinido	**Pretérito anterior**		**Futuro imperfecto**	**Futuro perfecto**	
guié	hube	guiado	guiare	hubiere	guiado
guiaste	hubiste	guiado	guiares	hubieres	guiado
guió	hubo	guiado	guiare	hubiere	guiado
guiamos	hubimos	guiado	guiáremos	hubiéremos	guiado
guiasteis	hubisteis	guiado	guiareis	hubiereis	guiado
guiaron	hubieron	guiado	guiaren	hubieren	guiado

Futuro imperfecto	**Futuro perfecto**	
guiaré	habré	guiado
guiarás	habrás	guiado
guiará	habrá	guiado
guiaremos	habremos	guiado
guiaréis	habréis	guiado
guiarán	habrán	guiado

IMPERATIVO

guía (tú)
guíe (usted)
guiemos (nosotros)
guiad (vosotros)
guíen (ustedes)

Condicional simple	**Condicional compuesto**	
guiaría	habría	guiado
guiarías	habrías	guiado
guiaría	habría	guiado
guiaríamos	habríamos	guiado
guiaríais	habríais	guiado
guiarían	habrían	guiado

FORMAS NO PERSONALES

Infinitivo	Infinitivo compuesto
guiar	haber guiado
Gerundio	**Gerundio compuesto**
guiando	habiendo guiado
Participio	
guiado	

42. HACER verbo irregular

INDICATIVO			SUBJUNTIVO		
Presente	**Pretérito perfecto**		**Presente**	**Pretérito perfecto**	
hago	he	hecho	haga	haya	hecho
haces	has	hecho	hagas	hayas	hecho
hace	ha	hecho	haga	haya	hecho
hacemos	hemos	hecho	hagamos	hayamos	hecho
hacéis	habéis	hecho	hagáis	hayáis	hecho
hacen	han	hecho	hagan	hayan	hecho
Pretérito imperfecto	**Pretérito pluscuamperfecto**		**Pretérito imperfecto**	**Pretérito pluscuamperfecto**	
hacía	había	hecho	hiciera, -ese	hubiera, -ese	hecho
hacías	habías	hecho	hicieras, -eses	hubieras, -eses	hecho
hacía	había	hecho	hiciera, -ese	hubiera, -ese	hecho
hacíamos	habíamos	hecho	hiciéramos, -ésemos	hubiéramos, -ésemos	hecho
hacíais	habíais	hecho	hicierais, -eseis	hubierais, -eseis	hecho
hacían	habían	hecho	hicieran, -esen	hubieran, -esen	hecho
Pretérito indefinido	**Pretérito anterior**		**Futuro imperfecto**	**Futuro perfecto**	
hice	hube	hecho	hiciere	hubiere	hecho
hiciste	hubiste	hecho	hicieres	hubieres	hecho
hizo	hubo	hecho	hiciere	hubiere	hecho
hicimos	hubimos	hecho	hiciéremos	hubiéremos	hecho
hicisteis	hubisteis	hecho	hiciereis	hubiereis	hecho
hicieron	hubieron	hecho	hicieren	hubieren	hecho

Futuro imperfecto	**Futuro perfecto**		**IMPERATIVO**
haré	habré	hecho	
harás	habrás	hecho	haz (tú)
hará	habrá	hecho	haga (usted)
haremos	habremos	hecho	hagamos (nosotros)
haréis	habréis	hecho	haced (vosotros)
harán	habrán	hecho	hagan (ustedes)

Condicional simple	**Condicional compuesto**		**FORMAS NO PERSONALES**	
			Infinitivo	**Infinitivo compuesto**
haría	habría	hecho	hacer	haber hecho
harías	habrías	hecho		
haría	habría	hecho	**Gerundio**	**Gerundio compuesto**
haríamos	habríamos	hecho	haciendo	habiendo hecho
haríais	habríais	hecho		
harían	habrían	hecho	**Participio**	
			hecho	

43. HUIR verbo irregular

INDICATIVO			SUBJUNTIVO		
Presente	**Pretérito perfecto**		**Presente**	**Pretérito perfecto**	
huyo	he	huido	*huya*	haya	huido
huyes	has	huido	*huyas*	hayas	huido
huye	ha	huido	*huya*	haya	huido
huimos	hemos	huido	*huyamos*	hayamos	huido
huís	habéis	huido	*huyáis*	hayáis	huido
huyen	han	huido	*huyan*	hayan	huido
Pretérito imperfecto	**Pretérito pluscuamperfecto**		**Pretérito imperfecto**	**Pretérito pluscuamperfecto**	
huía	había	huido	*huyera, -ese*	hubiera, -ese	huido
huías	habías	huido	*huyeras, -eses*	hubieras, -eses	huido
huía·	había	huido	*huyera, -ese*	hubiera, -ese	huido
huíamos	habíamos	huido	*huyéramos, -ésemos*	hubiéramos, -ésemos	huido
huíais	habíais	huido	*huyerais, -eseis*	hubierais, -eseis	huido
huían	habían	huido	*huyeran, -esen*	hubieran, -esen	huido
Pretérito indefinido	**Pretérito anterior**		**Futuro imperfecto**	**Futuro perfecto**	
huí	hube	huido	*huyere*	hubiere	huido
huiste	hubiste	huido	*huyeres*	hubieres	huido
huyó	hubo	huido	*huyere*	hubiere	huido
huimos	hubimos	huido	*huyéremos*	hubiéremos	huido
huisteis	hubisteis	huido	*huyereis*	hubiereis	huido
huyeron	hubieron	huido	*huyeren*	hubieren	huido

Futuro imperfecto	**Futuro perfecto**	
huiré	habré	huido
huirás	habrás	huido
huirá	habrá	huido
huiremos	habremos	huido
huiréis	habréis	huido
huirán	habrán	huido

IMPERATIVO

huye (tú)
huya (usted)
huyamos (nosotros)
huid (vosotros)
huyan (ustedes)

Condicional simple	**Condicional compuesto**	
huiría	habría	huido
huirías	habrías	huido
huiría	habría	huido
huiríamos	habríamos	huido
huiríais	habríais	huido
huirían	habrían	huido

FORMAS NO PERSONALES

Infinitivo	**Infinitivo compuesto**
huir	haber huido
Gerundio	**Gerundio compuesto**
huyendo	habiendo huido
Participio	
huido	

44. IR | verbo irregular

INDICATIVO		SUBJUNTIVO	
Presente	**Pretérito perfecto**	**Presente**	**Pretérito perfecto**
voy	he ido	vaya	haya ido
vas	has ido	vayas	hayas ido
va	ha ido	vaya	haya ido
vamos	hemos ido	vayamos	hayamos ido
vais	habéis ido	vayáis	hayáis ido
van	han ido	vayan	hayan ido
Pretérito imperfecto	**Pretérito pluscuamperfecto**	**Pretérito imperfecto**	**Pretérito pluscuamperfecto**
iba	había ido	fuera, -ese	hubiera, -ese ido
ibas	habías ido	fueras, -eses	hubieras, -eses ido
iba	había ido	fuera, -ese	hubiera, -ese ido
íbamos	habíamos ido	fuéramos, -ésemos	hubiéramos, -ésemos ido
ibais	habíais ido	fuerais, -eseis	hubierais, -eseis ido
iban	habían ido	fueran, -esen	hubieran, -esen ido
Pretérito indefinido	**Pretérito anterior**	**Futuro imperfecto**	**Futuro perfecto**
fui	hube ido	fuere	hubiere ido
fuiste	hubiste ido	fueres	hubieres ido
fue	hubo ido	fuere	hubiere ido
fuimos	hubimos ido	fuéremos	hubiéremos ido
fuisteis	hubisteis ido	fuereis	hubiereis ido
fueron	hubieron ido	fueren	hubieren ido

Futuro imperfecto	**Futuro perfecto**
iré	habré ido
irás	habrás ido
irá	habrá ido
iremos	habremos ido
iréis	habréis ido
irán	habrán ido

IMPERATIVO

ve (tú)
vaya (usted)
vayamos (nosotros)
id (vosotros)
vayan (ustedes)

Condicional simple	**Condicional compuesto**
iría	habría ido
irías	habrías ido
iría	habría ido
iríamos	habríamos ido
iríais	habríais ido
irían	habrían ido

FORMAS NO PERSONALES

Infinitivo	**Infinitivo compuesto**
ir	haber ido
Gerundio	**Gerundio compuesto**
yendo	habiendo ido
Participio	
ido	

45. JUGAR · verbo irregular

INDICATIVO		SUBJUNTIVO	
Presente	**Pretérito perfecto**	**Presente**	**Pretérito perfecto**
juego	he jugado	*juegue*	haya jugado
juegas	has jugado	*juegues*	hayas jugado
juega	ha jugado	*juegue*	haya jugado
jugamos	hemos jugado	*juguemos*	hayamos jugado
jugáis	habéis jugado	*juguéis*	hayáis jugado
juegan	han jugado	*jueguen*	hayan jugado
Pretérito imperfecto	**Pretérito pluscuamperfecto**	**Pretérito imperfecto**	**Pretérito pluscuamperfecto**
jugaba	había jugado	jugara, -ase	hubiera, -ese jugado
jugabas	habías jugado	jugaras, -ases	hubieras, -eses jugado
jugaba	había jugado	jugara, -ase	hubiera, -ese jugado
jugábamos	habíamos jugado	jugáramos, -ásemos	hubiéramos, -ésemos jugado
jugabais	habíais jugado	jugarais, -aseis	hubierais, -eseis jugado
jugaban	habían jugado	jugaran, -asen	hubieran, -esen jugado
Pretérito indefinido	**Pretérito anterior**	**Futuro imperfecto**	**Futuro perfecto**
jugué	hube jugado	jugare	hubiere jugado
jugaste	hubiste jugado	jugares	hubieres jugado
jugó	hubo jugado	jugare	hubiere jugado
jugamos	hubimos jugado	jugáremos	hubiéremos jugado
jugasteis	hubisteis jugado	jugareis	hubiereis jugado
jugaron	hubieron jugado	jugaren	hubieren jugado
Futuro imperfecto	**Futuro perfecto**		
jugaré	habré jugado		
jugarás	habrás jugado		
jugará	habrá jugado		
jugaremos	habremos jugado		
jugaréis	habréis jugado		
jugarán	habrán jugado		

IMPERATIVO

juega (tú)
juegue (usted)
juguemos (nosotros)
jugad (vosotros)
jueguen (ustedes)

Condicional simple	**Condicional compuesto**
jugaría	habría jugado
jugarías	habrías jugado
jugaría	habría jugado
jugaríamos	habríamos jugado
jugaríais	habríais jugado
jugarían	habrían jugado

FORMAS NO PERSONALES

Infinitivo	Infinitivo compuesto
jugar	haber jugado

Gerundio	Gerundio compuesto
jugando	habiendo jugado

Participio
jugado

46. LEER verbo irregular

INDICATIVO			SUBJUNTIVO		
Presente	**Pretérito perfecto**		**Presente**	**Pretérito perfecto**	
leo	he	leído	lea	haya	leído
lees	has	leído	leas	hayas	leído
lee	ha	leído	lea	haya	leído
leemos	hemos	leído	leamos	hayamos	leído
leéis	habéis	leído	leáis	hayáis	leído
leen	han	leído	lean	hayan	leído
Pretérito imperfecto	**Pretérito pluscuamperfecto**		**Pretérito imperfecto**	**Pretérito pluscuamperfecto**	
leía	había	leído	*leyera, -ese*	hubiera, -ese	leído
leías	habías	leído	*leyeras, -eses*	hubieras, -eses	leído
leía	había	leído	*leyera, -ese*	hubiera, -ese	leído
leíamos	habíamos	leído	*leyéramos,*	hubiéramos,	
leíais	habíais	leído	*-ésemos*	-ésemos	leído
leían	habían	leído	*leyerais, -eseis*	hubierais, -eseis	leído
			leyeran, -esen	hubieran, -esen	leído
Pretérito indefinido	**Pretérito anterior**		**Futuro imperfecto**	**Futuro perfecto**	
leí	hube	leído	*leyere*	hubiere	leído
leíste	hubiste	leído	*leyeres*	hubieres	leído
leyó	hubo	leído	*leyere*	hubiere	leído
leímos	hubimos	leído	*leyéremos*	hubiéremos	leído
leísteis	hubisteis	leído	*leyereis*	hubiereis	leído
leyeron	hubieron	leído	*leyeren*	hubieren	leído

Futuro imperfecto	**Futuro perfecto**		IMPERATIVO
leeré	habré	leído	
leerás	habrás	leído	lee (tú)
leerá	habrá	leído	lea (usted)
leeremos	habremos	leído	leamos (nosotros)
leeréis	habréis	leído	leed (vosotros)
leerán	habrán	leído	lean (ustedes)

Condicional simple	**Condicional compuesto**		**FORMAS NO PERSONALES**
			Infinitivo **Infinitivo compuesto**
leería	habría	leído	leer haber leído
leerías	habrías	leído	
leería	habría	leído	**Gerundio** **Gerundio compuesto**
leeríamos	habríamos	leído	*leyendo* habiendo leído
leeríais	habríais	leído	**Participio**
leerían	habrían	leído	leído

47. LUCIR verbo irregular

INDICATIVO		SUBJUNTIVO	
Presente	**Pretérito perfecto**	**Presente**	**Pretérito perfecto**
luzco	he lucido	*luzca*	haya lucido
luces	has lucido	*luzcas*	hayas lucido
luce	ha lucido	*luzca*	haya lucido
lucimos	hemos lucido	*luzcamos*	hayamos lucido
lucís	habéis lucido	*luzcáis*	hayáis lucido
lucen	han lucido	*luzcan*	hayan lucido
Pretérito imperfecto	**Pretérito pluscuamperfecto**	**Pretérito imperfecto**	**Pretérito pluscuamperfecto**
lucía	había lucido	luciera, -ese	hubiera, -ese lucido
lucías	habías lucido	lucieras, -eses	hubieras, -eses lucido
lucía	había lucido	luciera, -ese	hubiera, -ese lucido
lucíamos	habíamos lucido	luciéramos, -ésemos	hubiéramos, -ésemos lucido
lucíais	habíais lucido	lucierais, -eseis	hubierais, -eseis lucido
lucían	habían lucido	lucieran, -esen	hubieran, -esen lucido
Pretérito indefinido	**Pretérito anterior**	**Futuro imperfecto**	**Futuro perfecto**
lucí	hube lucido	luciere	hubiere lucido
luciste	hubiste lucido	lucieres	hubieres lucido
lució	hubo lucido	luciere	hubiere lucido
lucimos	hubimos lucido	luciéremos	hubiéremos lucido
lucisteis	hubisteis lucido	luciereis	hubiereis lucido
lucieron	hubieron lucido	lucieren	hubieren lucido

Futuro imperfecto	**Futuro perfecto**	IMPERATIVO
luciré	habré lucido	
lucirás	habrás lucido	luce (tú)
lucirá	habrá lucido	*luzca* (usted)
luciremos	habremos lucido	*luzcamos* (nosotros)
luciréis	habréis lucido	lucid (vosotros)
lucirán	habrán lucido	*luzcan* (ustedes)

Condicional simple	**Condicional compuesto**	FORMAS NO PERSONALES	
		Infinitivo	**Infinitivo compuesto**
		lucir	haber lucido
luciría	habría lucido		
lucirías	habrías lucido	**Gerundio**	**Gerundio compuesto**
luciría	habría lucido	luciendo	habiendo lucido
luciríamos	habríamos lucido		
luciríais	habríais lucido	**Participio**	
lucirían	habrían lucido	lucido	

64

48. MORIR verbo irregular

INDICATIVO			SUBJUNTIVO		
Presente	**Pretérito perfecto**		**Presente**	**Pretérito perfecto**	
muero	he	muerto	*muera*	haya	muerto
mueres	has	muerto	*mueras*	hayas	muerto
muere	ha	muerto	*muera*	haya	muerto
morimos	hemos	muerto	*muramos*	hayamos	muerto
morís	habéis	muerto	*muráis*	hayáis	muerto
mueren	han	muerto	*mueran*	hayan	muerto
Pretérito imperfecto	**Pretérito pluscuamperfecto**		**Pretérito imperfecto**	**Pretérito pluscuamperfecto**	
moría	había	muerto	*muriera, -ese*	hubiera, -ese	muerto
morías	habías	muerto	*murieras, -eses*	hubieras, -eses	muerto
moría	había	muerto	*muriera, -ese*	hubiera, -ese	muerto
moríamos	habíamos	muerto	*muriéramos,*	hubiéramos,	
moríais	habíais	muerto	*-ésemos*	-ésemos	muerto
morían	habían	muerto	*murierais, -eseis*	hubierais, -eseis	muerto
			murieran, -esen	hubieran, -esen	muerto
Pretérito indefinido	**Pretérito anterior**		**Futuro imperfecto**	**Futuro perfecto**	
morí	hube	muerto	*muriere*	hubiere	muerto
moriste	hubiste	muerto	*murieres*	hubieres	muerto
murió	hubo	muerto	*muriere*	hubiere	muerto
morimos	hubimos	muerto	*muriéremos*	hubiéremos	muerto
moristeis	hubisteis	muerto	*muriereis*	hubiereis	muerto
murieron	hubieron	muerto	*murieren*	hubieren	muerto

Futuro imperfecto	**Futuro perfecto**		IMPERATIVO
moriré	habré	muerto	
morirás	habrás	muerto	*muere* (tú)
morirá	habrá	muerto	*muera* (usted)
moriremos	habremos	muerto	*muramos* (nosotros)
moriréis	habréis	muerto	morid (vosotros)
morirán	habrán	muerto	*mueran* (ustedes)

Condicional simple	**Condicional compuesto**		FORMAS NO PERSONALES
			Infinitivo / **Infinitivo compuesto**
moriría	habría	muerto	morir / haber muerto
morirías	habrías	muerto	**Gerundio** / **Gerundio compuesto**
moriría	habría	muerto	*muriendo* / habiendo muerto
moriríamos	habríamos	muerto	
moriríais	habríais	muerto	**Participio**
morirían	habrían	muerto	*muerto*

49. MOVER verbo irregular

INDICATIVO			SUBJUNTIVO		
Presente	**Pretérito perfecto**		**Presente**	**Pretérito perfecto**	
muevo	he	movido	mueva	haya	movido
mueves	has	movido	muevas	hayas	movido
mueve	ha	movido	mueva	haya	movido
movemos	hemos	movido	movamos	hayamos	movido
movéis	habéis	movido	mováis	hayáis	movido
mueven	han	movido	muevan	hayan	movido
Pretérito imperfecto	**Pretérito pluscuamperfecto**		**Pretérito imperfecto**	**Pretérito pluscuamperfecto**	
movía	había	movido	moviera, -ese	hubiera, -ese	movido
movías	habías	movido	movieras, -eses	hubieras, -eses	movido
movía	había	movido	moviera, -ese	hubiera, -ese	movido
movíamos	habíamos	movido	moviéramos, -ésemos	hubiéramos, -ésemos	movido
movíais	habíais	movido	movierais, -eseis	hubierais, -eseis	movido
movían	habían	movido	movieran, -esen	hubieran, -esen	movido
Pretérito indefinido	**Pretérito anterior**		**Futuro imperfecto**	**Futuro perfecto**	
moví	hube	movido	moviere	hubiere	movido
moviste	hubiste	movido	movieres	hubieres	movido
movió	hubo	movido	moviere	hubiere	movido
movimos	hubimos	movido	moviéremos	hubiéremos	movido
movisteis	hubisteis	movido	moviereis	hubiereis	movido
movieron	hubieron	movido	movieren	hubieren	movido

Futuro imperfecto	**Futuro perfecto**	
moveré	habré	movido
moverás	habrás	movido
moverá	habrá	movido
moveremos	habremos	movido
moveréis	habréis	movido
moverán	habrán	movido

IMPERATIVO

mueve (tú)
mueva (usted)
movamos (nosotros)
moved (vosotros)
muevan (ustedes)

Condicional simple	**Condicional compuesto**	
movería	habría	movido
moverías	habrías	movido
movería	habría	movido
moveríamos	habríamos	movido
moveríais	habríais	movido
moverían	habrían	movido

FORMAS NO PERSONALES

Infinitivo	Infinitivo compuesto
mover	haber movido
Gerundio	**Gerundio compuesto**
moviendo	habiendo movido
Participio	
movido	

50. OÍR verbo irregular

INDICATIVO			SUBJUNTIVO		
Presente	**Pretérito perfecto**		**Presente**	**Pretérito perfecto**	
oigo	he	oído	oiga	haya	oído
oyes	has	oído	oigas	hayas	oído
oye	ha	oído	oiga	haya	oído
oímos	hemos	oído	oigamos	hayamos	oído
oís	habéis	oído	oigáis	hayáis	oído
oyen	han	oído	oigan	hayan	oído
Pretérito imperfecto	**Pretérito pluscuamperfecto**		**Pretérito imperfecto**	**Pretérito pluscuamperfecto**	
oía	había	oído	oyera, -ese	hubiera, -ese	oído
oías	habías	oído	oyeras, -eses	hubieras, -eses	oído
oía	había	oído	oyera, -ese	hubiera, -ese	oído
oíamos	habíamos	oído	oyéramos, -ésemos	hubiéramos, -ésemos	oído
oíais	habíais	oído	oyerais, -eseis	hubierais, -eseis	oído
oían	habían	oído	oyeran, -esen	hubieran, -esen	oído
Pretérito indefinido	**Pretérito anterior**		**Futuro imperfecto**	**Futuro perfecto**	
oí	hube	oído	oyere	hubiere	oído
oíste	hubiste	oído	oyeres	hubieres	oído
oyó	hubo	oído	oyere	hubiere	oído
oímos	hubimos	oído	oyéremos	hubiéremos	oído
oísteis	hubisteis	oído	oyereis	hubiereis	oído
oyeron	hubieron	oído	oyeren	hubieren	oído

Futuro imperfecto	**Futuro perfecto**	
oiré	habré	oído
oirás	habrás	oído
oirá	habrá	oído
oiremos	habremos	oído
oiréis	habréis	oído
oirán	habrán	oído

IMPERATIVO

oye (tú)
oiga (usted)
oigamos (nosotros)
oíd (vosotros)
oigan (ustedes)

Condicional simple	**Condicional compuesto**	
oiría	habría	oído
oirías	habrías	oído
oiría	habría	oído
oiríamos	habríamos	oído
oiríais	habríais	oído
oirían	habrían	oído

FORMAS NO PERSONALES

Infinitivo	**Infinitivo compuesto**
oír	haber oído

Gerundio	**Gerundio compuesto**
oyendo	habiendo oído

Participio

oído

51. OLER verbo irregular

INDICATIVO				SUBJUNTIVO		
Presente		**Pretérito perfecto**		**Presente**		**Pretérito perfecto**
huelo		he	olido	huela		haya	olido
hueles		has	olido	huelas		hayas	olido
huele		ha	olido	huela		haya	olido
olemos		hemos	olido	olamos		hayamos	olido
oléis		habéis	olido	oláis		hayáis	olido
huelen		han	olido	huelan		hayan	olido
Pretérito imperfecto		**Pretérito pluscuamperfecto**		**Pretérito imperfecto**		**Pretérito pluscuamperfecto**
olía		había	olido	oliera, -ese		hubiera, -ese	olido
olías		habías	olido	olieras, -eses		hubieras, -eses	olido
olía		había	olido	oliera, -ese		hubiera, -ese	olido
olíamos		habíamos	olido	oliéramos, -ésemos		hubiéramos, -ésemos	olido
olíais		habíais	olido	olierais, -eseis		hubierais, -eseis	olido
olían		habían	olido	olieran, -esen		hubieran, -esen	olido
Pretérito indefinido		**Pretérito anterior**		**Futuro imperfecto**		**Futuro perfecto**
olí		hube	olido	oliere		hubiere	olido
oliste		hubiste	olido	olieres		hubieres	olido
olió		hubo	olido	oliere		hubiere	olido
olimos		hubimos	olido	oliéremos		hubiéremos	olido
olisteis		hubisteis	olido	oliereis		hubiereis	olido
olieron		hubieron	olido	olieren		hubieren	olido

Futuro imperfecto	Futuro perfecto		IMPERATIVO
oleré	habré	olido	
olerás	habrás	olido	huele (tú)
olerá	habrá	olido	huela (usted)
oleremos	habremos	olido	olamos (nosotros)
oleréis	habréis	olido	oled (vosotros)
olerán	habrán	olido	huelan (ustedes)

Condicional simple	Condicional compuesto		FORMAS NO PERSONALES
			Infinitivo — **Infinitivo compuesto**
			oler — haber olido
olería	habría	olido	
olerías	habrías	olido	**Gerundio** — **Gerundio compuesto**
olería	habría	olido	oliendo — habiendo olido
oleríamos	habríamos	olido	
oleríais	habríais	olido	**Participio**
olerían	habrían	olido	olido

52. PAGAR verbo irregular

INDICATIVO			SUBJUNTIVO		
Presente	**Pretérito perfecto**		**Presente**	**Pretérito perfecto**	
pago	he	pagado	*pague*	haya	pagado
pagas	has	pagado	*pagues*	hayas	pagado
paga	ha	pagado	*pague*	haya	pagado
pagamos	hemos	pagado	*paguemos*	hayamos	pagado
pagáis	habéis	pagado	*paguéis*	hayáis	pagado
pagan	han	pagado	*paguen*	hayan	pagado
Pretérito imperfecto	**Pretérito pluscuamperfecto**		**Pretérito imperfecto**	**Pretérito pluscuamperfecto**	
pagaba	había	pagado	pagara, -ase	hubiera, -ese	pagado
pagabas	habías	pagado	pagaras, -ases	hubieras, -eses	pagado
pagaba	había	pagado	pagara, -ase	hubiera, -ese	pagado
pagábamos	habíamos	pagado	pagáramos,	hubiéramos,	
pagabais	habíais	pagado	-ásemos	-ésemos	pagado
pagaban	habían	pagado	pagarais, -aseis	hubierais, -eseis	pagado
			pagaran, -asen	hubieran, -esen	pagado
Pretérito indefinido	**Pretérito anterior**		**Futuro imperfecto**	**Futuro perfecto**	
pagué	hube	pagado	pagare	hubiere	pagado
pagaste	hubiste	pagado	pagares	hubieres	pagado
pagó	hubo	pagado	pagare	hubiere	pagado
pagamos	hubimos	pagado	pagáremos	hubiéremos	pagado
pagasteis	hubisteis	pagado	pagareis	hubiereis	pagado
pagaron	hubieron	pagado	pagaren	hubieren	pagado

Futuro imperfecto	**Futuro perfecto**		**IMPERATIVO**
pagaré	habré	pagado	
pagarás	habrás	pagado	paga (tú)
pagará	habrá	pagado	*pague* (usted)
pagaremos	habremos	pagado	*paguemos* (nosotros)
pagaréis	habréis	pagado	pagad (vosotros)
pagarán	habrán	pagado	*paguen* (ustedes)

Condicional simple	**Condicional compuesto**		**FORMAS NO PERSONALES**	
			Infinitivo	**Infinitivo compuesto**
pagaría	habría	pagado	pagar	haber pagado
pagarías	habrías	pagado	**Gerundio**	**Gerundio compuesto**
pagaría	habría	pagado	pagando	habiendo pagado
pagaríamos	habríamos	pagado		
pagaríais	habríais	pagado	**Participio**	
pagarían	habrían	pagado	pagado	

53. PARECER verbo irregular

INDICATIVO			SUBJUNTIVO		
Presente	**Pretérito perfecto**		**Presente**	**Pretérito perfecto**	
parezco	he	parecido	parezca	haya	parecido
pareces	has	parecido	parezcas	hayas	parecido
parece	ha	parecido	parezca	haya	parecido
parecemos	hemos	parecido	parezcamos	hayamos	parecido
parecéis	habéis	parecido	parezcáis	hayáis	parecido
parecen	han	parecido	parezcan	hayan	parecido
Pretérito imperfecto	**Pretérito pluscuamperfecto**		**Pretérito imperfecto**	**Pretérito pluscuamperfecto**	
parecía	había	parecido	pareciera, -ese	hubiera, -ese	parecido
parecías	habías	parecido	parecieras, -eses	hubieras, -eses	parecido
parecía	había	parecido	pareciera, -ese	hubiera, -ese	parecido
parecíamos	habíamos	parecido	pareciéramos,	hubiéramos,	
parecíais	habíais	parecido	-ésemos	-ésemos	parecido
parecían	habían	parecido	parecierais, -eseis	hubierais, -eseis	parecido
			parecieran, -esen	hubieran, -esen	parecido
Pretérito indefinido	**Pretérito anterior**		**Futuro imperfecto**	**Futuro perfecto**	
parecí	hube	parecido	pareciere	hubiere	parecido
pareciste	hubiste	parecido	parecieres	hubieres	parecido
pareció	hubo	parecido	pareciere	hubiere	parecido
parecimos	hubimos	parecido	pareciéremos	hubiéremos	parecido
parecisteis	hubisteis	parecido	pareciereis	hubiereis	parecido
parecieron	hubieron	parecido	parecieren	hubieren	parecido

Futuro imperfecto	**Futuro perfecto**	
pareceré	habré	parecido
parecerás	habrás	parecido
parecerá	habrá	parecido
pareceremos	habremos	parecido
pareceréis	habréis	parecido
parecerán	habrán	parecido

IMPERATIVO

parece (tú)
parezca (usted)
parezcamos (nosotros)
pareced (vosotros)
parezcan (ustedes)

Condicional simple	**Condicional compuesto**	
parecería	habría	parecido
parecerías	habrías	parecido
parecería	habría	parecido
pareceríamos	habríamos	parecido
pareceríais	habríais	parecido
parecerían	habrían	parecido

FORMAS NO PERSONALES

Infinitivo	**Infinitivo compuesto**
parecer	haber parecido
Gerundio	**Gerundio compuesto**
pareciendo	habiendo parecido
Participio	
parecido	

54. PEDIR verbo irregular

INDICATIVO			SUBJUNTIVO		
Presente	**Pretérito perfecto**		**Presente**	**Pretérito perfecto**	
pido	he	pedido	pida	haya	pedido
pides	has	pedido	pidas	hayas	pedido
pide	ha	pedido	pida	haya	pedido
pedimos	hemos	pedido	pidamos	hayamos	pedido
pedís	habéis	pedido	pidáis	hayáis	pedido
piden	han	pedido	pidan	hayan	pedido
Pretérito imperfecto	**Pretérito pluscuamperfecto**		**Pretérito imperfecto**	**Pretérito pluscuamperfecto**	
pedía	había	pedido	pidiera, -ese	hubiera, -ese	pedido
pedías	habías	pedido	pidieras, -eses	hubieras, -eses	pedido
pedía	había	pedido	pidiera, -ese	hubiera, -ese	pedido
pedíamos	habíamos	pedido	pidiéramos, -ésemos	hubiéramos, -ésemos	pedido
pedíais	habíais	pedido	pidierais, -eseis	hubierais, -eseis	pedido
pedían	habían	pedido	pidieran, -esen	hubieran, -esen	pedido
Pretérito indefinido	**Pretérito anterior**		**Futuro imperfecto**	**Futuro perfecto**	
pedí	hube	pedido	pidiere	hubiere	pedido
pediste	hubiste	pedido	pidieres	hubieres	pedido
pidió	hubo	pedido	pidiere	hubiere	pedido
pedimos	hubimos	pedido	pidiéremos	hubiéremos	pedido
pedisteis	hubisteis	pedido	pidiereis	hubiereis	pedido
pidieron	hubieron	pedido	pidieren	hubieren	pedido
Futuro imperfecto	**Futuro perfecto**		**IMPERATIVO**		
pediré	habré	pedido			
pedirás	habrás	pedido	pide (tú)		
pedirá	habrá	pedido	pida (usted)		
pediremos	habremos	pedido	pidamos (nosotros)		
pediréis	habréis	pedido	pedid (vosotros)		
pedirán	habrán	pedido	pidan (ustedes)		
Condicional simple	**Condicional compuesto**		**FORMAS NO PERSONALES**		
			Infinitivo	**Infinitivo compuesto**	
pediría	habría	pedido	pedir	haber pedido	
pedirías	habrías	pedido			
pediría	habría	pedido	**Gerundio**	**Gerundio compuesto**	
pediríamos	habríamos	pedido	pidiendo	habiendo pedido	
pediríais	habríais	pedido	**Participio**		
pedirían	habrían	pedido	pedido		

55. PENSAR verbo irregular

INDICATIVO		SUBJUNTIVO	
Presente	**Pretérito perfecto**	**Presente**	**Pretérito perfecto**
pienso	he pensado	piense	haya pensado
piensas	has pensado	pienses	hayas pensado
piensa	ha pensado	piense	haya pensado
pensamos	hemos pensado	pensemos	hayamos pensado
pensáis	habéis pensado	penséis	hayáis pensado
piensan	han pensado	piensen	hayan pensado
Pretérito imperfecto	**Pretérito pluscuamperfecto**	**Pretérito imperfecto**	**Pretérito pluscuamperfecto**
pensaba	había pensado	pensara, -ase	hubiera, -ese pensado
pensabas	habías pensado	pensaras, -ases	hubieras, -eses pensado
pensaba	había pensado	pensara, -ase	hubiera, -ese pensado
pensábamos	habíamos pensado	pensáramos, -ásemos	hubiéramos, -ésemos pensado
pensabais	habíais pensado	pensarais, -aseis	hubierais, -eseis pensado
pensaban	habían pensado	pensaran, -asen	hubieran, -esen pensado
Pretérito indefinido	**Pretérito anterior**	**Futuro imperfecto**	**Futuro perfecto**
pensé	hube pensado	pensare	hubiere pensado
pensaste	hubiste pensado	pensares	hubieres pensado
pensó	hubo pensado	pensare	hubiere pensado
pensamos	hubimos pensado	pensáremos	hubiéremos pensado
pensasteis	hubisteis pensado	pensareis	hubiereis pensado
pensaron	hubieron pensado	pensaren	hubieren pensado

Futuro imperfecto	**Futuro perfecto**
pensaré	habré pensado
pensarás	habrás pensado
pensará	habrá pensado
pensaremos	habremos pensado
pensaréis	habréis pensado
pensarán	habrán pensado

IMPERATIVO

piensa (tú)
piense (usted)
pensemos (nosotros)
pensad (vosotros)
piensen (ustedes)

Condicional simple	**Condicional compuesto**
pensaría	habría pensado
pensarías	habrías pensado
pensaría	habría pensado
pensaríamos	habríamos pensado
pensaríais	habríais pensado
pensarían	habrían pensado

FORMAS NO PERSONALES

Infinitivo	**Infinitivo compuesto**
pensar	haber pensado
Gerundio	**Gerundio compuesto**
pensando	habiendo pensado
Participio	
pensado	

56. PERDER verbo irregular

INDICATIVO			SUBJUNTIVO		
Presente	**Pretérito perfecto**		**Presente**	**Pretérito perfecto**	
pierdo	he	perdido	*pierda*	haya	perdido
pierdes	has	perdido	*pierdas*	hayas	perdido
pierde	ha	perdido	*pierda*	haya	perdido
perdemos	hemos	perdido	perdamos	hayamos	perdido
perdéis	habéis	perdido	perdáis	hayáis	perdido
pierden	han	perdido	*pierdan*	hayan	perdido
Pretérito imperfecto	**Pretérito pluscuamperfecto**		**Pretérito imperfecto**	**Pretérito pluscuamperfecto**	
perdía	había	perdido	perdiera, -ese	hubiera, -ese	perdido
perdías	habías	perdido	perdieras, -eses	hubieras, -eses	perdido
perdía	había	perdido	perdiera, -ese	hubiera, -ese	perdido
perdíamos	habíamos	perdido	perdiéramos, -ésemos	hubiéramos, -ésemos	perdido
perdíais	habíais	perdido	perdierais, -eseis	hubierais, -eseis	perdido
perdían	habían	perdido	perdieran, -esen	hubieran, -esen	perdido
Pretérito indefinido	**Pretérito anterior**		**Futuro imperfecto**	**Futuro perfecto**	
perdí	hube	perdido	perdiere	hubiere	perdido
perdiste	hubiste	perdido	perdieres	hubieres	perdido
perdió	hubo	perdido	perdiere	hubiere	perdido
perdimos	hubimos	perdido	perdiéremos	hubiéremos	perdido
perdisteis	hubisteis	perdido	perdiereis	hubiereis	perdido
perdieron	hubieron	perdido	perdieren	hubieren	perdido

Futuro imperfecto	**Futuro perfecto**	
perderé	habré	perdido
perderás	habrás	perdido
perderá	habrá	perdido
perderemos	habremos	perdido
perderéis	habréis	perdido
perderán	habrán	perdido

IMPERATIVO

pierde (tú)
pierda (usted)
perdamos (nosotros)
perded (vosotros)
pierdan (ustedes)

Condicional simple	**Condicional compuesto**	
perdería	habría	perdido
perderías	habrías	perdido
perdería	habría	perdido
perderíamos	habríamos	perdido
perderíais	habríais	perdido
perderían	habrían	perdido

FORMAS NO PERSONALES

Infinitivo	Infinitivo compuesto
perder	haber perdido
Gerundio	**Gerundio compuesto**
perdiendo	habiendo perdido
Participio	
perdido	

57. PLACER verbo irregular

INDICATIVO		SUBJUNTIVO	
Presente	**Pretérito perfecto**	**Presente**	**Pretérito perfecto**
plazco	he placido	*plazca*	haya placido
places	has placido	*plazcas*	hayas placido
place	ha placido	*plazca* o *plegue*	haya placido
placemos	hemos placido	*plazcamos*	hayamos placido
placéis	habéis placido	*plazcáis*	hayáis placido
placen	han placido	*plazcan*	hayan placido
Pretérito imperfecto	**Pretérito pluscuamperfecto**	**Pretérito imperfecto**	**Pretérito pluscuamperfecto**
placía	había placido	placiera, -ese	hubiera, -ese placido
placías	habías placido	placieras, -eses	hubieras, -eses placido
placía	había placido	placiera, -ese	hubiera, -ese placido
placíamos	habíamos placido	o *pluguiera, -ese*	hubiéramos,
placíais	habíais placido	placiéramos, -ésemos	-ésemos placido
placían	habían placido	placierais, -eseis	hubierais, -eseis placido
		placieran, -esen	hubieran, -esen placido
Pretérito indefinido	**Pretérito anterior**	**Futuro imperfecto**	**Futuro perfecto**
plací	hube placido	placiere	hubiere placido
placiste	hubiste placido	placieres	hubieres placido
plació o *plugo*	hubo placido	placiere o *pluguiere*	hubiere placido
placimos	hubimos placido	placiéremos	hubiéremos placido
placisteis	hubisteis placido	placiereis	hubiereis placido
placieron o *pluguieron*	hubieron placido	placieren	hubieren placido

Futuro imperfecto	**Futuro perfecto**
placeré	habré placido
placerás	habrás placido
placerá	habrá placido
placeremos	habremos placido
placeréis	habréis placido
placerán	habrán placido

IMPERATIVO

place (tú)
plazca (usted)
plazcamos (nosotros)
placed (vosotros)
plazcan (ustedes)

Condicional simple	**Condicional compuesto**
placería	habría placido
placerías	habrías placido
placería	habría placido
placeríamos	habríamos placido
placeríais	habríais placido
placerían	habrían placido

FORMAS NO PERSONALES

Infinitivo	**Infinitivo compuesto**
placer	haber placido

Gerundio	**Gerundio compuesto**
placiendo	habiendo placido

Participio
placido

58. PLAÑIR verbo irregular

INDICATIVO			SUBJUNTIVO		
Presente	**Pretérito perfecto**		**Presente**	**Pretérito perfecto**	
plaño	he	plañido	plaña	haya	plañido
plañes	has	plañido	plañas	hayas	plañido
plañe	ha	plañido	plaña	haya	plañido
plañimos	hemos	plañido	plañamos	hayamos	plañido
plañís	habéis	plañido	plañáis	hayáis	plañido
plañen	han	plañido	plañan	hayan	plañido
Pretérito imperfecto	**Pretérito pluscuamperfecto**		**Pretérito imperfecto**	**Pretérito pluscuamperfecto**	
plañía	había	plañido	*plañera, -ese*	hubiera, -ese	plañido
plañías	habías	plañido	*plañeras, -eses*	hubieras, -eses	plañido
plañía	había	plañido	*plañera, -ese*	hubiera, -ese	plañido
plañíamos	habíamos	plañido	*plañéramos, -ésemos*	hubiéramos, -ésemos	plañido
plañíais	habíais	plañido	*plañerais, -eseis*	hubierais, -eseis	plañido
plañían	habían	plañido	*plañeran, -esen*	hubieran, -esen	plañido
Pretérito indefinido	**Pretérito anterior**		**Futuro imperfecto**	**Futuro perfecto**	
plañí	hube	plañido	*plañere*	hubiere	plañido
plañiste	hubiste	plañido	*plañeres*	hubieres	plañido
plañó	hubo	plañido	*plañere*	hubiere	plañido
plañimos	hubimos	plañido	*plañéremos*	hubiéremos	plañido
plañisteis	hubisteis	plañido	*plañereis*	hubiereis	plañido
plañeron	hubieron	plañido	*plañeren*	hubieren	plañido

Futuro imperfecto	Futuro perfecto	
plañiré	habré	plañido
plañirás	habrás	plañido
plañirá	habrá	plañido
plañiremos	habremos	plañido
plañiréis	habréis	plañido
plañirán	habrán	plañido

IMPERATIVO

plañe (tú)
plaña (usted)
plañamos (nosotros)
plañid (vosotros)
plañan (ustedes)

Condicional simple	Condicional compuesto	
plañiría	habría	plañido
plañirías	habrías	plañido
plañiría	habría	plañido
plañiríamos	habríamos	plañido
plañiríais	habríais	plañido
plañirían	habrían	plañido

FORMAS NO PERSONALES

Infinitivo	Infinitivo compuesto
plañir	haber plañido

Gerundio	Gerundio compuesto
plañendo	habiendo plañido

Participio

plañido

59. PODER verbo irregular

INDICATIVO			SUBJUNTIVO		
Presente	**Pretérito perfecto**		**Presente**	**Pretérito perfecto**	
puedo	he	podido	pueda	haya	podido
puedes	has	podido	puedas	hayas	podido
puede	ha	podido	pueda	haya	podido
podemos	hemos	podido	podamos	hayamos	podido
podéis	habéis	podido	podáis	hayáis	podido
pueden	han	podido	puedan	hayan	podido
Pretérito imperfecto	**Pretérito pluscuamperfecto**		**Pretérito imperfecto**	**Pretérito pluscuamperfecto**	
podía	había	podido	pudiera, -ese	hubiera, -ese	podido
podías	habías	podido	pudieras, -eses	hubieras, -eses	podido
podía	había	podido	pudiera, -ese	hubiera, -ese	podido
podíamos	habíamos	podido	pudiéramos	hubiéramos,	
podíais	habíais	podido	-ésemos	-ésemos	podido
podían	habían	podido	pudierais, -eseis	hubierais, -eseis	podido
			pudieran, -esen	hubieran, -esen	podido
Pretérito indefinido	**Pretérito anterior**		**Futuro imperfecto**	**Futuro perfecto**	
pude	hube	podido	pudiere	hubiere	podido
pudiste	hubiste	podido	pudieres	hubieres	podido
pudo	hubo	podido	pudiere	hubiere	podido
pudimos	hubimos	podido	pudiéremos	hubiéremos	podido
pudisteis	hubisteis	podido	pudiereis	hubiereis	podido
pudieron	hubieron	podido	pudieren	hubieren	podido

Futuro imperfecto	**Futuro perfecto**	
podré	habré	podido
podrás	habrás	podido
podrá	habrá	podido
podremos	habremos	podido
podréis	habréis	podido
podrán	habrán	podido

IMPERATIVO

puede (tú)
pueda (usted)
podamos (nosotros)
poded (vosotros)
puedan (ustedes)

Condicional simple	**Condicional compuesto**	
podría	habría	podido
podrías	habrías	podido
podría	habría	podido
podríamos	habríamos	podido
podríais	habríais	podido
podrían	habrían	podido

FORMAS NO PERSONALES

Infinitivo	Infinitivo compuesto
poder	haber podido
Gerundio	**Gerundio compuesto**
pudiendo	habiendo podido
Participio	
podido	

60. PONER verbo irregular

INDICATIVO			SUBJUNTIVO		
Presente	**Pretérito perfecto**		**Presente**	**Pretérito perfecto**	
pongo	he	puesto	*ponga*	haya	puesto
pones	has	puesto	pongas	hayas	puesto
pone	ha	puesto	ponga	haya	puesto
ponemos	hemos	puesto	pongamos	hayamos	puesto
ponéis	habéis	puesto	pongáis	hayáis	puesto
ponen	han	puesto	pongan	hayan	puesto
Pretérito imperfecto	**Pretérito pluscuamperfecto**		**Pretérito imperfecto**	**Pretérito pluscuamperfecto**	
ponía	había	puesto	*pusiera, -ese*	hubiera, -ese	puesto
ponías	habías	puesto	*pusieras, -eses*	hubieras, -eses	puesto
ponía	había	puesto	*pusiera, -ese*	hubiera, -ese	puesto
poníamos	habíamos	puesto	*pusiéramos,*	hubiéramos,	
poníais	habíais	puesto	*-ésemos*	-ésemos	puesto
ponían	habían	puesto	*pusierais, -eseis*	hubierais, -eseis	puesto
			pusieran, -esen	hubieran, -esen	puesto
Pretérito indefinido	**Pretérito anterior**		**Futuro imperfecto**	**Futuro perfecto**	
puse	hube	puesto	*pusiere*	hubiere	puesto
pusiste	hubiste	puesto	*pusieres*	hubieres	puesto
puso	hubo	puesto	*pusiere*	hubiere	puesto
pusimos	hubimos	puesto	*pusiéremos*	hubiéremos	puesto
pusisteis	hubisteis	puesto	*pusiereis*	hubiereis	puesto
pusieron	hubieron	puesto	*pusieren*	hubieren	puesto

Futuro imperfecto	**Futuro perfecto**	
pondré	habré	puesto
pondrás	habrás	puesto
pondrá	habrá	puesto
pondremos	habremos	puesto
pondréis	habréis	puesto
pondrán	habrán	puesto

IMPERATIVO

pon (tú)
ponga (usted)
pongamos (nosotros)
poned (vosotros)
pongan (ustedes)

Condicional simple	**Condicional compuesto**	
pondría	habría	puesto
pondrías	habrías	puesto
pondría	habría	puesto
pondríamos	habríamos	puesto
pondríais	habríais	puesto
pondrían	habrían	puesto

FORMAS NO PERSONALES

Infinitivo	Infinitivo compuesto
poner	haber puesto
Gerundio	**Gerundio compuesto**
poniendo	habiendo puesto
Participio	
puesto	

61. PREDECIR verbo irregular

INDICATIVO			SUBJUNTIVO		
Presente	**Pretérito perfecto**		**Presente**	**Pretérito perfecto**	
predigo	he	predicho	prediga	haya	predicho
predices	has	predicho	predigas	hayas	predicho
predice	ha	predicho	prediga	haya	predicho
predecimos	hemos	predicho	predigamos	hayamos	predicho
predecís	habéis	predicho	predigáis	hayáis	predicho
predicen	han	predicho	predigan	hayan	predicho
Pretérito imperfecto	**Pretérito pluscuamperfecto**		**Pretérito imperfecto**	**Pretérito pluscuamperfecto**	
predecía	había	predicho	predijera, -ese	hubiera, -ese	predicho
predecías	habías	predicho	predijeras, -eses	hubieras, -eses	predicho
predecía	había	predicho	predijera, -ese	hubiera, -ese	predicho
predecíamos	habíamos	predicho	predijéramos,	hubiéramos,	
predecíais	habíais	predicho	-ésemos	-ésemos	predicho
predecían	habían	predicho	predijerais, -eseis	hubierais, -eseis	predicho
			predijeran, -esen	hubieran, -esen	predicho
Pretérito indefinido	**Pretérito anterior**		**Futuro imperfecto**	**Futuro perfecto**	
predije	hube	predicho	predijere	hubiere	predicho
predijiste	hubiste	predicho	predijeres	hubieres	predicho
predijo	hubo	predicho	predijere	hubiere	predicho
predijimos	hubimos	predicho	predijéremos	hubiéremos	predicho
predijisteis	hubisteis	predicho	predijereis	hubiereis	predicho
predijeron	hubieron	predicho	predijeren	hubieren	predicho

Futuro imperfecto	**Futuro perfecto**	
prediré	habré	predicho
predirás	habrás	predicho
predirá	habrá	predicho
prediremos	habremos	predicho
prediréis	habréis	predicho
predirán	habrán	predicho

IMPERATIVO

predice (tú)
prediga (usted)
predigamos (nosotros)
predecid (vosotros)
predigan (ustedes)

Condicional simple	**Condicional compuesto**	
prediría	habría	predicho
predirías	habrías	predicho
prediría	habría	predicho
prediríamos	habríamos	predicho
prediríais	habríais	predicho
predirían	habrían	predicho

FORMAS NO PERSONALES

Infinitivo	Infinitivo compuesto
predecir	haber predicho
Gerundio	**Gerundio compuesto**
prediciendo	habiendo predicho
Participio	
predicho	

78

62. PROHIBIR verbo irregular

INDICATIVO		SUBJUNTIVO	
Presente	**Pretérito perfecto**	**Presente**	**Pretérito perfecto**
prohíbo	he prohibido	prohíba	haya prohibido
prohíbes	has prohibido	prohíbas	hayas prohibido
prohíbe	ha prohibido	prohíba	haya prohibido
prohibimos	hemos prohibido	prohibamos	hayamos prohibido
prohibís	habéis prohibido	prohibáis	hayáis prohibido
prohíben	han prohibido	prohíban	hayan prohibido
Pretérito imperfecto	**Pretérito pluscuamperfecto**	**Pretérito imperfecto**	**Pretérito pluscuamperfecto**
prohibía	había prohibido	prohibiera, -ese	hubiera, -ese prohibido
prohibías	habías prohibido	prohibieras, -eses	hubieras, -eses prohibido
prohibía	había prohibido	prohibiera, -ese	hubiera, -ese prohibido
prohibíamos	habíamos prohibido	prohibiéramos,	hubiéramos,
prohibíais	habíais prohibido	-ésemos	-ésemos prohibido
prohibían	habían prohibido	prohibierais, -eseis	hubierais, -eseis prohibido
		prohibieran, -esen	hubieran, -esen prohibido
Pretérito indefinido	**Pretérito anterior**	**Futuro imperfecto**	**Futuro perfecto**
prohibí	hube prohibido	prohibiere	hubiere prohibido
prohibiste	hubiste prohibido	prohibieres	hubieres prohibido
prohibió	hubo prohibido	prohibiere	hubiere prohibido
prohibimos	hubimos prohibido	prohibiéremos	hubiéremos prohibido
prohibisteis	hubisteis prohibido	prohibiereis	hubiereis prohibido
prohibieron	hubieron prohibido	prohibieren	hubieren prohibido

Futuro imperfecto	**Futuro perfecto**
prohibiré	habré prohibido
prohibirás	habrás prohibido
prohibirá	habrá prohibido
prohibiremos	habremos prohibido
prohibiréis	habréis prohibido
prohibirán	habrán prohibido

IMPERATIVO

prohíbe (tú)
prohíba (usted)
prohibamos (nosotros)
prohibid (vosotros)
prohíban (ustedes)

Condicional simple	**Condicional compuesto**
prohibiría	habría prohibido
prohibirías	habrías prohibido
prohibiría	habría prohibido
prohibiríamos	habríamos prohibido
prohibiríais	habríais prohibido
prohibirían	habrían prohibido

FORMAS NO PERSONALES

Infinitivo	**Infinitivo compuesto**
prohibir	haber prohibido

Gerundio	**Gerundio compuesto**
prohibiendo	habiendo prohibido

Participio

prohibido

63. QUERER verbo irregular

INDICATIVO			SUBJUNTIVO		
Presente	**Pretérito perfecto**		**Presente**	**Pretérito perfecto**	
quiero	he	querido	quiera	haya	querido
quieres	has	querido	quieras	hayas	querido
quiere	ha	querido	quiera	haya	querido
queremos	hemos	querido	queramos	hayamos	querido
queréis	habéis	querido	queráis	hayáis	querido
quieren	han	querido	quieran	hayan	querido
Pretérito imperfecto	**Pretérito pluscuamperfecto**		**Pretérito imperfecto**	**Pretérito pluscuamperfecto**	
quería	había	querido	quisiera, -ese	hubiera, -ese	querido
querías	habías	querido	quisieras, -eses	hubieras, -eses	querido
quería	había	querido	quisiera, -ese	hubiera, -ese	querido
queríamos	habíamos	querido	quisiéramos, -ésemos	hubiéramos, -ésemos	querido
queríais	habíais	querido	quisierais, -eseis	hubierais, -eseis	querido
querían	habían	querido	quisieran, -esen	hubieran, -esen	querido
Pretérito indefinido	**Pretérito anterior**		**Futuro imperfecto**	**Futuro perfecto**	
quise	hube	querido	quisiere	hubiere	querido
quisiste	hubiste	querido	quisieres	hubieres	querido
quiso	hubo	querido	quisiere	hubiere	querido
quisimos	hubimos	querido	quisiéremos	hubiéremos	querido
quisisteis	hubisteis	querido	quisiereis	hubiereis	querido
quisieron	hubieron	querido	quisieren	hubieren	querido

Futuro imperfecto	**Futuro perfecto**		**IMPERATIVO**
querré	habré	querido	
querrás	habrás	querido	quiere (tú)
querrá	habrá	querido	quiera (usted)
querremos	habremos	querido	queramos (nosotros)
querréis	habréis	querido	quered (vosotros)
querrán	habrán	querido	quieran (ustedes)

Condicional simple	**Condicional compuesto**		**FORMAS NO PERSONALES**	
querría	habría	querido	**Infinitivo**	**Infinitivo compuesto**
querrías	habrías	querido	querer	haber querido
querría	habría	querido	**Gerundio**	**Gerundio compuesto**
querríamos	habríamos	querido	queriendo	habiendo querido
querríais	habríais	querido	**Participio**	
querrían	habrían	querido	querido	

64. RAER | verbo irregular

INDICATIVO			SUBJUNTIVO		
Presente	**Pretérito perfecto**		**Presente**	**Pretérito perfecto**	
rao, *raigo* o *rayo*	he	raído	*raiga* o *raya*	haya	raído
raes	has	raído	*raigas* o *rayas*	hayas	raído
rae	ha	raído	*raiga* o *raya*	haya	raído
raemos	hemos	raído	*raigamos* o *rayamos*	hayamos	raído
raéis	habéis	raído	*raigáis* o *rayáis*	hayáis	raído
raen	han	raído	*raigan* o *rayan*	hayan	raído
Pretérito imperfecto	**Pretérito pluscuamperfecto**		**Pretérito imperfecto**	**Pretérito pluscuamperfecto**	
raía	había	raído	*rayera, -ese*	hubiera, -ese	raído
raías	habías	raído	*rayeras, -eses*	hubieras, -eses	raído
raía	había	raído	*rayera, -ese*	hubiera, -ese	raído
raíamos	habíamos	raído	*rayéramos,*	hubiéramos,	
raíais	habíais	raído	*-ésemos*	-ésemos	raído
raían	habían	raído	*rayerais, -eseis*	hubierais, -eseis	raído
			rayeran, -esen	hubieran, -esen	raído
Pretérito indefinido	**Pretérito anterior**		**Futuro imperfecto**	**Futuro perfecto**	
raí	hube	raído	*rayere*	hubiere	raído
raíste	hubiste	raído	*rayeres*	hubieres	raído
rayó	hubo	raído	*rayere*	hubiere	raído
raímos	hubimos	raído	*rayéremos*	hubiéremos	raído
raísteis	hubisteis	raído	*rayereis*	hubiereis	raído
rayeron	hubieron	raído	*rayeren*	hubieren	raído
Futuro imperfecto	**Futuro perfecto**		**IMPERATIVO**		
raeré	habré	raído			
raerás	habrás	raído	rae (tú)		
raerá	habrá	raído	*raiga* o *raya* (usted)		
raeremos	habremos	raído	*raigamos* o *rayamos* (nosotros)		
raeréis	habréis	raído	raed (vosotros)		
raerán	habrán	raído	*raigan* o *rayan* (ustedes)		
Condicional simple	**Condicional compuesto**		**FORMAS NO PERSONALES**		
raería	habría	raído	**Infinitivo**	**Infinitivo compuesto**	
raerías	habrías	raído	raer	haber raído	
raería	habría	raído	**Gerundio**	**Gerundio compuesto**	
raeríamos	habríamos	raído	*rayendo*	habiendo raído	
raeríais	habríais	raído	**Participio**		
raerían	habrían	raído	raído		

65. REGAR — verbo irregular

INDICATIVO			SUBJUNTIVO		
Presente	**Pretérito perfecto**		**Presente**	**Pretérito perfecto**	
riego	he	regado	riegue	haya	regado
riegas	has	regado	riegues	hayas	regado
riega	ha	regado	riegue	haya	regado
regamos	hemos	regado	reguemos	hayamos	regado
regáis	habéis	regado	reguéis	hayáis	regado
riegan	han	regado	rieguen	hayan	regado
Pretérito imperfecto	**Pretérito pluscuamperfecto**		**Pretérito imperfecto**	**Pretérito pluscuamperfecto**	
regaba	había	regado	regara, -ase	hubiera, -ese	regado
regabas	habías	regado	regaras, -ases	hubieras, -eses	regado
regaba	había	regado	regara, -ase	hubiera, -ese	regado
regábamos	habíamos	regado	regáramos, -ásemos	hubiéramos, -ésemos	regado
regabais	habíais	regado	regarais, -aseis	hubierais, -eseis	regado
regaban	habían	regado	regaran, -asen	hubieran, -esen	regado
Pretérito indefinido	**Pretérito anterior**		**Futuro imperfecto**	**Futuro perfecto**	
regué	hube	regado	regare	hubiere	regado
regaste	hubiste	regado	regares	hubieres	regado
regó	hubo	regado	regare	hubiere	regado
regamos	hubimos	regado	regáremos	hubiéremos	regado
regasteis	hubisteis	regado	regareis	hubiereis	regado
regaron	hubieron	regado	regaren	hubieren	regado
Futuro imperfecto	**Futuro perfecto**				
regaré	habré	regado			
regarás	habrás	regado			
regará	habrá	regado			
regaremos	habremos	regado			
regaréis	habréis	regado			
regarán	habrán	regado			

IMPERATIVO

riega (tú)
riegue (usted)
reguemos (nosotros)
regad (vosotros)
rieguen (ustedes)

Condicional simple	**Condicional compuesto**	
regaría	habría	regado
regarías	habrías	regado
regaría	habría	regado
regaríamos	habríamos	regado
regaríais	habríais	regado
regarían	habrían	regado

FORMAS NO PERSONALES

Infinitivo
regar

Infinitivo compuesto
haber regado

Gerundio
regando

Gerundio compuesto
habiendo regado

Participio
regado

66. REÍR verbo irregular

INDICATIVO			SUBJUNTIVO		
Presente	**Pretérito perfecto**		**Presente**	**Pretérito perfecto**	
río	he	reído	ría	haya	reído
ríes	has	reído	rías	hayas	reído
ríe	ha	reído	ría	haya	reído
reímos	hemos	reído	riamos	hayamos	reído
reís	habéis	reído	riáis	hayáis	reído
ríen	han	reído	rían	hayan	reído
Pretérito imperfecto	**Pretérito pluscuamperfecto**		**Pretérito imperfecto**	**Pretérito pluscuamperfecto**	
reía	había	reído	riera, -ese	hubiera, -ese	reído
reías	habías	reído	rieras, -eses	hubieras, -eses	reído
reía	había	reído	riera, -ese	hubiera, -ese	reído
reíamos	habíamos	reído	riéramos,	hubiéramos,	
reíais	habíais	reído	-ésemos	-ésemos	reído
reían	habían	reído	rierais, -eseis	hubierais, -eseis	reído
			rieran, -esen	hubieran, -esen	reído
Pretérito indefinido	**Pretérito anterior**		**Futuro imperfecto**	**Futuro perfecto**	
reí	hube	reído	riere	hubiere	reído
reíste	hubiste	reído	rieres	hubieres	reído
río	hubo	reído	riere	hubiere	reído
reímos	hubimos	reído	riéremos	hubiéremos	reído
reísteis	hubisteis	reído	riereis	hubiereis	reído
rieron	hubieron	reído	rieren	hubieren	reído

Futuro imperfecto	**Futuro perfecto**		IMPERATIVO
reiré	habré	reído	
reirás	habrás	reído	ríe (tú)
reirá	habrá	reído	ría (usted)
reiremos	habremos	reído	riamos (nosotros)
reiréis	habréis	reído	reíd (vosotros)
reirán	habrán	reído	rían (ustedes)

Condicional simple	**Condicional compuesto**		FORMAS NO PERSONALES
			Infinitivo / **Infinitivo compuesto**
reiría	habría	reído	reir / haber reído
reirías	habrías	reído	**Gerundio** / **Gerundio compuesto**
reiría	habría	reído	riendo / habiendo reído
reiríamos	habríamos	reído	
reiríais	habríais	reído	**Participio**
reirían	habrían	reído	reído

67. RESPONDER verbo irregular

INDICATIVO		SUBJUNTIVO	
Presente	**Pretérito perfecto**	**Presente**	**Pretérito perfecto**
respondo	he respondido	responda	haya respondido
respondes	has respondido	respondas	hayas respondido
responde	ha respondido	responda	haya respondido
respondemos	hemos respondido	respondamos	hayamos respondido
respondéis	habéis respondido	respondáis	hayáis respondido
responden	han respondido	respondan	hayan respondido
Pretérito imperfecto	**Pretérito pluscuamperfecto**	**Pretérito imperfecto**	**Pretérito pluscuamperfecto**
respondía	había respondido	respondiera, -ese	hubiera, -ese respondido
respondías	habías respondido	respondieras, -eses	hubieras, -eses respondido
respondía	había respondido	respondiera, -ese	hubiera, -ese respondido
respondíamos	habíamos respondido	respondiéramos, -ésemos	hubiéramos, -ésemos respondido
respondíais	habíais respondido	respondierais, -eseis	hubierais, -eseis respondido
respondían	habían respondido	respondieran, -esen	hubieran, -esen respondido
Pretérito indefinido	**Pretérito anterior**	**Futuro imperfecto**	**Futuro perfecto**
respondí o *repuse*	hube respondido	respondiere	hubiere respondido
respondiste o *repusiste*	hubiste respondido	respondieres	hubieres respondido
respondió o *repuso*	hubo respondido	respondiere	hubiere respondido
respondimos o *repusimos*	hubimos respondido	respondiéremos	hubiéremos respondido
respondisteis o *repusisteis*	hubisteis respondido	respondiereis	hubiereis respondido
respondieron o *repusieron*	hubieron respondido	respondieren	hubieren respondido

Futuro imperfecto	**Futuro perfecto**	**IMPERATIVO**
responderé	habré respondido	
responderás	habrás respondido	responde (tú)
responderá	habrá respondido	responda (usted)
responderemos	habremos respondido	respondamos (nosotros)
responderéis	habréis respondido	responded (vosotros)
responderán	habrán respondido	respondan (ustedes)

Condicional simple	**Condicional compuesto**	**FORMAS NO PERSONALES**	
		Infinitivo	**Infinitivo compuesto**
		responder	haber respondido
respondería	habría respondido		
responderías	habrías respondido	**Gerundio**	**Gerundio compuesto**
respondería	habría respondido	respondiendo	habiendo respondido
responderíamos	habríamos respondido		
responderíais	habríais respondido	**Participio**	
responderían	habrían respondido	respondido	

68. REUNIR verbo irregular

INDICATIVO			SUBJUNTIVO		
Presente	**Pretérito perfecto**		**Presente**	**Pretérito perfecto**	
reúno	he	reunido	reúna	haya	reunido
reúnes	has	reunido	reúnas	hayas	reunido
reúne	ha	reunido	reúna	haya	reunido
reunimos	hemos	reunido	reunamos	hayamos	reunido
reunís	habéis	reunido	reunáis	hayáis	reunido
reúnen	han	reunido	reúnan	hayan	reunido
Pretérito imperfecto	**Pretérito pluscuamperfecto**		**Pretérito imperfecto**	**Pretérito pluscuamperfecto**	
reunía	había	reunido	reuniera, -ese	hubiera, -ese	reunido
reunías	habías	reunido	reunieras, -eses	hubieras, -eses	reunido
reunía	había	reunido	reuniera, -ese	hubiera, -ese	reunido
reuníamos	habíamos	reunido	reuniéramos,	hubiéramos,	
reuníais	habíais	reunido	-ésemos	-ésemos	reunido
reunían	habían	reunido	reunierais, -eseis	hubierais, -eseis	reunido
			reunieran, -esen	hubieran, -esen	reunido
Pretérito indefinido	**Pretérito anterior**		**Futuro imperfecto**	**Futuro perfecto**	
reuní	hube	reunido	reuniere	hubiere	reunido
reuniste	hubiste	reunido	reunieres	hubieres	reunido
reunió	hubo	reunido	reuniere	hubiere	reunido
reunimos	hubimos	reunido	reuniéremos	hubiéremos	reunido
reunisteis	hubisteis	reunido	reuniereis	hubiereis	reunido
reunieron	hubieron	reunido	reunieren	hubieren	reunido

Futuro imperfecto	**Futuro perfecto**		**IMPERATIVO**
reuniré	habré	reunido	
reunirás	habrás	reunido	reúne (tú)
reunirá	habrá	reunido	reúna (usted)
reuniremos	habremos	reunido	reunamos (nosotros)
reuniréis	habréis	reunido	reunid (vosotros)
reunirán	habrán	reunido	reúnan (ustedes)

Condicional simple	**Condicional compuesto**		**FORMAS NO PERSONALES**	
			Infinitivo	**Infinitivo compuesto**
reuniría	habría	reunido	reunir	haber reunido
reunirías	habrías	reunido	**Gerundio**	**Gerundio compuesto**
reuniría	habría	reunido	reuniendo	habiendo reunido
reuniríamos	habríamos	reunido		
reuniríais	habríais	reunido	**Participio**	
reunirían	habrían	reunido	reunido	

69. ROER | verbo irregular

INDICATIVO				SUBJUNTIVO			

Presente

Presente	Pretérito perfecto		Presente	Pretérito perfecto	
roo, *roigo* o *royo*	he	roído	roa, *roiga* o *roya*	haya	roído
roes	has	roído	roas, *roigas* o *royas*	hayas	roído
roe	ha	roído	roa, *roiga* o *roya*	haya	roído
roemos	hemos	roído	roamos, *roigamos* o	hayamos	roído
roéis	habéis	roído	*royamos*	hayáis	roído
roen	han	roído	roáis, *roigáis* o *royáis*	hayan	roído
			roan, *roigan* o *royan*		

Pretérito imperfecto	Pretérito pluscuamperfecto		Pretérito imperfecto	Pretérito pluscuamperfecto	
roía	había	roído	*royera, -ese*	hubiera, -ese	roído
roías	habías	roído	*royeras, -eses*	hubieras, -eses	roído
roía	había	roído	*royera, -ese*	hubiera, -ese	roído
roíamos	habíamos	roído	*royéramos, -ésemos*	hubiéramos, -ésemos	roído
roíais	habíais	roído	*royerais, -eseis*	hubierais, -eseis	roído
roían	habían	roído	*royeran, -esen*	hubieran, -esen	roído

Pretérito indefinido	Pretérito anterior		Futuro imperfecto	Futuro perfecto	
roí	hube	roído	*royere*	hubiere	roído
roíste	hubiste	roído	*royeres*	hubieres	roído
royó	hubo	roído	*royere*	hubiere	roído
roímos	hubimos	roído	*royéremos*	hubiéremos	roído
roísteis	hubisteis	roído	*royereis*	hubiereis	roído
royeron	hubieron	roído	*royeren*	hubieren	roído

Futuro imperfecto	Futuro perfecto	
roeré	habré	roído
roerás	habrás	roído
roerá	habrá	roído
roeremos	habremos	roído
roeréis	habréis	roído
roerán	habrán	roído

IMPERATIVO

roe (tú)
roa, *roiga* o *roya* (usted)
roamos, *roigamos* o *royamos* (nosotros)
roed (vosotros)
roan, *roigan* o *royan* (ustedes)

Condicional simple	Condicional compuesto	
roería	habría	roído
roerías	habrías	roído
roería	habría	roído
roeríamos	habríamos	roído
roeríais	habríais	roído
roerían	habrían	roído

FORMAS NO PERSONALES

Infinitivo
roer

Infinitivo compuesto
haber roído

Gerundio
royendo

Gerundio compuesto
habiendo roído

Participio
roído

70. SABER — verbo irregular

INDICATIVO			SUBJUNTIVO		
Presente	**Pretérito perfecto**		**Presente**	**Pretérito perfecto**	
sé	he	sabido	sepa	haya	sabido
sabes	has	sabido	sepas	hayas	sabido
sabe	ha	sabido	sepa	haya	sabido
sabemos	hemos	sabido	sepamos	hayamos	sabido
sabéis	habéis	sabido	sepáis	hayáis	sabido
saben	han	sabido	sepan	hayan	sabido
Pretérito imperfecto	**Pretérito pluscuamperfecto**		**Pretérito imperfecto**	**Pretérito pluscuamperfecto**	
sabía	había	sabido	supiera, -ese	hubiera, -ese	sabido
sabías	habías	sabido	supieras, -eses	hubieras, -eses	sabido
sabía	había	sabido	supiera, -ese	hubiera, -ese	sabido
sabíamos	habíamos	sabido	supiéramos,	hubiéramos,	
sabíais	habíais	sabido	-ésemos	-ésemos	sabido
sabían	habían	sabido	supierais, -eseis	hubierais, -eseis	sabido
			supieran, -esen	hubieran, -esen	sabido
Pretérito indefinido	**Pretérito anterior**		**Futuro imperfecto**	**Futuro perfecto**	
supe	hube	sabido	supiere	hubiere	sabido
supiste	hubiste	sabido	supieres	hubieres	sabido
supo	hubo	sabido	supiere	hubiere	sabido
supimos	hubimos	sabido	supiéremos	hubiéremos	sabido
supisteis	hubisteis	sabido	supiereis	hubiereis	sabido
supieron	hubieron	sabido	supieren	hubieren	sabido

Futuro imperfecto	**Futuro perfecto**		**IMPERATIVO**
sabré	habré	sabido	
sabrás	habrás	sabido	sabe (tú)
sabrá	habrá	sabido	sepa (usted)
sabremos	habremos	sabido	sepamos (nosotros)
sabréis	habréis	sabido	sabed (vosotros)
sabrán	habrán	sabido	sepan (ustedes)

Condicional simple	**Condicional compuesto**		**FORMAS NO PERSONALES**	
			Infinitivo	**Infinitivo compuesto**
sabría	habría	sabido	saber	haber sabido
sabrías	habrías	sabido	**Gerundio**	**Gerundio compuesto**
sabría	habría	sabido	sabiendo	habiendo sabido
sabríamos	habríamos	sabido		
sabríais	habríais	sabido	**Participio**	
sabrían	habrían	sabido	sabido	

71. SACAR verbo irregular

INDICATIVO			SUBJUNTIVO		
Presente	**Pretérito perfecto**		**Presente**	**Pretérito perfecto**	
saco	he	sacado	*saque*	haya	sacado
sacas	has	sacado	*saques*	hayas	sacado
saca	ha	sacado	*saque*	haya	sacado
sacamos	hemos	sacado	*saquemos*	hayamos	sacado
sacáis	habéis	sacado	*saquéis*	hayáis	sacado
sacan	han	sacado	*saquen*	hayan	sacado
Pretérito imperfecto	**Pretérito pluscuamperfecto**		**Pretérito imperfecto**	**Pretérito pluscuamperfecto**	
sacaba	había	sacado	sacara, -ase	hubiera, -ese	sacado
sacabas	habías	sacado	sacaras, -ases	hubieras, -eses	sacado
sacaba	había	sacado	sacara, -ase	hubiera, -ese	sacado
sacábamos	habíamos	sacado	sacáramos, -ásemos	hubiéramos, -ésemos	sacado
sacabais	habíais	sacado	sacarais, -aseis	hubierais, -eseis	sacado
sacaban	habían	sacado	sacaran, -asen	hubieran, -esen	sacado
Pretérito indefinido	**Pretérito anterior**		**Futuro imperfecto**	**Futuro perfecto**	
saqué	hube	sacado	sacare	hubiere	sacado
sacaste	hubiste	sacado	sacares	hubieres	sacado
sacó	hubo	sacado	sacare	hubiere	sacado
sacamos	hubimos	sacado	sacáremos	hubiéremos	sacado
sacasteis	hubisteis	sacado	sacareis	hubiereis	sacado
sacaron	hubieron	sacado	sacaren	hubieren	sacado

Futuro imperfecto	**Futuro perfecto**		IMPERATIVO
sacaré	habré	sacado	
sacarás	habrás	sacado	saca (tú)
sacará	habrá	sacado	*saque* (usted)
sacaremos	habremos	sacado	*saquemos* (nosotros)
sacaréis	habréis	sacado	sacad (vosotros)
sacarán	habrán	sacado	*saquen* (ustedes)

Condicional simple	**Condicional compuesto**		FORMAS NO PERSONALES	
			Infinitivo	**Infinitivo compuesto**
sacaría	habría	sacado	sacar	haber sacado
sacarías	habrías	sacado		
sacaría	habría	sacado	**Gerundio**	**Gerundio compuesto**
sacaríamos	habríamos	sacado	sacando	habiendo sacado
sacaríais	habríais	sacado		
sacarían	habrían	sacado	**Participio**	
			sacado	

72. SALIR | verbo irregular

INDICATIVO			SUBJUNTIVO		
Presente	**Pretérito perfecto**		**Presente**	**Pretérito perfecto**	
salgo	he	salido	salga	haya	salido
sales	has	salido	salgas	hayas	salido
sale	ha	salido	salga	haya	salido
salimos	hemos	salido	salgamos	hayamos	salido
salís	habéis	salido	salgáis	hayáis	salido
salen	han	salido	salgan	hayan	salido
Pretérito imperfecto	**Pretérito pluscuamperfecto**		**Pretérito imperfecto**	**Pretérito pluscuamperfecto**	
salía	había	salido	saliera, -ese	hubiera, -ese	salido
salías	habías	salido	salieras, -eses	hubieras, -eses	salido
salía	había	salido	saliera, -ese	hubiera, -ese	salido
salíamos	habíamos	salido	saliéramos, -ésemos	hubiéramos, -ésemos	salido
salíais	habíais	salido	salierais, -eseis	hubierais, -eseis	salido
salían	habían	salido	salieran, -esen	hubieran, -esen	salido
Pretérito indefinido	**Pretérito anterior**		**Futuro imperfecto**	**Futuro perfecto**	
salí	hube	salido	saliere	hubiere	salido
saliste	hubiste	salido	salieres	hubieres	salido
salió	hubo	salido	saliere	hubiere	salido
salimos	hubimos	salido	saliéremos	hubiéremos	salido
salisteis	hubisteis	salido	saliereis	hubiereis	salido
salieron	hubieron	salido	salieren	hubieren	salido

Futuro imperfecto	**Futuro perfecto**		**IMPERATIVO**
saldré	habré	salido	
saldrás	habrás	salido	*sal* (tú)
saldrá	habrá	salido	*salga* (usted)
saldremos	habremos	salido	*salgamos* (nosotros)
saldréis	habréis	salido	salid (vosotros)
saldrán	habrán	salido	*salgan* (ustedes)

Condicional simple	**Condicional compuesto**		**FORMAS NO PERSONALES**	
saldría	habría	salido	**Infinitivo**	**Infinitivo compuesto**
saldrías	habrías	salido	salir	haber salido
saldría	habría	salido	**Gerundio**	**Gerundio compuesto**
saldríamos	habríamos	salido	saliendo	habiendo salido
saldríais	habríais	salido	**Participio**	
saldrían	habrían	salido	salido	

73. SEGUIR · verbo irregular

INDICATIVO		SUBJUNTIVO	
Presente	**Pretérito perfecto**	**Presente**	**Pretérito perfecto**
sigo	he seguido	siga	haya seguido
sigues	has seguido	sigas	hayas seguido
sigue	ha seguido	siga	haya seguido
seguimos	hemos seguido	sigamos	hayamos seguido
seguís	habéis seguido	sigáis	hayáis seguido
siguen	han seguido	sigan	hayan seguido
Pretérito imperfecto	**Pretérito pluscuamperfecto**	**Pretérito imperfecto**	**Pretérito pluscuamperfecto**
seguía	había seguido	siguiera, -ese	hubiera, -ese seguido
seguías	habías seguido	siguieras, -eses	hubieras, -eses seguido
seguía	había seguido	siguiera, -ese	hubiera, -ese seguido
seguíamos	habíamos seguido	siguiéramos,	hubiéramos,
seguías	habíais seguido	-ésemos	-ésemos seguido
seguían	habían seguido	siguierais, -eseis	hubierais, -eseis seguido
		siguieran, -esen	hubieran, -esen seguido
Pretérito indefinido	**Pretérito anterior**	**Futuro imperfecto**	**Futuro perfecto**
seguí	hube seguido	siguiere	hubiere seguido
seguiste	hubiste seguido	siguieres	hubieres seguido
siguió	hubo seguido	siguiere	hubiere seguido
seguimos	hubimos seguido	siguiéremos	hubiéremos seguido
seguisteis	hubisteis seguido	siguiereis	hubiereis seguido
siguieron	hubieron seguido	siguieren	hubieren seguido

Futuro imperfecto	**Futuro perfecto**
seguiré	habré seguido
seguirás	habrás seguido
seguirá	habrá seguido
seguiremos	habremos seguido
seguiréis	habréis seguido
seguirán	habrán seguido

IMPERATIVO

sigue (tú)
siga (usted)
sigamos (nosotros)
seguid (vosotros)
sigan (ustedes)

Condicional simple	**Condicional compuesto**
seguiría	habría seguido
seguirías	habrías seguido
seguiría	habría seguido
seguiríamos	habríamos seguido
seguiríais	habríais seguido
seguirían	habrían seguido

FORMAS NO PERSONALES

Infinitivo	**Infinitivo compuesto**
seguir	haber seguido

Gerundio	**Gerundio compuesto**
siguiendo	habiendo seguido

Participio	
seguido	

74. SENTIR verbo irregular

INDICATIVO			SUBJUNTIVO		
Presente	**Pretérito perfecto**		**Presente**	**Pretérito perfecto**	
siento	he	sentido	sienta	haya	sentido
sientes	has	sentido	sientas	hayas	sentido
siente	ha	sentido	sienta	haya	sentido
sentimos	hemos	sentido	sintamos	hayamos	sentido
sentís	habéis	sentido	sintáis	hayáis	sentido
sienten	han	sentido	sientan	hayan	sentido
Pretérito imperfecto	**Pretérito pluscuamperfecto**		**Pretérito imperfecto**	**Pretérito pluscuamperfecto**	
sentía	había	sentido	sintiera, -ese	hubiera, -ese	sentido
sentías	habías	sentido	sintieras, -eses	hubieras, -eses	sentido
sentía	había	sentido	sintiera, -ese	hubiera, -ese	sentido
sentíamos	habíamos	sentido	sintiéramos, -ésemos	hubiéramos, -ésemos	sentido
sentíais	habíais	sentido	sintierais, -eseis	hubierais, -eseis	sentido
sentían	habían	sentido	sintieran, -esen	hubieran, -esen	sentido
Pretérito indefinido	**Pretérito anterior**		**Futuro imperfecto**	**Futuro perfecto**	
sentí	hube	sentido	sintiere	hubiere	sentido
sentiste	hubiste	sentido	sintieres	hubieres	sentido
sintió	hubo	sentido	sintiere	hubiere	sentido
sentimos	hubimos	sentido	sintiéremos	hubiéremos	sentido
sentisteis	hubisteis	sentido	sintiereis	hubiereis	sentido
sintieron	hubieron	sentido	sintieren	hubieren	sentido

Futuro imperfecto	**Futuro perfecto**		**IMPERATIVO**
sentiré	habré	sentido	
sentirás	habrás	sentido	siente (tú)
sentirá	habrá	sentido	sienta (usted)
sentiremos	habremos	sentido	sintamos (nosotros)
sentiréis	habréis	sentido	sentid (vosotros)
sentirán	habrán	sentido	sientan (ustedes)

Condicional simple	**Condicional compuesto**		**FORMAS NO PERSONALES**	
			Infinitivo	**Infinitivo compuesto**
			sentir	haber sentido
sentiría	habría	sentido		
sentirías	habrías	sentido	**Gerundio**	**Gerundio compuesto**
sentiría	habría	sentido	sintiendo	habiendo sentido
sentiríamos	habríamos	sentido		
sentiríais	habríais	sentido	**Participio**	
sentirían	habrían	sentido	sentido	

75. TAÑER verbo irregular

INDICATIVO			SUBJUNTIVO		
Presente	**Pretérito perfecto**		**Presente**	**Pretérito perfecto**	
taño	he	tañido	taña	haya	tañido
tañes	has	tañido	tañas	hayas	tañido
tañe	ha	tañido	taña	haya	tañido
tañemos	hemos	tañido	tañamos	hayamos	tañido
tañéis	habéis	tañido	tañáis	hayáis	tañido
tañen	han	tañido	tañan	hayan	tañido
Pretérito imperfecto	**Pretérito pluscuamperfecto**		**Pretérito imperfecto**	**Pretérito pluscuamperfecto**	
tañía	había	tañido	tañera, -ese	hubiera, -ese	tañido
tañías	habías	tañido	tañeras, -eses	hubieras, -eses	tañido
tañía	había	tañido	tañera, -ese	hubiera, -ese	tañido
tañíamos	habíamos	tañido	tañéramos, -ésemos	hubiéramos, -ésemos	tañido
tañíais	habíais	tañido	tañerais, -eseis	hubierais, -eseis	tañido
tañían	habían	tañido	tañeran, -esen	hubieran, -esen	tañido
Pretérito indefinido	**Pretérito anterior**		**Futuro imperfecto**	**Futuro perfecto**	
tañí	hube	tañido	tañere	hubiere	tañido
tañiste	hubiste	tañido	tañeres	hubieres	tañido
tañó	hubo	tañido	tañere	hubiere	tañido
tañimos	hubimos	tañido	tañéremos	hubiéremos	tañido
tañisteis	hubisteis	tañido	tañereis	hubiereis	tañido
tañeron	hubieron	tañido	tañeren	hubieren	tañido

Futuro imperfecto	**Futuro perfecto**		IMPERATIVO
tañeré	habré	tañido	
tañerás	habrás	tañido	tañe (tú)
tañerá	habrá	tañido	taña (usted)
tañeremos	habremos	tañido	tañamos (nosotros)
tañeréis	habréis	tañido	tañed (vosotros)
tañerán	habrán	tañido	tañan (ustedes)

Condicional simple	**Condicional compuesto**		FORMAS NO PERSONALES	
			Infinitivo	**Infinitivo compuesto**
tañería	habría	tañido	tañer	haber tañido
tañerías	habrías	tañido		
tañería	habría	tañido	**Gerundio**	**Gerundio compuesto**
tañeríamos	habríamos	tañido	tañendo	habiendo tañido
tañeríais	habríais	tañido		
tañerían	habrían	tañido	**Participio**	
			tañido	

76. TENER verbo irregular

INDICATIVO			SUBJUNTIVO		
Presente	**Pretérito perfecto**		**Presente**	**Pretérito perfecto**	
tengo	he	tenido	tenga	haya	tenido
tienes	has	tenido	tengas	hayas	tenido
tiene	ha	tenido	tenga	haya	tenido
tenemos	hemos	tenido	tengamos	hayamos	tenido
tenéis	habéis	tenido	tengáis	hayáis	tenido
tienen	han	tenido	tengan	hayan	tenido
Pretérito imperfecto	**Pretérito pluscuamperfecto**		**Pretérito imperfecto**	**Pretérito pluscuamperfecto**	
tenía	había	tenido	tuviera, -ese	hubiera, -ese	tenido
tenías	habías	tenido	tuvieras, -eses	hubieras, -eses	tenido
tenía	había	tenido	tuviera, -ese	hubiera, -ese	tenido
teníamos	habíamos	tenido	tuviéramos, -ésemos	hubiéramos, -ésemos	tenido
teníais	habíais	tenido	tuvierais, -eseis	hubierais, -eseis	tenido
tenían	habían	tenido	tuvieran, -esen	hubieran, -esen	tenido
Pretérito indefinido	**Pretérito anterior**		**Futuro imperfecto**	**Futuro perfecto**	
tuve	hube	tenido	tuviere	hubiere	tenido
tuviste	hubiste	tenido	tuvieres	hubieres	tenido
tuvo	hubo	tenido	tuviere	hubiere	tenido
tuvimos	hubimos	tenido	tuviéremos	hubiéremos	tenido
tuvisteis	hubisteis	tenido	tuviereis	hubiereis	tenido
tuvieron	hubieron	tenido	tuvieren	hubieren	tenido

Futuro imperfecto	**Futuro compuesto**		**IMPERATIVO**
tendré	habré	tenido	
tendrás	habrás	tenido	ten (tú)
tendrá	habrá	tenido	tenga (usted)
tendremos	habremos	tenido	tengamos (nosotros)
tendréis	habréis	tenido	tened (vosotros)
tendrán	habrán	tenido	tengan (ustedes)

Condicional simple	**Condicional compuesto**		**FORMAS NO PERSONALES**	
			Infinitivo	**Infinitivo compuesto**
			tener	haber tenido
tendría	habría	tenido		
tendrías	habrías	tenido	**Gerundio**	**Gerundio compuesto**
tendría	habría	tenido	teniendo	habiendo tenido
tendríamos	habríamos	tenido		
tendríais	habríais	tenido	**Participio**	
tendrían	habrían	tenido	tenido	

77. TRAER verbo irregular

INDICATIVO			SUBJUNTIVO		
Presente	**Pretérito perfecto**		**Presente**	**Pretérito perfecto**	
traigo	he	traído	traiga	haya	traído
traes	has	traído	traigas	hayas	traído
trae	ha	traído	traiga	haya	traído
traemos	hemos	traído	traigamos	hayamos	traído
traéis	habéis	traído	traigáis	hayáis	traído
traen	han	traído	traigan	hayan	traído
Pretérito imperfecto	**Pretérito pluscuamperfecto**		**Pretérito imperfecto**	**Pretérito pluscuamperfecto**	
traía	había	traído	trajera, -ese	hubiera, -ese	traído
traías	habías	traído	trajeras, -eses	hubieras, -eses	traído
traía	había	traído	trajera, -ese	hubiera, -ese	traído
traíamos	habíamos	traído	trajéramos,	hubiéramos,	
traíais	habíais	traído	-ésemos	-ésemos	traído
traían	habían	traído	trajerais, -eseis	hubierais, -eseis	traído
			trajeran, -esen	hubieran, -esen	traído
Pretérito indefinido	**Pretérito anterior**		**Futuro imperfecto**	**Futuro perfecto**	
traje	hube	traído	trajere	hubiere	traído
trajiste	hubiste	traído	trajeres	hubieres	traído
trajo	hubo	traído	trajere	hubiere	traído
trajimos	hubimos	traído	trajéremos	hubiéremos	traído
trajisteis	hubisteis	traído	trajereis	hubiereis	traído
trajeron	hubieron	traído	trajeren	hubieren	traído

Futuro imperfecto	**Futuro perfecto**		IMPERATIVO
traeré	habré	traído	
traerás	habrás	traído	trae (tú)
traerá	habrá	traído	traiga (usted)
traeremos	habremos	traído	traigamos (nosotros)
traeréis	habréis	traído	traed (vosotros)
traerán	habrán	traído	traigan (ustedes)

Condicional simple	**Condicional compuesto**		FORMAS NO PERSONALES
			Infinitivo / **Infinitivo compuesto**
traería	habría	traído	traer / haber traído
traerías	habrías	traído	**Gerundio** / **Gerundio compuesto**
traería	habría	traído	trayendo / habiendo traído
traeríamos	habríamos	traído	
traeríais	habríais	traído	**Participio**
traerían	habrían	traído	traído

94

78. TROCAR verbo irregular

INDICATIVO		SUBJUNTIVO	
Presente	**Pretérito perfecto**	**Presente**	**Pretérito perfecto**
trueco	he trocado	*trueque*	haya trocado
truecas	has trocado	*trueques*	hayas trocado
trueca	ha trocado	*trueque*	haya trocado
trocamos	hemos trocado	*troquemos*	hayamos trocado
trocáis	habéis trocado	*troquéis*	hayáis trocado
truecan	han trocado	*truequen*	hayan trocado
Pretérito imperfecto	**Pretérito pluscuamperfecto**	**Pretérito imperfecto**	**Pretérito pluscuamperfecto**
trocaba	había trocado	trocara, -ase	hubiera, -ese trocado
trocabas	habías trocado	trocaras, -ases	hubieras, -eses trocado
trocaba	había trocado	trocara, -ase	hubiera, -ese trocado
trocábamos	habíamos trocado	trocáramos, -ásemos	hubiéramos, -ésemos trocado
trocabais	habíais trocado	trocarais, -aseis	hubierais, -eseis trocado
trocaban	habían trocado	trocaran, -asen	hubieran, -esen trocado
Pretérito indefinido	**Pretérito anterior**	**Futuro imperfecto**	**Futuro perfecto**
troqué	hube trocado	trocare	hubiere trocado
trocaste	hubiste trocado	trocares	hubieres trocado
trocó	hubo trocado	trocare	hubiere trocado
trocamos	hubimos trocado	trocáremos	hubiéremos trocado
trocasteis	hubisteis trocado	trocareis	hubiereis trocado
trocaron	hubieron trocado	trocaren	hubieren trocado
Futuro imperfecto	**Futuro perfecto**	**IMPERATIVO**	
trocaré	habré trocado		
trocarás	habrás trocado	*trueca* (tú)	
trocará	habrá trocado	*trueque* (usted)	
trocaremos	habremos trocado	*troquemos* (nosotros)	
trocaréis	habréis trocado	trocad (vosotros)	
trocarán	habrán trocado	*truequen* (ustedes)	
Condicional simple	**Condicional compuesto**	**FORMAS NO PERSONALES**	
trocaría	habría trocado	**Infinitivo** trocar	**Infinitivo compuesto** haber trocado
trocarías	habrías trocado	**Gerundio** trocando	**Gerundio compuesto** habiendo trocado
trocaría	habría trocado		
trocaríamos	habríamos trocado		
trocaríais	habríais trocado	**Participio**	
trocarían	habrían trocado	trocado	

79. UTILIZAR verbo irregular

INDICATIVO			SUBJUNTIVO		
Presente	**Pretérito perfecto**		**Presente**	**Pretérito perfecto**	
utilizo	he	utilizado	*utilice*	haya	utilizado
utilizas	has	utilizado	*utilices*	hayas	utilizado
utiliza	ha	utilizado	*utilice*	haya	utilizado
utilizamos	hemos	utilizado	*utilicemos*	hayamos	utilizado
utilizáis	habéis	utilizado	*utilicéis*	hayáis	utilizado
utilizan	han	utilizado	*utilicen*	hayan	utilizado
Pretérito imperfecto	**Pretérito pluscuamperfecto**		**Pretérito imperfecto**	**Pretérito pluscuamperfecto**	
utilizaba	había	utilizado	utilizara, -ase	hubiera, -ese	utilizado
utilizabas	habías	utilizado	utilizaras, -ases	hubieras, -eses	utilizado
utilizaba	había	utilizado	utilizara, -ase	hubiera, -ese	utilizado
utilizábamos	habíamos	utilizado	utilizáramos,	hubiéramos,	
utilizabais	habíais	utilizado	-ásemos	-ésemos	utilizado
utilizaban	habían	utilizado	utilizarais, -aseis	hubierais, -eseis	utilizado
			utilizaran, -asen	hubieran, -esen	utilizado
Pretérito indefinido	**Pretérito anterior**		**Futuro imperfecto**	**Futuro perfecto**	
utilicé	hube	utilizado	utilizare	hubiere	utilizado
utilizaste	hubiste	utilizado	utilizares	hubieres	utilizado
utilizó	hubo	utilizado	utilizare	hubiere	utilizado
utilizamos	hubimos	utilizado	utilizáremos	hubiéremos	utilizado
utilizasteis	hubisteis	utilizado	utilizareis	hubiereis	utilizado
utilizaron	hubieron	utilizado	utilizaren	hubieren	utilizado

Futuro imperfecto	**Futuro perfecto**		IMPERATIVO
utilizaré	habré	utilizado	
utilizarás	habrás	utilizado	utiliza (tú)
utilizará	habrá	utilizado	*utilice* (usted)
utilizaremos	habremos	utilizado	*utilicemos* (nosotros)
utilizaréis	habréis	utilizado	utilizad (vosotros)
utilizarán	habrán	utilizado	*utilicen* (ustedes)

Condicional simple	**Condicional compuesto**		FORMAS NO PERSONALES
			Infinitivo / **Infinitivo compuesto**
utilizaría	habría	utilizado	utilizar / haber utilizado
utilizarías	habrías	utilizado	**Gerundio** / **Gerundio compuesto**
utilizaría	habría	utilizado	utilizando / habiendo utilizado
utilizaríamos	habríamos	utilizado	
utilizaríais	habríais	utilizado	**Participio**
utilizarían	habrían	utilizado	utilizado

80. VALER | verbo irregular

INDICATIVO			SUBJUNTIVO		
Presente	**Pretérito perfecto**		**Presente**	**Pretérito perfecto**	
valgo	he	valido	valga	haya	valido
vales	has	valido	valgas	hayas	valido
vale	ha	valido	valga	haya	valido
valemos	hemos	valido	valgamos	hayamos	valido
valéis	habéis	valido	valgáis	hayáis	valido
valen	han	valido	valgan	hayan	valido
Pretérito imperfecto	**Pretérito pluscuamperfecto**		**Pretérito imperfecto**	**Pretérito pluscuamperfecto**	
valía	había	valido	valiera, -ese	hubiera, -ese	valido
valías	habías	valido	valieras, -eses	hubieras, -eses	valido
valía	había	valido	valiera, -ese	hubiera, -ese	valido
valíamos	habíamos	valido	valiéramos,	hubiéramos,	
valíais	habíais	valido	-ésemos	-ésemos	valido
valían	habían	valido	valierais, -eseis	hubierais, -eseis	valido
			valieran, -esen	hubieran, -esen	valido
Pretérito indefinido	**Pretérito anterior**		**Futuro imperfecto**	**Futuro perfecto**	
valí	hube	valido	valiere	hubiere	valido
valiste	hubiste	valido	valieres	hubieres	valido
valió	hubo	valido	valiere	hubiere	valido
valimos	hubimos	valido	valiéremos	hubiéremos	valido
valisteis	hubisteis	valido	valiereis	hubiereis	valido
valieron	hubieron	valido	valieren	hubieren	valido

Futuro imperfecto	**Futuro perfecto**		**IMPERATIVO**
valdré	habré	valido	
valdrás	habrás	valido	vale (tú)
valdrá	habrá	valido	valga (usted)
valdremos	habremos	valido	valgamos (nosotros)
valdréis	habréis	valido	valed (vosotros)
valdrán	habrán	valido	valgan (ustedes)

Condicional simple	**Condicional compuesto**		**FORMAS NO PERSONALES**	
			Infinitivo	**Infinitivo compuesto**
valdría	habría	valido	valer	haber valido
valdrías	habrías	valido	**Gerundio**	**Gerundio compuesto**
valdría	habría	valido	valiendo	habiendo valido
valdríamos	habríamos	valido		
valdríais	habríais	valido	**Participio**	
valdrían	habrían	valido	valido	

81. VENCER verbo irregular

INDICATIVO			SUBJUNTIVO		
Presente	**Pretérito perfecto**		**Presente**	**Pretérito perfecto**	
venzo	he	vencido	venza	haya	vencido
vences	has	vencido	venzas	hayas	vencido
vence	ha	vencido	venza	haya	vencido
vencemos	hemos	vencido	venzamos	hayamos	vencido
vencéis	habéis	vencido	venzáis	hayáis	vencido
vencen	han	vencido	venzan	hayan	vencido
Pretérito imperfecto	**Pretérito pluscuamperfecto**		**Pretérito imperfecto**	**Pretérito pluscuamperfecto**	
vencía	había	vencido	venciera, -ese	hubiera, -ese	vencido
vencías	habías	vencido	vencieras, -eses	hubieras, -eses	vencido
vencía	había	vencido	venciera, -ese	hubiera, -ese	vencido
vencíamos	habíamos	vencido	venciéramos, -ésemos	hubiéramos, -ésemos	vencido
vencíais	habíais	vencido	vencierais, -eseis	hubierais, -eseis	vencido
vencían	habían	vencido	vencieran, -esen	hubieran, -esen	vencido
Pretérito indefinido	**Pretérito anterior**		**Futuro imperfecto**	**Futuro perfecto**	
vencí	hube	vencido	venciere	hubiere	vencido
venciste	hubiste	vencido	vencieres	hubieres	vencido
venció	hubo	vencido	venciere	hubiere	vencido
vencimos	hubimos	vencido	venciéremos	hubiéremos	vencido
vencisteis	hubisteis	vencido	venciereis	hubiereis	vencido
vencieron	hubieron	vencido	vencieren	hubieren	vencido

Futuro imperfecto	**Futuro perfecto**		**IMPERATIVO**
venceré	habré	vencido	
vencerás	habrás	vencido	vence (tú)
vencerá	habrá	vencido	venza (usted)
venceremos	habremos	vencido	venzamos (nosotros)
venceréis	habréis	vencido	venced (vosotros)
vencerán	habrán	vencido	venzan (ustedes)

Condicional simple	**Condicional compuesto**		**FORMAS NO PERSONALES**	
			Infinitivo	**Infinitivo compuesto**
			vencer	haber vencido
vencería	habría	vencido		
vencerías	habrías	vencido	**Gerundio**	**Gerundio compuesto**
vencería	habría	vencido	venciendo	habiendo vencido
venceríamos	habríamos	vencido		
venceríais	habríais	vencido	**Participio**	
vencerían	habrían	vencido	vencido	

82. VENIR verbo irregular

INDICATIVO			SUBJUNTIVO		
Presente	**Pretérito perfecto**		**Presente**	**Pretérito perfecto**	
vengo	he	venido	venga	haya	venido
vienes	has	venido	vengas	hayas	venido
viene	ha	venido	venga	haya	venido
venimos	hemos	venido	vengamos	hayamos	venido
venís	habéis	venido	vengáis	hayáis	venido
vienen	han	venido	vengan	hayan	venido
Pretérito imperfecto	**Pretérito pluscuamperfecto**		**Pretérito imperfecto**	**Pretérito pluscuamperfecto**	
venía	había	venido	viniera, -ese	hubiera, -ese	venido
venías	habías	venido	vinieras, -eses	hubieras, -eses	venido
venía	había	venido	viniera, -ese	hubiera, -ese	venido
veníamos	habíamos	venido	viniéramos, -ésemos	hubiéramos, -ésemos	venido
veníais	habíais	venido	vinierais, -eseis	hubierais, -eseis	venido
venían	habían	venido	vinieran, -esen	hubieran, -esen	venido
Pretérito indefinido	**Pretérito anterior**		**Futuro imperfecto**	**Futuro perfecto**	
vine	hube	venido	viniere	hubiere	venido
viniste	hubiste	venido	vinieres	hubieres	venido
vino	hubo	venido	viniere	hubiere	venido
vinimos	hubimos	venido	viniéremos	hubiéremos	venido
vinisteis	hubisteis	venido	viniereis	hubiereis	venido
vinieron	hubieron	venido	vinieren	hubieren	venido
Futuro imperfecto	**Futuro perfecto**		IMPERATIVO		
vendré	habré	venido			
vendrás	habrás	venido	ven (tú)		
vendrá	habrá	venido	venga (usted)		
vendremos	habremos	venido	vengamos (nosotros)		
vendréis	habréis	venido	venid (vosotros)		
vendrán	habrán	venido	vengan (ustedes)		

Condicional simple	**Condicional compuesto**		FORMAS NO PERSONALES		
			Infinitivo	**Infinitivo compuesto**	
vendría	habría	venido	venir	haber venido	
vendrías	habrías	venido	**Gerundio**	**Gerundio compuesto**	
vendría	habría	venido	viniendo	habiendo venido	
vendríamos	habríamos	venido			
vendríais	habríais	venido	**Participio**		
vendrían	habrían	venido	venido		

83. VER verbo irregular

INDICATIVO			SUBJUNTIVO		
Presente	**Pretérito perfecto**		**Presente**	**Pretérito perfecto**	
veo	he	visto	vea	haya	visto
ves	has	visto	veas	hayas	visto
ve	ha	visto	vea	haya	visto
vemos	hemos	visto	veamos	hayamos	visto
veis	habéis	visto	veáis	hayáis	visto
ven	han	visto	vean	hayan	visto
Pretérito imperfecto	**Pretérito pluscuamperfecto**		**Pretérito imperfecto**	**Pretérito pluscuamperfecto**	
veía	había	visto	viera, -ese	hubiera, -ese	visto
veías	habías	visto	vieras, -eses	hubieras, -eses	visto
veía	había	visto	viera, -ese	hubiera, -ese	visto
veíamos	habíamos	visto	viéramos, -ésemos	hubiéramos, -ésemos	visto
veíais	habíais	visto	vierais, -eseis	hubierais, -eseis	visto
veían	habían	visto	vieran, -esen	hubieran, -esen	visto
Pretérito indefinido	**Pretérito anterior**		**Futuro imperfecto**	**Futuro perfecto**	
vi	hube	visto	viere	hubiere	visto
viste	hubiste	visto	vieres	hubieres	visto
vio	hubo	visto	viere	hubiere	visto
vimos	hubimos	visto	viéremos	hubiéremos	visto
visteis	hubisteis	visto	viereis	hubiereis	visto
vieron	hubieron	visto	vieren	hubieren	visto

Futuro imperfecto	**Futuro perfecto**	
veré	habré	visto
verás	habrás	visto
verá	habrá	visto
veremos	habremos	visto
veréis	habréis	visto
verán	habrán	visto

Condicional simple	**Condicional compuesto**	
vería	habría	visto
verías	habrías	visto
vería	habría	visto
veríamos	habríamos	visto
veríais	habríais	visto
verían	habrían	visto

IMPERATIVO

ve (tú)
vea (usted)
veamos (nosotros)
ved (vosotros)
vean (ustedes)

FORMAS NO PERSONALES

Infinitivo	Infinitivo compuesto
ver	haber visto
Gerundio	**Gerundio compuesto**
viendo	habiendo visto
Participio	
visto	

84. YACER verbo irregular

INDICATIVO			SUBJUNTIVO		
Presente	**Pretérito perfecto**		**Presente**	**Pretérito perfecto**	
yazco, yazgo o yago	he	yacido	yazca, yazga o yaga	haya	yacido
yaces	has	yacido	yazcas, yazgas o yagas	hayas	yacido
yace	ha	yacido	yazca, yazga o yaga	haya	yacido
yacemos	hemos	yacido	yazcamos, yazgamos o	hayamos	yacido
yacéis	habéis	yacido	yagamos	hayáis	yacido
yacen	han	yacido	yazcáis, yazgáis o yagáis	hayan	yacido
			yazcan, yazgan o yagan		

Pretérito imperfecto	**Pretérito pluscuamperfecto**		**Pretérito imperfecto**	**Pretérito pluscuamperfecto**	
				hubiera, -ese	yacido
yacía	había	yacido	yaciera, -ese	hubieras, -eses	yacido
yacías	habías	yacido	yacieras, -eses	hubiera, -ese	yacido
yacía	había	yacido	yaciera, -ese	hubiéramos,	
yacíamos	habíamos	yacido	yaciéramos, -ésemos	-ésemos	yacido
yacíais	habíais	yacido	yacierais, -eseis	hubierais, -eseis	yacido
yacían	habían	yacido	yacieran, -esen	hubieran, -esen	yacido

Pretérito indefinido	**Pretérito anterior**		**Futuro imperfecto**	**Futuro perfecto**	
yací	hube	yacido	yaciere	hubiere	yacido
yaciste	hubiste	yacido	yacieres	hubieres	yacido
yació	hubo	yacido	yaciere	hubiere	yacido
yacimos	hubimos	yacido	yaciéremos	hubiéremos	yacido
yacisteis	hubisteis	yacido	yaciereis	hubiereis	yacido
yacieron	hubieron	yacido	yacieren	hubieren	yacido

Futuro imperfecto	**Futuro perfecto**		**IMPERATIVO**
yaceré	habré	yacido	
yacerás	habrás	yacido	yace o yaz (tú)
yacerá	habrá	yacido	yazca, yazga o yaga (usted)
yaceremos	habremos	yacido	yazcamos, yazgamos o yagamos (nosotros)
yaceréis	habréis	yacido	yaced (vosotros)
yacerán	habrán	yacido	yazcan, yazgan o yagan (ustedes)

Condicional simple	**Condicional compuesto**		**FORMAS NO PERSONALES**	
			Infinitivo	**Infinitivo compuesto**
yacería	habría	yacido	yacer	haber yacido
yacerías	habrías	yacido	**Gerundio**	**Gerundio compuesto**
yacería	habría	yacido	yaciendo	habiendo yacido
yaceríamos	habríamos	yacido		
yaceríais	habríais	yacido	**Participio**	
yacerían	habrían	yacido	yacido	

85. ZURCIR verbo irregular

INDICATIVO			SUBJUNTIVO		
Presente	**Pretérito perfecto**		**Presente**	**Pretérito perfecto**	
zurzo	he	zurcido	zurza	haya	zurcido
zurces	has	zurcido	zurzas	hayas	zurcido
zurce	ha	zurcido	zurza	haya	zurcido
zurcimos	hemos	zurcido	zurzamos	hayamos	zurcido
zurcís	habéis	zurcido	zurzáis	hayáis	zurcido
zurcen	han	zurcido	zurzan	hayan	zurcido
Pretérito imperfecto	**Pretérito pluscuamperfecto**		**Pretérito imperfecto**	**Pretérito pluscuamperfecto**	
zurcía	había	zurcido	zurciera, -ese	hubiera, -ese	zurcido
zurcías	habías	zurcido	zurcieras, -eses	hubieras, -eses	zurcido
zurcía	había	zurcido	zurciera, -ese	hubiera, -ese	zurcido
zurcíamos	habíamos	zurcido	zurciéramos, -ésemos	hubiéramos, -ésemos	zurcido
zurcíais	habíais	zurcido	zurcierais, -eseis	hubierais, -eseis	zurcido
zurcían	habían	zurcido	zurcieran, -esen	hubieran, -esen	zurcido
Pretérito indefinido	**Pretérito anterior**		**Futuro imperfecto**	**Futuro perfecto**	
zurcí	hube	zurcido	zurciere	hubiere	zurcido
zurciste	hubiste	zurcido	zurcieres	hubieres	zurcido
zurció	hubo	zurcido	zurciere	hubiere	zurcido
zurcimos	hubimos	zurcido	zurciéremos	hubiéremos	zurcido
zurcisteis	hubisteis	zurcido	zurciereis	hubiereis	zurcido
zurcieron	hubieron	zurcido	zurcieren	hubieren	zurcido

Futuro imperfecto	**Futuro perfecto**	
zurciré	habré	zurcido
zurcirás	habrás	zurcido
zurcirá	habrá	zurcido
zurciremos	habremos	zurcido
zurciréis	habréis	zurcido
zurcirán	habrán	zurcido

IMPERATIVO

zurce (tú)
zurza (usted)
zurzamos (nosotros)
zurcid (vosotros)
zurzan (ustedes)

Condicional simple	**Condicional compuesto**	
zurciría	habría	zurcido
zurcirías	habrías	zurcido
zurciría	habría	zurcido
zurciríamos	habríamos	zurcido
zurciríais	habríais	zurcido
zurcirían	habrían	zurcido

FORMAS NO PERSONALES

Infinitivo	**Infinitivo compuesto**
zurcir	haber zurcido
Gerundio	**Gerundio compuesto**
zurciendo	habiendo zurcido
Participio	
zurcido	

Verbos de
América
Latina

1. CONJUGACIÓN EN EL ESPAÑOL DE AMÉRICA LATINA

El verbo en América Latina tiene unas características propias que no comparte el español de España.

A continuación se analizan algunas de las diferencias esenciales entre ambos.

2. USO DE LOS PRONOMBRES PERSONALES

En América Latina se usa *ustedes* no solo como plural de *usted*, sino también como plural de *tú*. Además, en estas zonas, se emplea *usted* con mucha más frecuencia que *tú*.

Español de España	Español de América Latina
Vosotros bailáis muy bien.	*Ustedes bailan muy bien.*

3. EL VOSEO

En algunas zonas de América Latina como Argentina, Uruguay y Paraguay se emplea *vos* en lugar de *tú* con personas de confianza y en el ámbito familiar.

Español de España	Español de América Latina
[Tú] hablas muy deprisa.	*[Vos] hablás muy deprisa.*
¿[Tú] entiendes todo?	*¿[Vos] entendés todo?*
[Tú] no dices la verdad.	*[Vos] no decís la verdad.*

El verbo que acompaña a *vos* presenta una forma especial en los siguientes tiempos:

	1.ª conj.	2.ª conj.	3.ª conj.
Presente de indicativo	*hablás*	*bebés*	*vivís*
Imperativo	*hablá*	*bebé*	*viví*
Presente de subjuntivo	*hablés*	*bebás*	*vivás*

El verbo *ser* en el presente de indicativo también cambia cuando acompaña a *vos*:

Español de España	**Español de América Latina**
Tú eres muy alto.	*Vos sos muy alto.*

4. DIFERENCIAS EN EL USO DE LOS TIEMPOS VERBALES

En cuanto a la expresión del tiempo, existen también ciertas variaciones entre el español de España y el de América Latina; así, en América Latina:

a) Se prefiere la construcción **estar** + **gerundio** en lugar del presente.

b) Se prefiere la construcción **ir a** + **infinitivo** en lugar del futuro.

c) El **futuro** suele tener valores de probabilidad o suposición.

d) Se usan poco el **futuro perfecto**, el **condicional simple** (este se utiliza sobre todo con valor futuro en relación con un pasado) y el **condicional compuesto**.

e) Para expresar mandatos, en México se acude con frecuencia al **presente** o a construcciones con el verbo *querer* + **infinitivo** en lugar de al imperativo.

> *Le **dices** que quiero hablar con él.*
>
> *¿**Quieres enviarme** el fax de una vez?*

f) Se utiliza el **pretérito indefinido** en contextos en los que en el español de España se utiliza el pretérito perfecto. En América Latina depende exclusivamente del aspecto acabado o no de la acción, y no de la relación que guardan con el presente, como ocurre en España.

Español de España	**Español de América Latina**
—¿Ya has cenado?	*—¿Ya cenaste?*
—No, no he cenado todavía.	*—No, no cené todavía.*

g) La forma en **-ra** del **imperfecto de subjuntivo** (*hablara-habla-se, bebiera-bebiese, viviera-viviese*) se utiliza más que la forma en *-se*, que prácticamente no se usa.

5. EL USO DE LOS VERBOS PRONOMINALES

Se usan con más frecuencia los verbos llamados **pronominales** (verbos que deben construirse con un pronombre). De hecho, hay verbos que en español de España no llevan este pronombre pero español de América Latina sí.

Español de España

enfermar, amanecer

Español de América Latina

enfermarse, amanecerse

6. ALGUNOS EJEMPLOS DE VERBOS DE AMÉRICA LATINA

Estos son algunos de los verbos que tienen diferente significado en el español de España y en el de América Latina*:

abalear Disparar con balas o herir a balazos: *Lo abalearon por negarse a entregar el dinero.* → HABLAR (4)

abatatar Turbar o acobardar: *El día de la audición, me abataté y decidí no presentarme.* → HABLAR (4)

abocarse Dedicarse: *Me aboqué de lleno al nuevo trabajo.* → SACAR (71)

abordar Referido a un vehículo, subir a él: *Los pasajeros abordaron el autobús.* → HABLAR (4)

abrochar Grapar: *Abroché los papeles para que no se perdieran.* → HABLAR (4)

acariñar Acariciar: *Acariñaba a su bebito con mucha dulzura.* → HABLAR (4)

achiguar ∎ 1. Combar o arquear: *Con la lluvia la madera se achiguó.* ∎ 2. prnl. *col.* Referido a una persona, echar barriga: *En vacaciones siempre te achiguas, porque comes demasiado.* → AVERIGUAR (17)

---

* Abreviaturas utilizadas: *col.* (coloquial); prnl. (pronominal); *vulg.* (vulgar); *malson.* (malsonante); *desp.* (despectivo).

acholar *col.* Avergonzar o acobardar: *Juan me achola cuando me dice que la universidad es difícil.* → HABLAR (4)

achurar *col.* Herir o matar a cuchilladas: *Nadie sabe quién achuró a mi compadre.* → HABLAR (4)

aconchabarse → conchabar

acotejar ▌1. Arreglar o acomodar: *Acotejó los platos.* prnl. ▌2. Ponerse de acuerdo: *Discuten mucho, y no se acotejan en el precio.* → HABLAR (4)

agringarse Adoptar las costumbres o el aspecto propios de una persona nacida en los Estados Unidos de América: *Se agringó cuando viajó al extranjero.* → PAGAR (52)

agriparse Comenzar a tener la gripe: *Ayer salí cuando estaba lloviendo y me agripé.* → HABLAR (4)

aguaitar Acechar o mirar: *Aguaité por la ventana y no había nadie.* → HABLAR (4)

alaciarse Referido al cabello, ponerse lacio: *Se me alació el cabello.* → HABLAR (4)

alebrestarse *col.* Alborotarse o ponerse nervioso: *Se alebrestó con el alcohol.* → HABLAR (4)

alentarse Convalecer: *Fui a visitarla a la clínica mientras se alentaba.* → PENSAR (55)

alistar Preparar: *Me alisté para salir de viaje.* → HABLAR (4)

alunarse *prnl.* Enfadarse o disgustarse: *Se alunó con su mejor amigo.* → HABLAR (4)

ameritar ▌1. Merecer: *Ameritó el premio.* ▌2. Exigir o necesitar: *La reanudación de las clases amerita una serie de acciones fáciles de llevar a cabo.* → HABLAR (4)

amistar Hacer las paces o reconciliarse: *Dile que quiero amistar con él.* → HABLAR (4)

andar Llevar: *Ella andaba un sombrero verde.* → ANDAR (13)

apapachar Acariciar: *Mi abuelo me apapachaba cuando me sentía triste.* → HABLAR (4)

apenar Avergonzar: *Me apena cuando empieza a hablar de mis problemas ante todo el mundo.* → HABLAR (4)

aplazar Poner un suspenso: *Aplazó a casi la mitad de sus alumnos.* → UTILIZAR (79)

apunarse Provocar puna o mal de montaña, o sufrirlo: *Me apuné en la subida a la cumbre. El pasajero se apunó al bajar del avión.* → HABLAR (4)

arder Escocer: *La herida me arde.* → BEBER (5)

arrecharse ▌ **1.** *vulg. malson.* Excitarse sexualmente. ▌ **2.** *col.* Enfurecerse: *Mi papá se arrechó porque no le pagaban.* → HABLAR (4)

arrendar Alquilar: *Arrendé un departamento muy lindo.* → PENSAR (55)

arrumar Amontonar: *Arrumé todos estos libros en la habitación.* → HABLAR (4)

asolearse Tomar el sol: *Mi hermano está todo el día asoleándose como lagartija.* → HABLAR (4)

asorochar Producir soroche o mal de montaña, o sufrirlo: *Nos asorochó la subida a la cumbre. El viajero se asorochó nada más bajar del avión.* → HABLAR (4)

atarantar Aturdir: *Estaba tan nerviosa que me ataranté y me puse a decir tonterías.* → HABLAR (4)

atrincar Sujetar o atar: *¡Atrinca bien esos animales!* → SACAR (71)

aventar ▌ **1.** Tirar o arrojar: *Me aventó la pelota.* ▌ **2.** *col.* Empujar con violencia: *Me aventaron y me caí.* → PENSAR (55)

balacear *col.* Tirotear: *Ayer balacearon la casa de unas personas que conocemos.* → HABLAR (4)

balancear Poner en equilibrio, contrapesar: *Balanceé las cuatro ruedas del auto colocando en ellas pequeñas piezas de plomo.* → HABLAR (4)

balear Matar a balazos o tirotear: *Lo balearon en la puerta de su casa.* → HABLAR (4)

beneficiar Referido a una res, descuartizarla para el consumo: *Beneficiaron la mejor res del rancho.* → HABLAR (4)

bolear Referido al calzado, darle brillo con betún: *Antes de salir de casa, boleo mis zapatos.* → HABLAR (4)

botar ∎ **1.** Tirar, echar o arrojar: *No me gusta que boten papeles al suelo.* ∎ **2.** Perder o extraviar: *Boté las llaves y ahora no puedo entrar a mi apartamento.* → HABLAR (4)

brillar Sacar brillo: *Hay que brillar todas las lámparas de la casa.* → HABLAR (4)

cachar ∎ **1.** Agarrar al vuelo: *Me lanzó las llaves y yo las caché.* ∎ **2.** Dar cornadas: *El toro cachó al torero.* → HABLAR (4)

cachondearse *vulg.* Hacerse caricias. → HABLAR (4)

calzar Empastar: *Me calzaron la muela sin ningún dolor.* → UTILIZAR (79)

cancanear Tartamudear: *Se puso tan nervioso que empezó a cancanear y casi no lo entendíamos.* → HABLAR (4)

cargar ∎ **1.** Repostar: *Tengo que parar en la estación de servicio para cargar nafta.* ∎ **2.** Referido a un objeto de uso personal, llevarlo: *Cargo siempre los anteojos.* ∎ **3.** Referido a un animal macho, montar a la hembra: *El toro cargó a la vaca.* → PAGAR (52)

cargosear Importunar o molestar: *Dejad de chillar, nos estáis cargoseando.* → HABLAR (4)

carnear Referido a una res, matarla: *Carneó el cordero para asarlo.* → HABLAR (4)

cesantear Despedir de un trabajo: *Me cesantearon sin motivo aparente.* → HABLAR (4)

checar Fichar en el trabajo: *En el trabajo tengo que checar todos los días a la entrada y a la salida.* → HABLAR (4)

chequear Referido al equipaje, facturarlo: *Tienes que chequear el equipaje antes de embarcar.* → HABLAR (4)

chingar ∎ **1.** *col.* Robar: *Se chingaron todo mi dinero.* ∎ **2.** *prnl.* Matar: *En la película, un criminal se chingaba a varias personas.* ∎ **3.** *col.* Acabar con algo: *¡Ya se chingaron todo el pastel!* → PAGAR (52)

chocar *col.* Molestar: *Me choca que me hablen cuando estoy leyendo.* → SACAR (71)

chutar *col.* Soportar o aguantar: *Hoy me voy a tener que chutar dos horas cuidando a mi hermano.* → HABLAR (4)

clavarse *col.* Quedarse con algo ajeno: *Se clavó el cambio de los refrescos.* → HABLAR (4)

coger *vulg. malson.* Copular. → ESCOGER (39)

cojudear ▌ **1.** *vulg. malson.* Hacer tonterías: *Está todo el día cojudeando.* ▌ **2.** *vulg. malson.* Burlarse: *Se cojudea de sus vecinos.* → HABLAR (4)

comer ▌ **1.** *vulg.* Referido a una persona, mantener relaciones sexuales con ella. ▌ **2.** Cenar: *Comimos a la luz de las velas.* → BEBER (5)

compadrear *col. desp.* Jactarse o engreírse: *Le gusta compadrear delante de todo el mundo.* → HABLAR (4)

componer Mejorar de aspecto físico: *Tu hermano era medio feo de chiquito, pero últimamente se ha compuesto mucho.* → PONER (60)

conchabar Contratar: *Se conchabaron muchas personas para la siembra.* → HABLAR (4)

consignar Ingresar una cantidad de dinero en una cuenta bancaria: *Consigné la paga en mi cuenta.* → HABLAR (4)

correr ▌ **1.** Despedir de un trabajo o expulsar de un lugar: *Lo corrieron de la escuela porque faltaba con demasiada frecuencia.* ▌ **2.** Huir cobardemente: *Cuando vio que venían los policías, se corrió.* → BEBER (5)

cotorrear *col.* Engañar sin mala intención: *Yo creo que me cotorreó cuando me dijo que no podría venir.* → HABLAR (4)

cuadrar Aparcar: *Cuadré el carro frente a la casa de Paulo.* → HABLAR (4)

decolar Despegar un avión: *El avión decoló con dificultad debido al mal tiempo.* → HABLAR (4)

demorar ▌ **1.** Tardar: *Demora siempre mucho en el baño.* ▌ **2.** Retrasarse: *Me demoré demasiado para hacer ese trabajo.* → HABLAR (4)

desacomodar Desarreglar: *¿Por qué desacomodaron los papeles que había sobre mi mesa?* → HABLAR (4)

desaparecer Referido a una persona, detenerla y retenerla ilegalmente, negando conocer su paradero: *Hace dos años que desaparecieron al hijo de mi amiga.* → PARECER (53)

desarrollar Referido a una película fotográfica, revelarla: *Tengo que desarrollar varios carretes fotográficos.* → HABLAR (4)

desbarrancar Despeñar: *Se desbarrancó con su auto por el precipicio.* → HABLAR (4)

descargar Referido a una persona, librarla de una responsabilidad o de una culpa: *Los testigos descargaron del crimen al acusado.* → PAGAR (52)

descomponer ▌1. Dislocarse: *Se me descompuso el tobillo jugando a béisbol.* ▌2. Averiarse: *El auto se descompuso y hubo que llevarlo a un taller de reparaciones.* → PONER (60)

descuerar *col.* Criticar duramente: *Como siga llegando tarde, mi jefe me va a descuerar.* → HABLAR (4)

desempacar Deshacer el equipaje: *Al llegar de viaje, desempaqué todo rápidamente.* → SACAR (71)

desmañanarse Levantarse muy temprano: *Hoy me desmañané porque salimos muy temprano de excursión.* → HABLAR (4)

destapar Desatascar: *Va a ser necesario destapar el tubo del fregadero, porque el agua no se va.* → HABLAR (4)

desubicarse Desorientarse: *Como no conocía bien la ciudad, me desubiqué y no sabía dónde estaba.* → SACAR (71)

devolverse Volver o regresar: *Después de dos semanas en Cali, me devolví a Bogotá.* → MOVER (49)

discar Referido a un número de teléfono, marcarlo: *Voy a discar el número de mi amigo para hablar con él.* → SACAR (71)

disimular Referido a un error, tolerarlo o disculparlo: *Disimule usted mi ignorancia en estos temas.* → HABLAR (4)

echar ▌*col.* **echárselas de** Presumir de algo: *Ese se las echa de muy culto.* → HABLAR (4)

egresar Graduarse o licenciarse: *Cuando egrese de la universidad, buscaré un trabajo.* → HABLAR (4)

embalar Atascarse una bala en el cañón de un arma de fuego: *El rifle se embaló y no pudimos continuar tirando al blanco.* → HABLAR (4)

embarrar *col.* Referido a una persona, complicarla en algún asunto sucio: *A mí no me embarraron en ese asunto, porque yo estaba de vacaciones cuando todo sucedió.* → HABLAR (4)

embolar Referido al calzado, limpiarlo: *Le pedí al embolador que me embolara los zapatos.* → HABLAR (4)

empacar Hacer el equipaje: *Voy a empacar todas mis cosas porque mañana salgo de viaje.* → SACAR (71)

empanizar Empanar: *Este pan molido es para empanizar los bistés.* → UTILIZAR (79)

empastar Encuadernar: *Me dedico a empastar libros.* → HABLAR (4)

empatar Empalmar o unir: *Tengo que empatar estos dos cables.* → HABLAR (4)

emplomar Empastar: *Fui al dentista para que me emplomaran la muela.* → HABLAR (4)

encajarse *col.* Aprovecharse de una persona: *Siempre que lo invito, se encaja y trae a cinco amigos.* → HABLAR (4)

encamotarse *col.* Enamorarse: *Se encamotó de una muchachita muy linda.* → HABLAR (4)

enchastrar Ensuciar: *Con esas botas tan sucias, enchastró todo el piso.* → HABLAR (4)

enchilar ∎ **1.** Sentir picor: *Después de rellenar los chiles me froté los ojos y me enchilé.* ∎ **2.** *prnl. col.* Molestarse o enfadarse: *El jugador se enchiló cuando lo sacaron del partido de futbol.* → HABLAR (4)

enchinar ∎ **1.** Rizar: *Fui al salón de belleza para que me enchinaran el cabello.* ∎ **2.** *col.* Poner la piel de gallina: *Cuando lo supe, se me enchinó la piel de la impresión.* → HABLAR (4)

enchinchar *col.* Molestar o hacer enfadar: *Siempre enchincha a su hermano, y no lo deja tranquilo.* → HABLAR (4)

enchuecar ∎ **1.** *col.* Curvar: *No hay que dejar los recipientes de plástico cerca de la estufa, porque se pueden enchuecar con el calor.* ∎ **2.** *col.*

Torcer: *Un auto chocó contra un poste y lo enchuecó.* ▌**3.** *col.*
Complicar: *No me gusta trabajar con él porque todo lo enchueca y lo hace más difícil.* → SACAR (71)

endrogar *col.* Endeudar: *En vez de endrogarte comprando cosas que no necesitas, empieza a ahorrar y a cuidar tu dinero.* → PAGAR (52)

enfadar *col.* Cansar o aburrir: *Ya me enfadé de estar haciendo lo mismo.* → HABLAR (4)

engarrotar Agarrotar: *Me quedé dormida sobre mi brazo y lo tuve engarrotado un rato.* → HABLAR (4)

engrampar Grapar: *Engrampé todos los documentos para que no se perdieran.* → HABLAR (4)

engrapar Grapar: *Engrapé estos papeles para tenerlos todos juntos.* → HABLAR (4)

engreír Malcriar: *Tu hermana engríe a los niños.* → REÍR (66)

ensartar *col.* Engañar: *Lo ensartó en la compra de perlas falsas.* → HABLAR (4)

enseñarse *col.* Acostumbrarse o habituarse a una cosa: *A mi hijo le está costando trabajo enseñarse a ir al baño.* → HABLAR (4)

ensopar *col.* Mojar o empapar: *Con este chaparrón me voy a ensopar.* → HABLAR (4)

entreverarse *col.* Mezclarse en un lío o en un desorden: *Tuvo cuidado de no entreverarse en ese asunto.* → HABLAR (4)

envolver Convencer o confundir: *La envolvió con sus mentiras y terminó creyéndolo.* → MOVER (49)

escarmenar Referido a una materia textil, peinarla o limpiarla o prepararla para el hilado, cardar: *Hay que escarmenar bien esas lanas.* → HABLAR (4)

esculcar Registrar: *La policía esculcó varios departamentos.* → SACAR (71)

esmorecerse Desfallecer o perder el aliento, especialmente a causa del llanto o de la risa: *Se rió hasta esmorecerse.* → BEBER (5)

estaquear Referido a una persona, castigarla atándola a cuatro estacas: *En aquella película, los bandidos estaqueaban a su prisionero.* → HABLAR (4)

fajar Golpear o atacar: *Lo fajaron y lo dejaron malherido.* → HABLAR (4)

fastidiar *col.* Cansarse o aburrirse: *Llevo toda la tarde sin hacer nada y ya me fastidié.* → HABLAR (4)

felpar *col.* Morir: *Ni cuenta nos dimos cuando el lorito felpó.* → HABLAR (4)

fincar Construir una casa: *Mis tíos compraron un terreno y comenzarán a fincar el próximo mes.* → SACAR (71)

fletarse *col.* Hacer algo que no resulta agradable: *Ayer me fleté dos horas lavando la ropa.* → HABLAR (4)

fregar *col.* Molestar: *¡Deja ya de fregarnos con tus impertinencias!* → REGAR (65)

fritar Freír: *Me voy a fritar un buen bife.* → HABLAR (4)

hacer ▪ hacérsele a alguien algo Imaginarse algo o suponerlo: *Se me hace que me engaña.* → HACER (42)

halar Tirar: *No me hales el pelo, porque me haces daño.* → HABLAR (4)

hambrear Referido a una persona, explotarla: *Los trabajadores se quejaron porque consideraban que la empresa los hambreaba.* → HABLAR (4)

hostigar Empalagar: *Me hostiga el sabor de estos dulces.* → PAGAR (52)

huevear *vulg. malson.* Hacer o decir tonterías: *Me cansa que estés hueveando todo el día.* → HABLAR (4)

iluminar Colorear: *Iluminaste tu dibujo con colores lindos.* → HABLAR (4)

jalar *col.* Correr o andar muy deprisa: *Tenía tanto miedo que salió jalando sin mirar atrás.* → HABLAR (4)

laburar *col.* Trabajar o currar: *Se pasa todo el día laburando.* → HABLAR (4)

lamber ▪ 1. Lamer: *Me gusta tanto el chocolate que suelo lamber hasta la taza.* **▪ 2.** Adular: *Se la pasa lambiendo al jefe.* → BEBER (5)

lanzar Referido a una persona, desahuciarla: *Lanzaron a aquellos inquilinos de la casa en la que vivían.* → UTILIZAR (79)

macanear *col.* Decir o hacer macanas, mentiras o disparates: *Siempre le digo que deje ya de macanear porque a mí no me engaña.* → HABLAR (4)

machucar *col.* Atropellar pasando por encima: *Un taxi machucó al gato de mi hermana.* → SACAR (71)

magullar Referido a una fruta, apretarla para ver si está madura: *Si no va a comprar, no magulle la fruta.* → HABLAR (4)

manejar Conducir: *Voy a aprender a manejar.* → HABLAR (4)

mosquearse Llenarse de moscas: *Tapé el pan porque se estaba mosqueando.* → HABLAR (4)

ojear Aojar o echar mal de ojo: *Dice que me ojeó, aunque yo no creo en esas cosas.* → HABLAR (4)

pararse Levantar o poner de pie: *Me dijo que me parara de la silla y que hiciera algo.* → HABLAR (4)

parquear Aparcar: *Parquearé el carro donde pueda.* → HABLAR (4)

pedalear ▌ *col.* **pedalearle** Esforzarse: *Hay que pedalearle mucho más para mejorar las calificaciones.* → HABLAR (4)

peñiscar Pellizcar: *Me peñisqué un dedo con la puerta.* → SACAR (71)

pilotear Pilotar: *Mi hijo dice que cuando sea mayor quiere pilotear aviones.* → HABLAR (4)

pitar Dar una calada al cigarrillo: *La protagonista de aquella película pitaba sensualmente.* → HABLAR (4)

platicar Contar o referir: *Mi abuelita nos platica cómo eran las cosas cuando ella era niña.* → SACAR (71)

pololear *col.* Salir de novios: *Mi hija está pololeando con un muchachito.* → HABLAR (4)

ponchar Pinchar: *Unos vándalos le poncharon las cuatro llantas a mi auto.* → HABLAR (4)

prender Encender o conectar: *Voy a prender el televisor para ver el partido de fútbol.* → BEBER (5)

provocar Apetecer: *Me provoca comerme un buen banano.* → SACAR (71)

puntear Encabezar: *Mi equipo de fútbol puntea en la tabla de clasificación.* → HABLAR (4)

quemar *col.* Poner en evidencia o en ridículo: *Me quemó con mis amigas porque les contó un secreto mío.* → HABLAR (4)

rajar *col.* Acusar o desacreditar: *No le platiques lo que hiciste porque siempre raja.* → HABLAR (4)

rebalsarse Rebosar: *La pileta se rebalsó e inundó el baño.* → HABLAR (4)

recibirse Licenciarse o graduarse: *Me recibí de abogado a los veintitrés años.* → VIVIR (6)

refaccionar ▌ **1.** Reparar o arreglar: *Tengo que refaccionar el colchón de mi cama.* ▌ **2.** Restaurar, en especial un edificio: *Para refaccionar la casa, habrá que gastar mucha plata.* → HABLAR (4)

regalonear *col.* Mimar: *No debemos regalonear demasiado a los niños.* → HABLAR (4)

regresar Devolver algo a su poseedor: *¿Cuándo vas a regresarme el libro?* → HABLAR (4)

rematar ▌ **1.** Liquidar o vender a un precio rebajado: *Rematamos todas las existencias de nuestro negocio.* ▌ **2.** Subastar: *Remato todos los muebles de mi casa.* → HABLAR (4)

remover Destituir: *El ministro fue removido a causa de los incidentes ocurridos.* → MOVER (49).

rentar Alquilar: *Renté un departamento en el centro.* → HABLAR (4)

reprobar Suspender: *Me reprobaron el último examen que hice.* → CONTAR (25)

resondrar Reprender: *Cuando mis hijos no se portan bien, los resondro.* → HABLAR (4)

retar Regañar: *Tuve que retar al muchacho por su comportamiento.* → HABLAR (4)

rifar ▌ *col.* **rifársela** Arriesgarse: *Se la rifó en ese negocio y ganó mucho dinero.* → HABLAR (4)

rumorarse Rumorearse: *Se rumora que va a cambiar la directora.* → HABLAR (4)

saber Soler: *Sabía venir por acá todos los días.* → SABER (70)

sacudir Quitar el polvo: *¿Dónde está el plumero para sacudir los muebles?* → VIVIR (6)

salar ∎ **1.** Estropear: *Si lo hace así, lo salará.* ∎ **2.** Gafar: *Tiene fama de salar a todo el que trabaja con él.* → HABLAR (4)

serenar Enfriar agua al sereno o al fresco: *En algunos pueblos todavía se acostumbra a serenar el agua.* → HABLAR (4)

serruchar Aserrar: *Serruché las tablas en un momento.* → HABLAR (4)

soplar *col.* Aguantarse o tragarse: *Como no me podía salir, me tuve que soplar todo el discurso.* → HABLAR (4)

sujetar Someter: *Los aztecas lograron sujetar a todos los pueblos vecinos.* → HABLAR (4)

tallar Frotar: *Por más que tallé el overol, no le pude quitar todas las manchas.* → HABLAR (4)

tapar Atascar: *El desagüe del fregadero se tapó con los trozos de comida que quedaban en los platos.* → HABLAR (4)

tatemar Referido a carnes, verduras o frutas, asarlas ligeramente: *Siempre pongo a tatemar los elotes en la lumbre después de cocerlos.* → HABLAR (4)

timbrar Tocar el timbre: *Timbré repetidas veces pero nadie me abrió.* → HABLAR (4)

tincar Presentir: *Me tinca que hoy vamos a tener un mal día.* → SACAR (71)

tirar ∎ **tirarle a algo** Intentar o desear convertirse en ello: *Se queda horas extras porque le tira a jefe de oficina.* → HABLAR (4)

tomar Beber alcohol: *Empezó a tomar cuando era muy joven.* → HABLAR (4)

trapear Fregar: *Hoy no quiero trapear mi cuarto.* → HABLAR (4)

trompear *col.* Pelear: *Se trompeaba con todo el mundo sin motivo.* → HABLAR (4)

tronar *col.* Suspender: *Me volvieron a tronar en matemáticas.* → CONTAR (25)

tropear Referido al ganado, conducirlo: *Tropeaban el ganado hasta los pastos de invierno.* → HABLAR (4)

ubicar Orientarse: *Sin un plano soy incapaz de ubicarme en esta ciudad.* → SACAR (71)

ultimar Matar o asesinar: *Se difundió la noticia de cómo el asesino ultimó a su víctima con un puñal.* → HABLAR (4)

valerse Estar permitido: *No se vale hacer más de tres intentos.* → VALER (80)

vararse Referido a un vehículo, averiarse: *El carro se varó en la carretera.* → HABLAR (4)

vivar Vitorear: *Se escuchaba a todas aquellas personas vivar a su artista preferido.* → HABLAR (4)

vocear Llamar a través de un altavoz o de un equipo de megafonía: *Le pedí a una empleada que voceara a mi hijo, porque se nos perdió en la tienda.* → HABLAR (4)

voltear ∎ **1.** Volver: *Volteó la cabeza y me miró fijamente.* ∎ **2.** Girar o torcer: *El carro volteó en la primera calle a la derecha.* ∎ **3.** prnl. Volverse o darse la vuelta: *Se volteó y me dio la espalda.* → HABLAR (4)

zafarse Soltarse: *Se zafó muy hábilmente de aquel hombre que lo tenía sujeto por la espalda.* → HABLAR (4)

zurrarse *col.* Sentir deseos incontenibles de defecar: *¡Ya no aguanto, si no sales del baño me zurro aquí!* → HABLAR (4)

Verbos con preposición

En español, algunos verbos se utilizan habitualmente con preposición. Para aclarar posibles dudas en el uso de estas preposiciones se incluye la siguiente lista con las construcciones más frecuentes.

abalanzarse: abalanzarse **contra** alguien o algo; abalanzarse **sobre** alguien o algo. → UTILIZAR (79)

abarrotarse: abarrotarse **de** algo. → HABLAR (4)

abastecer: abastecer **a** alguien **de** algo. → PARECER (53)

abjurar: abjurar **de** algo. → HABLAR (4)

abochornarse: abochornarse **de** algo; abochornarse **por** alguien o algo. → HABLAR (4)

abogar: abogar **a favor de** alguien o algo; abogar **por** alguien o algo. → PAGAR (52)

abominar: abominar **de** algo. → HABLAR (4)

abonarse: abonarse **a** algo. → HABLAR (4)

abordar: abordar una nave **a** otra; abordar una nave **con** otra. → HABLAR (4)

aborrecer: aborrecer **a** alguien **por** algo. → PARECER (53)

abrasarse: abrasarse **de** calor; abrasarse **en** una pasión; abrasarse **por** una pasión. → HABLAR (4)

abrigarse: abrigarse **del** frío. → PAGAR (52)

abrirse: abrirse **a** los amigos; abrirse **con** los amigos. → VIVIR (6)

absolver: absolver **a** alguien **de** algo. → MOVER (49)

abstenerse: abstenerse **de** hacer algo. → BEBER (5)

abstraerse: abstraerse **de** algo. → TRAER (77)

abundar: abundar **en** algo. → HABLAR (4)

aburrirse: aburrirse **con** alguien o algo; aburrirse **de** algo; aburrirse **por** algo. → VIVIR (6)

abusar: abusar **de** alguien o algo. → HABLAR (4)

acalorarse: acalorarse **con** algo; acalorarse **por** alguien o algo. → HABLAR (4)

acampar: acampar **en** algún lugar. → HABLAR (4)

acceder: acceder a algo. → BEBER (5)

acercar: acercar algo a algún lugar; acercarse a algún lugar. → HABLAR (4)

acoger: acoger a alguien en un lugar; acogerse a algo. → ESCOGER (39)

acomodar: acomodar a alguien en un lugar; acomodarse a algo. → HABLAR (4)

acompañarse: acompañarse al instrumento; acompañarse de un instrumento. → HABLAR (4)

acoplar: acoplar algo en algún lugar. → HABLAR (4)

acordar: acordarse de algo. → CONTAR (25)

acostarse: acostarse con alguien. → CONTAR (25)

acostumbrar: acostumbrar a alguien a algo. → HABLAR (4)

acudir: acudir a algún lugar. → VIVIR (6)

acusar: acusar a alguien de algo. → HABLAR (4)

achicharrase: achicharrase al sol; achicharrase con el sol. → HABLAR (4)

adentrarse: adentrarse en un lugar; adentrarse por un lugar. → HABLAR (4)

adherir: adherir una cosa a otra; adherirse a algo. → SENTIR (74)

admirarse: admirarse de algo. → HABLAR (4)

admitir: admitir a alguien en algún lugar. → VIVIR (6)

adoctrinar: adoctrinar a alguien en algo. → HABLAR (4)

adolecer: adolecer de algo. → PARECER (53)

adueñarse: adueñarse de algo. → HABLAR (4)

advertir: advertir a alguien de algo. → SENTIR (74)

afanarse: afanarse en algo; afanarse por algo. → HABLAR (4)

aferrarse: aferrarse a algo. → HABLAR (4)

afianzar: afianzar a alguien en algo. → UTILIZAR (79)

aficionar: aficionar a alguien a algo; aficionar a alguien en algo. → HABLAR (4)

afiliarse: afiliarse **a** algo. → HABLAR (4)

afirmarse: afirmarse **en** algo. → HABLAR (4)

afligirse: afligirse **por** algo. → DIRIGIR (30)

afluir: afluir **a** algo. → HUIR (43)

afrontar: afrontar algo **con** valentía. → HABLAR (4)

agarrotarse: agarrotarse **por** algo. → HABLAR (4)

agobiarse: agobiarse **por** algo. → HABLAR (4)

agolparse: agolparse **a** la entrada; agolparse **ante** un lugar; agolparse **en** un lugar. → HABLAR (4)

agregarse: agregarse **a** algo. → PAGAR (52)

ahondar: ahondar **en** algo. → HABLAR (4)

alabar: alabar algo **en** alguien; alabar **a** alguien **por** algo. → HABLAR (4)

alardear: alardear **de** algo. → HABLAR (4)

alarmarse: alarmarse **por** algo. → HABLAR (4)

aleccionar: aleccionar **a** alguien **en** algo. → HABLAR (4)

alegrarse: alegrarse **por** algo. → HABLAR (4)

alejar: alejar una cosa **de** otra; alejarse **de** un lugar. → HABLAR (4)

aliarse: aliarse **contra** alguien. → GUIAR (41)

alimentarse: alimentarse **de** algo. → HABLAR (4)

alojar: alojar **a** alguien **en** un lugar. → HABLAR (4)

alterarse: alterarse **con** alguien o algo; alterarse **por** alguien o algo. → HABLAR (4)

alternar: alternar una cosa **con** otra; alternar **con** alguien. → HABLAR (4)

aludir: aludir **a** alguien o algo. → VIVIR (6)

alzarse: alzarse **contra** alguien o algo. → UTILIZAR (79)

allegarse: allegarse **a** algo. → PAGAR (52)

amancebarse: amancebarse **con** alguien. → HABLAR (4)

amargarse: amargarse **con** algo; amargarse **por** algo. → PAGAR (52)

amenazar: amenazar **a** alguien **con** algo. → UTILIZAR (79)

amparar: amparar **a** alguien **de** algo. → HABLAR (4)

andar: andar **en** algo. → ANDAR (13)

animar: animar **a** alguien **a** algo. → HABLAR (4)

anteponer: anteponer una cosa **a** otra. → PONER (60)

apartar: apartar una cosa **de** otra. → HABLAR (4)

apasionarse: apasionarse **con** algo; apasionarse **de** algo. → HABLAR (4)

apearse: apearse **de** algo. → HABLAR (4)

apechar: apechar **con** algo. → HABLAR (4)

apechugar: apechugar **con** algo. → PAGAR (52)

apegarse: apegarse **a** algo. → PAGAR (52)

apelar: apelar **contra** algo; apelar **de** algo; apelar **a** alguien o algo. → HABLAR (4)

apencar: apencar **con** algo. → SACAR (71)

apercibirse: apercibir **de** algo. → VIVIR (6)

apesadumbrarse: apesadumbrarse **con** algo; apesadumbrarse **por** algo. → HABLAR (4)

apiadarse: apiadarse **de** alguien. → HABLAR (4)

aplicar: aplicar **a** algo; aplicar **en** algo; aplicarse **en** algo. → SACAR (71)

apoderarse: apoderarse **de** algo. → HABLAR (4)

apostar: apostar **a** algo; apostar **por** alguien o algo. → CONTAR (25)

apostatar: apostatar **de** algo. → HABLAR (4)

apoyar: apoyar algo **en** algún lugar; apoyarse **en** alguien o algo. → HABLAR (4)

aprender: aprender **a** hacer algo. → BEBER (5)

aprestarse: aprestarse **a** hacer algo. → HABLAR (4)

apropiarse: apropiarse **de** algo. → HABLAR (4)

aprovechar: aprovechar **en** algo; aprovecharse **de** algo. → HABLAR (4)

aprovisionar: aprovisionar **de** algo. → HABLAR (4)

aproximarse: aproximarse **a** algún lugar. → HABLAR (4)

arder: arder **en** una pasión. → BEBER (5)

armarse: armarse **de** algo. → HABLAR (4)

arramblar: arramblar **con** algo. → HABLAR (4)

arramplar: arramplar **con** algo. → HABLAR (4)

arrancar: arrancar algo **de** algún lugar. → SACAR (71)

arremeter: arremeter **contra** alguien o algo. → BEBER (5)

arrepentirse: arrepentirse **de** algo. → SENTIR (74)

arribar: arribar **a** puerto. → HABLAR (4)

arriesgarse: arriesgarse **a** hacer algo. → PAGAR (52)

asegurarse: asegurarse **de** algo. → HABLAR (4)

asimilarse: asimilarse **a** algo. → HABLAR (4)

asirse: asirse **a** algo. → ASIR (15)

asociar: asociar una cosa **con** otra; asociarse **con** alguien. → HABLAR (4)

asomar: asomar algo **a** algún lugar; asomar algo **desde** algún lugar; asomar algo **por** algún lugar. → HABLAR (4)

asombrarse: asombrarse **con** algo; asombrarse **de** algo; asombrarse **por** algo. → HABLAR (4)

aspirar: aspirar **a** algo. → HABLAR (4)

atarearse: atarearse **con** algo; atarearse **en** algo. → HABLAR (4)

atemorizar: atemorizar **a** alguien **con** algo; atemorizar **a** alguien **por** algo. → UTILIZAR (79)

atenerse: atenerse **a** algo. → TENER (76)

atentar: atentar **contra** algo. → HABLAR (4)

atinar: atinar **a** hacer algo; atinar **con** algo. → HABLAR (4)

atracarse: atracarse **de** algo. → SACAR (71)

atreverse: atreverse **a** algo. → BEBER (5)

ausentarse: ausentarse **de** algo. → HABLAR (4)

aventajar: aventajar **a** alguien **en** algo. → HABLAR (4)

avenirse: avenirse **a** algo **con** alguien. → VENIR (82)

aventurarse: aventurarse **a** algo; aventurarse **en** algo. → HABLAR (4)

avergonzarse: avergonzarse **de** algo. → AVERGONZAR (16)

avisar: avisar **a** alguien **de** algo. → HABLAR (4)

ayudar: ayudar **a** alguien **a** algo; ayudar **a** alguien **en** algo; ayudarse **de** algo. → HABLAR (4)

bajar: bajar **a** un lugar; bajar **de** un lugar; bajar **desde** un lugar. → HABLAR (4)

basar: basar(se) **en** algo. → HABLAR (4)

bastar: bastar **con** algo. → HABLAR (4)

befarse: befarse **de** algo. → HABLAR (4)

beneficiarse: beneficiarse **de** algo. → HABLAR (4)

blasfemar: blasfemar **contra** algo; blasfemar **de** algo. → HABLAR (4)

blasonar: blasonar **de** algo. → HABLAR (4)

bonificar: bonificar **a** alguien **con** algo. → SACAR (71)

brear: brear **a** alguien → HABLAR (4)

bregar: bregar **con** alguien o algo. → PAGAR (52)

bromear: bromear **sobre** alguien o algo. → HABLAR (4)

brotar: brotar algo **de** un lugar; brotar algo **en** un lugar; brotar algo **por** un lugar. → HABLAR (4)

burlarse: burlarse **de** alguien o algo. → HABLAR (4)

cachondearse: cachondearse **de** alguien o algo. → HABLAR (4)

caer: caer **en** algo; caer **sobre** algo. → CAER (20)

calificar: calificar **a** alguien **de** algo. → SACAR (71)

cambiarse: cambiarse **de** algo. → HABLAR (4)

carecer: carecer **de** algo. → PARECER (53)

cebarse: cebarse **con** alguien o algo; cebarse **de** algo; cebarse **en** alguien. → HABLAR (4)

cejar: cejar **en** algo. → HABLAR (4)

celebrar: celebrar **a** alguien. → HABLAR (4)

ceñirse: ceñirse **a** algo. → CEÑIR (21)

cerciorarse: cerciorarse **de** algo. → HABLAR (4)

cesar: cesar **de** hacer algo; cesar **en** algo. → HABLAR (4)

chalarse: chalarse **por** alguien o algo. → HABLAR (4)

chivarse: chivarse **de** algo. → HABLAR (4)

chotearse: chotearse **de** alguien o algo. → HABLAR (4)

cifrar: cifrar **en** algo. → HABLAR (4)

circunscribir: circunscribir(se) **a** algo. → VIVIR (6)

clamar: clamar **a** alguien; clamar **por** algo. → HABLAR (4)

coadyuvar: coadyuvar **a** algo; coadyuvar **en** algo. → HABLAR (4)

coaligarse: coaligarse **con** alguien. → PAGAR (52)

cobijar: cobijar **a** alguien **bajo** algún lugar; cobijar **a** alguien **en** algún lugar. → HABLAR (4)

coincidir: coincidir **con** alguien **en** algún lugar; coincidir **con** alguien **a** una hora. → VIVIR (6)

colgar: colgar algo **de** un lugar; colgar algo **en** un lugar; colgarse **de** algo. → COLGAR (23)

coligarse: coligarse **con** alguien. → PAGAR (52)

colindar: colindar **con** algo. → HABLAR (4)

colmar: colmar **a** alguien **de** algo. → HABLAR (4)

colocar: colocar algo **en** algún lugar. → SACAR (71)

compadecer: compadecer a alguien de algo. → PARECER (53)

compaginar: compaginar una cosa **con** otra. → HABLAR (4)

comparar: comparar una cosa **con** otra. → HABLAR (4)

compeler: compeler a alguien a algo. → BEBER (5)

compelir: compelir a alguien a algo. → VIVIR (6)

compensar: compensar a alguien **con** algo; compensar a alguien **por** algo. → HABLAR (4)

competir: competir **con** alguien **en** algo; competir **contra** alguien **en** algo. → PEDIR (54)

complacer: complacer a alguien **con** algo; complacer a alguien **en** algo. → PARECER (53)

complementar: complementar una cosa **con** otra. → HABLAR (4)

completar: completar una cosa **con** otra. → HABLAR (4)

comprometer: comprometer a alguien a hacer algo; comprometerse **con** alguien o algo. → BEBER (5)

concentrarse: concentrarse **en** algo. → HABLAR (4)

conceptuar: conceptuar a alguien **como** algo; conceptuar a alguien **de** algo. → ACTUAR (10)

condenar: condenar a alguien **por** algo. → HABLAR (4)

confiar: confiar **en** alguien o algo. → GUIAR (41)

confirmarse: confirmarse **en** una creencia. → HABLAR (4)

conformarse: conformarse **con** algo. → HABLAR (4)

congeniar: congeniar **con** alguien. → HABLAR (4)

conjurarse: conjurarse **contra** alguien. → HABLAR (4)

conminar: conminar a alguien a hacer algo. → HABLAR (4)

conocer: conocer **de** un asunto. → PARECER (53)

consistir: consistir **en** algo. → VIVIR (6)

consolar: consolar a alguien **de** algo; consolar a alguien **con** algo. → CONTAR (25)

constar: constar de algo. → HABLAR (4)

constituir: constituirse en algo. → HUIR (43)

contactar: contactar con alguien. → HABLAR (4)

contagiarse: contagiarse de algo. → HABLAR (4)

contaminarse: contaminarse con algo. → HABLAR (4)

contar: contar con alguien para hacer algo. → CONTAR (25)

contemporizar: contemporizar con alguien. → UTILIZAR (79)

contravenir: contravenir a algo. → VENIR (82)

convencer: convencer a alguien de algo; convencer a alguien con algo. → VENCER (81)

convenir: convenir con alguien en algo. → VENIR (82)

converger: converger una cosa en otra. → ESCOGER (39)

convergir: convergir una cosa en otra. → DIRIGIR (30)

conversar: conversar con alguien de algo. → HABLAR (4)

convertir: convertir a algo; convertir una cosa en otra. → SENTIR (74)

convidar: convidar a alguien a algo. → HABLAR (4)

convivir: convivir con alguien. → VIVIR (6)

corresponder: corresponder a alguien con algo. → BEBER (5)

coscarse: coscarse de algo. → SACAR (71)

cotejar: cotejar una cosa con otra. → HABLAR (4)

creer: creer en alguien o algo. → LEER (46)

cubrir: cubrir a alguien de algo; cubrir una cosa con otra; cubrirse con algo. → VIVIR (6)

cuidar: cuidar a alguien de algo. → HABLAR (4)

culpar: culpar a alguien de algo. → HABLAR (4)

datar: datar de una época. → HABLAR (4)

deambular: deambular por algún lugar. → HABLAR (4)

debatir: debatir de algo con alguien. → VIVIR (6)

dedicarse: dedicarse a algo. → SACAR (71)

deducir: deducir una cosa de otra. → CONDUCIR (24)

dejar: dejar algo bajo algún lugar; dejar algo en algún lugar; dejar algo sobre algún lugar. → HABLAR (4)

delegar: delegar en alguien. → PAGAR (52)

deleitarse: deleitarse con algo. → HABLAR (4)

demorarse: demorarse en algo. → HABLAR (4)

departir: departir con alguien de algo; departir con alguien sobre algo. → VIVIR (6)

depender: depender de alguien o algo. → BEBER (5)

depositar: depositar algo en algún lugar. → HABLAR (4)

derivarse: derivarse una cosa de otra. → HABLAR (4)

desacostumbrarse: desacostumbrarse a algo. → HABLAR (4)

desafiar: desafiar a alguien a hacer algo. → GUIAR (41)

desalentarse: desalentarse ante una contrariedad; desalentarse con una contrariedad; desalentarse por una contrariedad. → PENSAR (55)

desalojar: desalojar a alguien de algún lugar. → HABLAR (4)

desanimarse: desanimarse ante una contrariedad; desanimarse con una contrariedad; desanimarse por una contrariedad. → HABLAR (4)

desapegarse: desapegarse de algo. → PAGAR (52)

desasirse: desasirse de algo. → ASIR (15)

desbancar: desbancar a alguien de algo. → SACAR (71)

descartarse: descartarse de algo. → HABLAR (4)

descender: descender a un lugar; descender de un lugar; descender desde un lugar; descender de alguien. → PERDER (56)

descolgarse: descolgarse de algo; descolgarse con algo. → COLGAR (23)

descollar: descollar en algo. → CONTAR (25)

desconfiar: desconfiar **de** alguien o algo. → GUIAR (41)

desdecir: desdecir(se) **de** algo. → DECIR (27)

desembarazar: desembarazar(se) **de** algo. → UTILIZAR (79)

desencariñarse: desencariñarse **de** alguien o algo. → HABLAR (4)

desentenderse: desentenderse **de** algo. → PERDER (56)

desertar: desertar **de** algo. → HABLAR (4)

desesperar: desesperar **de** hacer algo; desesperarse **por** algo. → HABLAR (4)

desinteresarse: desinteresarse **por** algo. → HABLAR (4)

desistir: desistir **de** algo. → VIVIR (6)

desligarse: desligarse **de** algo. → PAGAR (52)

desmarcarse: desmarcarse **de** algo. → SACAR (71)

desmedirse: desmedirse **en** algo. → PEDIR (54)

desmerecer: desmerecer **de** algo. → PARECER (53)

desmesurarse: desmesurarse **en** algo. → HABLAR (4)

desmontar: desmontar **de** algo. → HABLAR (4)

desnudar: desnudar **de** algo. → HABLAR (4)

despachar: despachar **con** alguien; despacharse **con** alguien. → HABLAR (4)

despedirse: despedirse **de** alguien o algo. → PEDIR (54)

despegar: despegar una cosa **de** otra. → PAGAR (52)

despertar: despertar(se) **de** algo. → PENSAR (55)

despojar: despojar **a** alguien **de** algo. → HABLAR (4)

desposarse: desposarse **con** alguien. → HABLAR (4)

desposeer: desposeer(se) **de** algo. → LEER (46)

desprenderse: desprenderse **de** algo. → BEBER (5)

despreocuparse: despreocuparse **de** algo. → HABLAR (4)

desquitarse: desquitarse **de** algo. → HABLAR (4)

destacar: destacar en algo. → SACAR (71)

destituir: destituir a alguien de un cargo. → HUIR (43)

desvivirse: desvivirse con alguien o algo; desvivirse por alguien o algo. → VIVIR (6)

diferir: diferir de algo. → SENTIR (74)

dignarse: dignarse hacer algo (incorr. *dignarse a hacer algo*). → HABLAR (4)

dimanar: dimanar de algo. → HABLAR (4)

dimitir: dimitir de un cargo. → VIVIR (6)

diplomarse: diplomarse en algo. → HABLAR (4)

dirigirse: dirigirse a algún lugar. → DIRIGIR (30)

disciplinar: disciplinar a alguien en algo. → HABLAR (4)

discordar: discordar de otro en algo. → CONTAR (25)

discrepar: discrepar de algo; discrepar en algo. → HABLAR (4)

discutir: discutir de algo con alguien; discutir sobre algo con alguien. → VIVIR (6)

disentir: disentir de alguien en algo. → SENTIR (74)

disertar: disertar con alguien sobre algo. → HABLAR (4)

disfrutar: disfrutar de algo. → HABLAR (4)

dispensar: dispensar a alguien de algo. → HABLAR (4)

disponer: disponer de algo; disponerse a hacer algo. → PONER (60)

distar: distar de algo. → HABLAR (4)

distinguir: distinguir una cosa de otra; distinguirse de alguien. → DISTINGUIR (32)

distraer: distraer a alguien de algo; distraer a alguien con algo. → TRAER (77)

disuadir: disuadir a alguien de algo. → VIVIR (6)

doctorarse: doctorarse en algo. → HABLAR (4)

dolerse: dolerse de algo. → MOVER (49)

dotar: dotar **con** algo; dotar **de** algo. → HABLAR (4)

dudar: dudar **de** alguien o algo. → HABLAR (4)

echar: echar **de** menos **a** alguien. → HABLAR (4)

ejercitar: ejercitar **a** alguien **en** algo. → HABLAR (4)

elogiar: elogiar **a** alguien **por** algo. → HABLAR (4)

emanciparse: emanciparse **de** alguien o algo. → HABLAR (4)

embarcarse: embarcarse **en** algo. → SACAR (71)

embelesarse: embelesarse **con** alguien o algo. → HABLAR (4)

embestir: embestir **a** alguien o algo; embestir **contra** alguien o algo. → PEDIR (54)

embobarse: embobarse **con** alguien o algo. → HABLAR (4)

emigrar: emigrar **a** un lugar; emigrar **de** un lugar; emigrar **desde** un lugar. → HABLAR (4)

empacharse: empacharse **con** algo. → HABLAR (4)

empaparse: empaparse **de** algo. → HABLAR (4)

empatar: empatar **con** alguien. → HABLAR (4)

empecer: empecer **para** hacer algo. → PARECER (53)

empecinarse: empecinarse **en** algo. → HABLAR (4)

empeñarse: empeñarse **en** algo. → HABLAR (4)

emperrarse: emperrarse **en** algo. → HABLAR (4)

emplazar: emplazar **a** alguien **a** hacer algo. → UTILIZAR (79)

emularse: emularse **con** alguien. → HABLAR (4)

enamorarse: enamorarse **de** alguien o algo. → HABLAR (4)

encabezar: encabezar una cosa **con** otra. → UTILIZAR (79)

encallar: encallar **en** algo. → HABLAR (4)

encaminarse: encaminarse **a** un lugar; encaminarse **hacia** un lugar. → HABLAR (4)

encapricharse: encapricharse **con** algo; encapricharse **de** algo. → HABLAR (4)

encararse: encararse **con** alguien. → HABLAR (4)

encargarse: encargarse **de** algo. → PAGAR (52)

encariñarse: encariñarse **con** alguien o algo. → HABLAR (4)

encarnizarse: encarnizarse **con** alguien. → UTILIZAR (79)

encasillarse: encasillarse **en** algo. → HABLAR (4)

encenagarse: encenagarse **en** algo. → PAGAR (52)

encumbrarse: encumbrarse **a** un lugar; encumbrarse **hasta** un lugar. → HABLAR (4)

enemistarse: enemistarse **con** alguien. → HABLAR (4)

enfadarse: enfadarse **con** alguien. → HABLAR (4)

enfrascarse: enfrascarse **en** algo. → SACAR (71)

enfrentarse: enfrentarse **a** alguien o algo; enfrentarse **con** alguien o algo. → HABLAR (4)

engancharse: engancharse **a** algo. → HABLAR (4)

enojarse: enojarse **con** alguien. → HABLAR (4)

enorgullecer: enorgullecerse **de** algo. → PARECER (53)

ensañarse: ensañarse **con** alguien. → HABLAR (4)

enseñar: enseñar **a** alguien **a** hacer algo. → HABLAR (4)

enseñorearse: enseñorearse **de** algo. → HABLAR (4)

entender: entender **de** algo; entender **en** algo; entenderse **con** alguien. → PERDER (56)

enterarse: enterarse **de** algo. → HABLAR (4)

enternecerse: enternecerse **con** alguien o algo; enternecerse **por** alguien o algo. → PARECER (53)

entrar: entrar **en** algún lugar. → HABLAR (4)

entregarse: entregarse **a** algo. → PAGAR (52)

entretener: entretener a alguien con algo; entretener a alguien en algo. → TENER (76)

entrometerse: entrometerse en algo. → BEBER (5)

entroncar: entroncar con algo. → SACAR (71)

entusiasmarse: entusiasmarse con algo. → HABLAR (4)

enviciar: enviciar a alguien con algo; enviciar a alguien en algo. → HABLAR (4)

enzarzarse: enzarzarse en algo con alguien. → UTILIZAR (79)

equipar: equipar de algo; equipar con algo. → HABLAR (4)

equiparar: equiparar una cosa a otra; equiparar una cosa con otra. → HABLAR (4)

equivaler: equivaler a algo. → VALER (80)

erigirse: erigirse en algo. → DIRIGIR (30)

escapar: escapar de algo. → HABLAR (4)

escaquearse: escaquearse de algo. → HABLAR (4)

escarmentar: escarmentar con algo; escarmentar en alguien. → PENSAR (55)

escudarse: escudarse en alguien o algo. → HABLAR (4)

esforzarse: esforzarse en algo; esforzarse por algo. → FORZAR (40)

esmerarse: esmerarse en algo. → HABLAR (4)

espantarse: espantarse de algo. → HABLAR (4)

especializarse: especializarse en algo. → UTILIZAR (79)

especular: especular con algo. → HABLAR (4)

esperar: esperar a que suceda algo; esperar hasta que suceda algo. → HABLAR (4)

establecerse: establecerse en un lugar. → PARECER (53)

estallar: estallar de algo; estallar en algo. → HABLAR (4)

estar: estar en algo. → ESTAR (3)

estremecerse: estremecerse por algo. → PARECER (53)

estribar: estribar **en** algo. → HABLAR [4]

etiquetar: etiquetar **a** alguien **de** algo. → HABLAR [4]

evadirse: evadirse **de** algo. → VIVIR [6]

exasperarse: exasperarse **con** alguien **por** algo. → HABLAR [4]

exculpar: exculpar **a** alguien **de** algo. → HABLAR [4]

excusar: excusar **a** alguien **de** algo. → HABLAR [4]

exhortar: exhortar **a** alguien **a** hacer algo. → HABLAR [4]

exiliarse: exiliarse **a** un lugar. → HABLAR [4]

eximir: eximir **a** alguien **de** algo. → VIVIR [6]

exonerar: exonerar **a** alguien **de** algo. → HABLAR [4]

expulsar: expulsar **a** alguien **de** algún lugar. → HABLAR [4]

extremarse: extremarse **en** algo. → HABLAR [4]

familiarizarse: familiarizarse **con** alguien o algo. → UTILIZAR [79]

fardar: fardar **de** algo. → HABLAR [4]

fascinarse: fascinarse **con** algo. → HABLAR [4]

fiarse: fiarse **de** alguien. → GUIAR [41]

fichar: fichar **por** una entidad. → HABLAR [4]

fijarse: fijarse **en** algo. → HABLAR [4]

forrar: forrar **a** alguien **a** golpes. → HABLAR [4]

forzar: forzar **a** alguien **a** hacer algo. → FORZAR [40]

freír: freír **a** alguien **a** algo. → REÍR [66]

fugarse: fugarse **de** algún lugar. → PAGAR [52]

fusionarse: fusionarse **con** algo. → HABLAR [4]

girar: girar **a** un lado; girar **hacia** un lado. → HABLAR [4]

gloriar: gloriarse **de** algo. → GUIAR [41]

gozar: gozar **de** algo. → UTILIZAR [79]

gratificar: gratificar **a** alguien **con** algo. → SACAR [71]

gravar: gravar **con** impuestos. → HABLAR (4)

guardarse: guardarse **de** alguien o algo. → HABLAR (4)

guasearse: guasearse **de** algo. → HABLAR (4)

guiarse: guiarse **por** algo. → GUIAR (41)

gustar: gustar **de** algo. → HABLAR (4)

hablar: hablar **de** algo **con** alguien; hablar **sobre** algo **con** alguien. → HABLAR (4)

hartar: hartar **a** alguien **de** algo. → HABLAR (4)

hermanarse: hermanarse **con** alguien. → HABLAR (4)

hervir: hervir **de** algo; hervir **en** algo. → SENTIR (74)

hincharse: hincharse **a** algo; hincharse **de** algo. → HABLAR (4)

honrar: honrar **a** alguien **con** algo; honrar **a** alguien **en** algo. → HABLAR (4)

hospedar: hospedar **a** alguien **en** algún lugar. → HABLAR (4)

huir: huir **de** alguien o algo. → HUIR (43)

identificarse: identificarse **con** algo. → SACAR (71)

ilusionarse: ilusionarse **con** alguien o algo. → HABLAR (4)

imbuirse: imbuirse **de** algo. → HUIR (43)

impacientarse: impacientarse **con** alguien o algo. → HABLAR (4)

implicar: implicar **a** alguien **en** algo. → SACAR (71)

impresionarse: impresionarse **con** algo. → HABLAR (4)

impulsar: impulsar **a** alguien **a** algo. → HABLAR (4)

incautarse: incautarse **de** algo. → HABLAR (4)

incidir: incidir **en** algo. → VIVIR (6)

incitar: incitar **a** alguien **a** algo. → HABLAR (4)

incluir: incluir una cosa **en** otra. → HUIR (43)

incorporar: incorporar una cosa **a** otra; incorporar una cosa **en** otra; incorporarse **a** una actividad. → HABLAR (4)

inculpar: inculpar a alguien de algo. → HABLAR (4)

incurrir: incurrir en algo. → VIVIR (6)

independizarse: independizarse de algo. → UTILIZAR (79)

indignarse: indignarse con alguien. → HABLAR (4)

indisponer: indisponer a una persona con otra; indisponer a una persona contra otra. → PONER (60)

inducir: inducir a alguien a algo; inducir una cosa de otra. → CONDUCIR (24)

inferir: inferir una cosa de otra. → SENTIR (74)

infestar: infestar de algo. → HABLAR (4)

inflarse: inflarse a algo. → HABLAR (4)

informar: informar a alguien de algo. → HABLAR (4)

ingresar: ingresar en un sitio. → HABLAR (4)

inhabilitar: inhabilitar a alguien para algo. → HABLAR (4)

inhibirse: inhibirse de algo; inhibirse en algo. → VIVIR (6)

iniciar: iniciarse en algo; iniciar a alguien en algo. → HABLAR (4)

injerirse: injerirse en algo. → SENTIR (74)

inmigrar: inmigrar a un lugar. → HABLAR (4)

insertar: insertar una cosa en otra. → HABLAR (4)

insinuarse: insinuarse a alguien; insinuarse con alguien. → ACTUAR (10)

insistir: insistir en algo; insistir sobre algo. → VIVIR (6)

inspirarse: inspirarse en algo. → HABLAR (4)

instalarse: instalarse en algún lugar. → HABLAR (4)

instar: instar a alguien a algo. → HABLAR (4)

instigar: instigar a alguien a algo. → PAGAR (52)

instruir: instruir a alguien en algo; instruir sobre algo. → HUIR (43)

interceder: interceder ante una persona por otra. → BEBER (5)

internar: internar a alguien en algún lugar. → HABLAR (4)

interponerse: interponerse **entre** alguien o algo. → PONER (60)

invertir: invertir algo **en** algo. → SENTIR (74)

investir: investir **a** alguien **de** algo; investir **a** alguien **con** algo. → PEDIR (54)

invitar: invitar **a** alguien **a** algo. → HABLAR (4)

involucrar: involucrar **a** alguien **en** algo. → HABLAR (4)

ir: ir **a** un lugar; ir **a** hacer algo. → IR (44)

irritarse: irritarse **con** alguien. → HABLAR (4)

irrumpir: irrumpir **en** algo. → VIVIR (6)

jactarse: jactarse **de** algo. → HABLAR (4)

jugar: jugar **a** algo; jugar **con** algo. → JUGAR (45)

juntar: juntar una cosa **con** otra; juntarse **con** alguien. → HABLAR (4)

lamentarse: lamentarse **de** algo; lamentarse **por** algo. → HABLAR (4)

liar: liarse **a** algo; liarse **con** alguien. → GUIAR (41)

liberar: liberar **a** alguien **de** algo. → HABLAR (4)

librar: librar **a** alguien **de** algo. → HABLAR (4)

licenciarse: licenciarse **en** una carrera. → HABLAR (4)

lidiar: lidiar **con** alguien. → HABLAR (4)

limitar: limitar **con** algo; limitarse **a** algo. → HABLAR (4)

lindar: lindar **con** algo. → HABLAR (4)

llegar: llegar **a** algo; llegar **a** alguien; llegar **a** hacer algo. → PAGAR (52)

llenar: llenar **de** algo. → HABLAR (4)

llevar: llevar **a** alguien **a** algún lugar. → HABLAR (4)

maldecir: maldecir **de** algo. → BENDECIR (18)

malmeter: malmeter **a** una persona **con** otra. → BEBER (5)

malquistar: malquistar **a** una persona **con** otra. → HABLAR (4)

manar: manar **de** un lugar. → HABLAR (4)

mancharse: mancharse **con** algo; mancharse **de** algo. → HABLAR (4)

mantener: mantener una cosa **en** un lugar; mantenerse **en** forma. →
TENER (76)

maravillarse: maravillarse **con** algo; maravillarse **de** algo. → HABLAR (4)

marcharse: marcharse **de** un lugar; marcharse **desde** un lugar;
marcharse **a** un lugar; marcharse **hacia** un lugar. → HABLAR (4)

matricularse: matricularse **en** algo. → HABLAR (4)

medirse: medirse **con** alguien. → PEDIR (54)

mentalizar: mentalizar **a** alguien **de** algo. → UTILIZAR (79)

merodear: merodear **por** un lugar. → HABLAR (4)

meter: meterse **a** algo; meterse **con** alguien; meter algo **en** algún lugar.
→ BEBER (5)

mezclar: mezclar una cosa **con** otra. → HABLAR (4)

militar: militar **en** un partido. → HABLAR (4)

moderarse: moderarse **en** algo. → HABLAR (4)

mofarse: mofarse **de** algo. → HABLAR (4)

molestarse: molestarse **en** algo; molestarse **por** algo. → HABLAR (4)

montar: montar **en** algo. → HABLAR (4)

motejar: motejar **a** alguien **de** algo. → HABLAR (4)

mover: mover **a** algo. → MOVER (49)

mudar: mudar **de** algo. → HABLAR (4)

murmurar: murmurar **de** alguien. → HABLAR (4)

nadar: nadar **en** algo. → HABLAR (4)

necesitar: necesitar **de** algo. → HABLAR (4)

negarse: negarse **a** algo. → REGAR (65)

nutrirse: nutrirse **de** algo. → VIVIR (6)

obcecarse: obcecarse **en** algo. → SACAR (71)

obedecer: obedecer **a** un motivo. → PARECER (53)

obligar: obligar **a** alguien **a** hacer algo. → PAGAR (52)

obsequiar: obsequiar **a** alguien **con** algo. → HABLAR (4)

obstinarse: obstinarse **en** algo. → HABLAR (4)

obtener: obtener algo **de** alguien. → TENER (76)

ocultar: ocultar algo **en** algún lugar; ocultarse **de** algo. → HABLAR (4)

ocupar: ocupar **a** alguien **en** algo; ocuparse **de** alguien o algo. → HABLAR (4)

ofenderse: ofenderse **con** alguien **por** algo. → BEBER (5)

oler: oler **a** algo. → OLER (51)

olvidarse: olvidarse **de** algo. → HABLAR (4)

opinar: opinar **de** algo; opinar **sobre** algo. → HABLAR (4)

oponerse: oponerse **a** alguien o algo. → PONER (60)

opositar: opositar **a** un puesto. → HABLAR (4)

oprimir: oprimir **a** alguien **con** algo. → VIVIR (6)

optar: optar **a** algo; optar **por** algo. → HABLAR (4)

pactar: pactar algo **con** alguien. → HABLAR (4)

parangonar: parangonar una cosa **con** otra. → HABLAR (4)

parecerse: parecerse **a** alguien **en** algo. → PARECER (53)

participar: participar **en** algo; participar **de** algo. → HABLAR (4)

partir: partir **de** un lugar. → VIVIR (6)

pasar: pasar **en** algo; pasar **por** un lugar; pasarse **a** algo; pasarse **de** algo. → HABLAR (4)

pasear: pasear **en** un lugar; pasear **por** un lugar. → HABLAR (4)

pecar: pecar **de** una cualidad. → SACAR (71)

pechar: pechar **con** algo. → HABLAR (4)

pedir: pedir **por** alguien o algo. → PEDIR (54)

pegar: pegar una cosa **con** otra. → PAGAR (52)

pelearse: pelearse **con** alguien. → HABLAR (4)

penar: penar **por** alguien o algo. → HABLAR (4)

pender: pender una amenaza **sobre** alguien. → BEBER (5)

pensar: pensar **en** alguien o algo. → PENSAR (55)

percatarse: percatarse **de** algo. → HABLAR (4)

perder: perder **contra** alguien; perderse **por** algo. → PERDER (56)

perfeccionarse: perfeccionarse **en** algo. → HABLAR (4)

permanecer: permanecer **en** un lugar. → PARECER (53)

perseverar: perseverar **en** algo. → HABLAR (4)

persistir: persistir **en** algo. → VIVIR (6)

personarse: personarse **en** un lugar. → HABLAR (4)

persuadir: persuadir **a** alguien **de** algo. → VIVIR (6)

pertenecer: pertenecer **a** algo. → PARECER (53)

pertrechar: pertrechar **a** alguien **con** algo; pertrechar **de** algo. → HABLAR (4)

picarse: picarse **con** alguien. → SACAR (71)

pirrarse: pirrarse **por** algo. → HABLAR (4)

pitorrearse: pitorrearse **de** algo. → HABLAR (4)

plagar: plagarse **de** algo. → PAGAR (52)

poner: poner algo **bajo** algún lugar; poner algo **en** algún lugar; poner algo **sobre** algún lugar; ponerse **a** hacer algo. → PONER (60)

porfiar: porfiar **en** algo. → GUIAR (41)

posesionarse: posesionarse **de** algo. → HABLAR (4)

posponer: posponer una cosa **a** la otra. → PONER (60)

precaverse: precaverse **de** algo; precaverse **contra** algo. → BEBER (5)

preciarse: preciarse **de** algo. → HABLAR (4)

precisar: precisar **de** algo. → HABLAR (4)

predisponer: predisponer **a** alguien **a** algo; predisponer **a** alguien **para** algo. → PONER (60)

preferir: preferir una cosa **a** otra. → SENTIR (74)

prendarse: prendarse **de** algo. → HABLAR (4)

preocuparse: preocuparse **de** algo; preocuparse **por** algo. → SACAR (71)

preparar: preparar **a** alguien **a** algo; preparar **a** alguien **para** algo. → HABLAR (4)

prescindir: prescindir **de** algo. → VIVIR (6)

preservar: preservar **a** alguien **de** algo. → HABLAR (4)

prestarse: prestarse **a** algo. → HABLAR (4)

presumir: presumir **de** algo. → VIVIR (6)

prevalecer: prevalecer **sobre** algo. → PARECER (53)

prevalerse: prevalerse **de** algo. → VALER (80)

pringarse: pringarse **con** algo; pringarse **de** algo. → PAGAR (52)

privar: privar **a** alguien **de** algo. → HABLAR (4)

probar: probar **a** hacer algo. → CONTAR (25)

proceder: proceder **a** algo; proceder **de** algo. → BEBER (5)

prodigarse: prodigarse **en** algo. → PAGAR (52)

profundizar: profundizar **en** algo. → UTILIZAR (79)

progresar: progresar **en** algo. → HABLAR (4)

pronunciarse: pronunciarse **a favor de** alguien; pronunciarse **contra** alguien; pronunciarse **en contra de** alguien. → HABLAR (4)

propasarse: propasarse **con** alguien o algo. → HABLAR (4)

propender: propender **a** algo. → BEBER (5)

prorrumpir: prorrumpir **en** algo. → VIVIR (6)

protestar: protestar **por** algo. → HABLAR (4)

proveer: proveer **a** alguien **de** algo. → LEER (46)

provenir: provenir **de** algo. → VENIR (82)

pugnar: pugnar **por** algo. → HABLAR (4)

quedar: quedar **con** alguien; quedar **en** algo; quedarse **con** algo. → HABLAR (4)

quejarse: quejarse **a** alguien **de** algo; quejarse **a** alguien **por** algo. → HABLAR (4)

querellarse: querellarse **ante** alguien; querellarse **contra** alguien; querellarse **de** algo; querellarse **por** algo. → HABLAR (4)

quitarse: quitarse **de** algo. → HABLAR (4)

rabiar: rabiar **por** algo. → HABLAR (4)

radicar: radicar **en** algo. → SACAR (71)

ratificar: ratificar **a** alguien **en** algo. → SACAR (71)

rayar: rayar **en** algo; rayar **con** algo. → HABLAR (4)

razonar: razonar **con** alguien **de** algo; razonar **sobre** algo. → HABLAR (4)

reaccionar: reaccionar **ante** algo. → HABLAR (4)

reafirmarse: reafirmarse **en** algo. → HABLAR (4)

rebelarse: rebelarse **contra** algo. → HABLAR (4)

recaer: recaer **en** algo; recaer **sobre** algo. → CAER (20)

recalar: recalar **en** algún lugar. → HABLAR (4)

recapacitar: recapacitar **sobre** algo. → HABLAR (4)

recatarse: recatarse **de** alguien. → HABLAR (4)

recelar: recelar **de** alguien o algo. → HABLAR (4)

recobrarse: recobrarse **de** algo. → HABLAR (4)

recochinearse: recochinearse **de** alguien o algo. → HABLAR (4)

recomendar: recomendar **a** alguien **para** algo. → PENSAR (55)

reconciliarse: reconciliarse **con** alguien. → HABLAR (4)

recrearse: recrearse **con** algo; recrearse **en** algo. → HABLAR (4)

recubrir: recubrir una cosa **con** otra. → VIVIR (6)

recuperarse: recuperarse **de** una enfermedad. → HABLAR (4)

redimir: redimir **a** alguien **de** algo. → VIVIR (6)

reducir: reducir **a** algo. → CONDUCIR (24)

redundar: redundar **en** algo. → HABLAR (4)

reemplazar: reemplazar una cosa **con** otra; reemplazar una cosa **por** otra. → UTILIZAR (79)

reflexionar: reflexionar **sobre** algo. → HABLAR (4)

refugiarse: refugiarse **de** algo; refugiarse **en** alguien o algo. → HABLAR (4)

refutar: refutar una cosa **con** otra. → HABLAR (4)

regañar: regañar **con** alguien. → HABLAR (4)

regocijarse: regocijarse **con** algo; regocijarse **de** algo; regocijarse **en** algo; regocijarse **por** algo. → HABLAR (4)

regresar: regresar **a** un sitio; regresar **de** un sitio. → HABLAR (4)

reincidir: reincidir **en** algo. → VIVIR (6)

reintegrarse: reintegrarse **a** algo. → HABLAR (4)

reírse: reírse **de** alguien o algo. → REÍR (66)

reiterarse: reiterarse alguien **en** algo. → HABLAR (4)

relacionarse: relacionarse **con** alguien. → HABLAR (4)

relegar: relegar **a** un lugar. → PAGAR (52)

remitir: remitir **a** algo; remitirse **a** algo. → VIVIR (6)

remontarse: remontarse **a** algo. → HABLAR (4)

remunerar: remunerar **a** alguien **con** algo. → HABLAR (4)

renegar: renegar **de** algo. → REGAR (65)

renunciar: renunciar **a** algo. → HABLAR (4)

reñir: reñir **a** alguien **por** algo; reñir **con** alguien. → CEÑIR (21)

reparar: reparar **en** algo. → HABLAR (4)

repercutir: repercutir **en** algo. → VIVIR (6)

reponerse: reponerse **de** una enfermedad. → PONER (60)

reputar: reputar **de** algo; reputar **como** algo. → HABLAR (4)

resarcir: resarcir **a** alguien **de** algo. → ZURCIR (85)

resguardarse: resguardarse de algo en un lugar. → HABLAR (4)

residir: residir en algún lugar. → VIVIR (6)

resignarse: resignarse a algo. → HABLAR (4)

responder: responder a algo; responder de algo. → RESPONDER (67)

resumirse: resumirse en algo. → VIVIR (6)

retirar: retirar algo de algún lugar. → HABLAR (4)

retractarse: retractarse de algo. → HABLAR (4)

reunirse: reunirse con alguien. → REUNIR (68)

rodearse: rodearse de algo. → HABLAR (4)

rogar: rogar por alguien o algo. → CONTAR (25)

ruborizarse: ruborizarse ante algo; ruborizarse por algo. → UTILIZAR (79)

saber: saber de algo. → SABER (70)

sacar: sacar algo de algún lugar. → SACAR (71)

saciarse: saciarse con algo; saciarse de algo. → HABLAR (4)

sacrificarse: sacrificarse por alguien o algo. → SACAR (71)

saldarse: saldarse con algo. → HABLAR (4)

salir: salir a un lugar; salir de un lugar; salir desde un lugar. → SALIR (72)

salvar: salvar a alguien de algo. → HABLAR (4)

secundar: secundar a uno en algo. → HABLAR (4)

sembrar: sembrar de algo. → PENSAR (55)

semejarse: semejarse a algo. → HABLAR (4)

separar: separar una cosa de otra; separarse de alguien. → HABLAR (4)

ser: ser de una forma determinada. → SER (2)

servirse: servirse de algo. → PEDIR (54)

simultanear: simultanear una cosa con otra. → HABLAR (4)

simpatizar: simpatizar con alguien. → UTILIZAR (79)

sincerarse: sincerarse ante alguien; sincerarse con alguien. → HABLAR (4)

situarse: situarse **en** algún lugar. → ACTUAR (10)

sobreponer: sobreponerse **a** algo. → PONER (60)

sobresalir: sobresalir **en** algo. → SALIR (72)

solicitar: solicitar algo **a** alguien; solicitar algo **de** alguien. → HABLAR (4)

sonreír: sonreír **por** algo. → REÍR (66)

sonrojarse: sonrojarse **por** algo. → HABLAR (4)

soñar: soñar **con** alguien o algo. → CONTAR (25)

sorprenderse: sorprenderse **con** algo; sorprenderse **de** algo. → BEBER (5)

sospechar: sospechar **de** alguien o algo. → HABLAR (4)

subir: subir **a** un lugar; subir **de** un lugar; subir **desde** un lugar. → VIVIR (6)

sublevarse: sublevarse **contra** alguien o algo. → HABLAR (4)

subvenir: subvenir **a** algo. → VENIR (82)

sufrir: sufrir **con** algo; sufrir **por** algo. → VIVIR (6)

sujetarse: sujetarse **a** algo. → HABLAR (4)

sumergirse: sumergirse **en** algo. → DIRIGIR (30)

suplir: suplir **con** algo; suplir **a** alguien **en** algo. → VIVIR (6)

surtir: surtir **de** algo. → VIVIR (6)

tachar: tachar **de** algo. → HABLAR (4)

tapar: tapar una cosa **con** otra; taparse **con** algo. → HABLAR (4)

tender: tender **a** algo. → PERDER (56)

teñir: teñir algo **de** algún color. → CEÑIR (21)

tildar: tildar **a** alguien **de** algo. → HABLAR (4)

tirar: tirar **a** algo; tirar **de** algo. → HABLAR (4)

toparse: toparse **con** alguien o algo. → HABLAR (4)

torcer: torcer **a** un lado; torcer **hacia** un lado. → COCER (22)

trabajar: trabajar **como** algo; trabajar **de** algo. → HABLAR (4)

traficar: traficar **con** algo; traficar **en** algo. → SACAR (71)

tranquilizarse: tranquilizarse **con** algo; tranquilizarse **por** algo. → UTILIZAR (79)

transformarse: transformarse **en** algo. → HABLAR (4)

transigir: transigir **en** algo. → DIRIGIR (30)

transitar: transitar **por** un lugar. → HABLAR (4)

tratar: tratar(se) **con** alguien; tratar **acerca de** algo; tratar **de** algo; tratar **sobre** algo; tratar **de** hacer algo; tratar **en** algo. → HABLAR (4)

ufanarse: ufanarse **con** algo; ufanarse **de** algo. → HABLAR (4)

unir: unir una cosa **con** otra; unirse **con** alguien. → VIVIR (6)

urdir: urdir algo **contra** alguien. → VIVIR (6)

vaciar: vaciar un continente **de** su contenido; vaciar **en** una sustancia. → GUIAR (41)

vacunar: vacunar **contra** algo. → HABLAR (4)

valerse: valerse **de** algo; valerse **por** sí mismo. → VALER (80)

vanagloriarse: vanagloriarse **de** algo. → HABLAR (4)

velar: velar **por** alguien o algo. → HABLAR (4)

vengarse: vengarse **de** alguien o algo. → PAGAR (52)

venir: venir **a** un lugar; venir **de** un lugar; venir **desde** un lugar. → VENIR (82)

versar: versar **sobre** algo. → HABLAR (4)

viajar: viajar **de** un lugar; viajar **desde** un lugar; viajar **a** un lugar; viajar **hacia** un lugar; viajar **hasta** un lugar. → HABLAR (4)

vincularse: vincularse **a** algo; vincularse **con** algo. → HABLAR (4)

volcarse: volcarse **con** algo; volcarse **en** algo. → TROCAR (78)

volverse: volverse **contra** alguien. → MOVER (49)

yacer: yacer **en** un lugar. → YACER (84)

zafarse: zafarse **de** algo. → HABLAR (4)

zambullir: zambullirse **en** algo. → PLAÑIR (58)

zarpar: zarpar **de** un lugar. → HABLAR (4)

Ejercicios y solucionario

1. Conjugue el presente de indicativo de los siguientes verbos.

	singular			plural		
	1.ª p.	2.ª p.	3.ª p.	1.ª p.	2.ª p.	3.ª p.
hablar	...	hablas	...	hablamos	...	hablan
mirar	miro	...	mira	...	...	...
llamar	...	...	llama	...	...	llaman
correr	corro	...	...	corremos	...	...
meter	meto	...	mete	...	...	...
abrir	...	...	...	abrimos	...	...
recibir	...	recibes	...	...	...	...
subir	subo	...	...	...	subís	...

2. Escriba un texto en el que cuente lo que suele hacer todos los días.

Todos los días me levanto a las siete y cuarto de la mañana, ...

....

....

....

....

3. Complete las frases con la forma adecuada de presente.

a) Nosotros (*estudiar*) .... español y alemán.

b) ¿(*Trabajar*) .... tu hermano en esta oficina?

c) Ella no (*usar*) .... gafas.

d) Julio (*ganar*) .... mucho dinero.

e) ¿Vosotros (*comer*) .... carne o pescado?

f) Ellos no (*beber*) .... vino en las comidas.

g) Antonio (*vivir*) .... en el norte de España.

h) Él (*subir*) .... las escaleras de dos en dos.

i) Ellas (*recibir*) .... muchas postales en verano.

j) Ustedes (*necesitar*) .... unas vacaciones.

4. Complete el texto con formas del pretérito perfecto.

Hoy (*ser*) .... un día muy especial para mí porque (*viajar*)..............
en avión por primera vez en mi vida. (*Llegar*) .... al aeropuerto a las
ocho de la mañana.

Primero, (*preguntar*) .... en información dónde tenía que pedir mi
tarjeta de embarque y facturar mi equipaje. Luego (*buscar*) .... la
puerta de embarque. Después (*subir*) .... por la escalera del avión. Allí
arriba estaban el comandante y la azafata, que (*saludar*) .... a todos
los pasajeros. En el interior del avión, (*buscar*) .... mi asiento.
Después de sentarme en mi sitio me (*abrochar*) .... el cinturón de
seguridad. Con las puertas cerradas y todos los pasajeros sentados, el
avión (*empezar*) .... a correr más y más rápido por la pista del aeropuerto y de repente (*subir*) .... directo hacia el cielo. Desde muy alto
(*ver*) .... las montañas, un río, las nubes... (*Ser*) .... una expe-
riencia maravillosa y no (*tener*) .... nada de miedo.

■ ¿Cuándo se usa el pretérito perfecto? ....

5. Vuelva a escribir el texto anterior con los verbos en pretérito indefinido, haciendo las transformaciones necesarias.

Ayer fue un día muy especial para mí ....
....

■ ¿Cuándo se usa el pretérito indefinido? ....

6. Relacione cada infinitivo con el participio correspondiente.

hacer	decir	ir
romper	volver	morir	ver
escribir	abrir	poner

puesto	ido	vuelto
visto	roto	hecho	dicho
abierto	muerto	escrito

7. Complete el siguiente cuadro.

infinitivo	estar	...	tener	...	compartir	...
gerundio	...	dando	...	...	...	saliendo
participio	...	...	...	querido	...	...

■ Elija una forma de cada fila y escriba una frase con ella.

....

....

....

8. Complete el texto con los verbos del cuadro en futuro.

viajar	conocer	entrevistar	informar	ocurrir
hablar	sufrir	estudiar	trabajar	acostarse
salir	estar	pasar	escribir	contar

Juan, de mayor, quiere ser periodista porque así .... por todo el mundo y .... las culturas de otros países muy lejanos. .... a personajes famosos: políticos, escritores, deportistas, cantantes.

.... a la gente de las últimas noticias que .... en el mundo y .... de los problemas sociales y de las injusticias que sufren y que .... en el futuro muchas personas. Esto quizá pueda ayudar a cambiar las cosas.

Pero antes de todo esto, Juan .... periodismo en la universidad y .... muy duro y .... todos los días muy tarde, de madrugada, para entregar la redacción de las noticias que .... al día siguiente en el periódico. Siempre .... muy atento a las cosas que .... en ese momento a su alrededor.

Quizá, con el tiempo .... un libro y .... sus experiencias como periodista.

■ ¿Qué expresa el uso del futuro en el texto?

....

9. Escriba los verbos del ejercicio anterior en condicional.

futuro	→ viajará ....
condicional	→ viajaría ....

10. Complete las frases con presentes irregulares.

a) Yo (dar) .... siempre todo lo que (tener) ....

b) Ella (soler) .... dar un paseo por las tardes.

c) Yo también (ir) .... con vosotros.

d) Fernando no (pensar) .... casarse con nadie.

e) Este trasto no (servir) .... para nada.

f) José (volver) .... siempre muy tarde del trabajo.

g) Yo no (salir) .... hoy a la calle; hace mucho frío.

h) Ella (preferir) .... la playa a la montaña.

i) Luis (acostarse) .... siempre muy pronto.

j) Yo (conducir) .... muy despacio cuando (llover) ....

11. Una cada imperativo irregular con su infinitivo.

pon	ven	ve	di	salir	hacer	tener	poner
haz	sal	ten	sé	venir	decir	ser	ir

12. Complete las frases con el verbo en imperativo y en la persona que se indica en cada caso.

a) (Levantarse, tú) ...., es muy tarde.

b) (Lavarse, vosotros) .... las manos antes de comer.

c) (Vestirse, ustedes) .... con los trajes nuevos.

d) (Sentarse, usted) .... cerca de la ventana.

e) (Quitarse, ustedes) .... los abrigos si quieren.

f) (Ir, nosotros) .... a la playa, aquí hace calor.

g) (Quedarse, vosotros) .... aquí quietos.

h) (Ponerse, tú) .... el bañador, si quieres ir a nadar.

i) (Abrocharse, ustedes) .... el cinturón de seguridad.

j) (Secarse, vosotros) .... con estas toallas limpias.

13. Ponga en infinitivo los siguientes verbos y después haga una frase con cada uno de ellos.

conduje	conducir	→ Conduje durante todo el viaje.
trajimos	....	→ ....
estuvo	....	→ ....
pusiste	....	→ ....
produje	....	→ ....
dijimos	....	→ ....
anduvisteis	....	→ ....
pudo	....	→ ....
hizo	....	→ ....
tuvimos	....	→ ....
supe	....	→ ....
quise	....	→ ....
tradujo	....	→ ....
compuse	....	→ ....
obtuvieron	....	→ ....

14. Complete las frases con los verbos en pretérito indefinido.

a) Ellos (*venir*) .... muy tarde anoche.

b) Antonio no (*poder*) .... llegar a tiempo.

c) Yo no (*querer*) .... tomar postre.

d) Marta me (*decir*) .... que no podía quedar hoy.

e) Nosotros (*poner*) .... las flores en el jarrón.

f) Pedro (*traer*) .... los libros que le pediste.

g) No (*haber*) .... otra solución para ese problema.

h) Las fuertes lluvias (*producir*) .... el accidente.

i) Nosotros (*hacer*) .... lo que (*poder*) ....

j) Ella (*traducir*) .... la novela que estás leyendo.

k) Juan (*componer*) .... una canción para Carmen.

l) Yo (*estar*) .... en Turquía el verano pasado.

15. Haga una frase con cada uno de estos verbos.

a) nevar → ....

b) amanecer → ....

c) llover → ....

d) tronar → ....

e) anochecer → ....

■ ¿Es posible conjugar estos verbos en primera persona? ¿Por qué? ....

16. Complete el siguiente cuadro.

infinitivo	futuro	condicional
caber	....	cabría
....	diremos	diríamos
....	habrán	....
hacer	.... (tú)	.... (tú)
....	.... (él)	podría (él)
....	pondréis	....
querer	.... (ellos)	.... (ellos)
....	....	sabrías
salir	.... (él)	.... (él)
....	tendrán	....
valer	....	valdrías
venir	.... (yo)	.... (yo)

17. Escriba un texto en que incluya cinco cosas que habrá hecho dentro de diez años.

Dentro de diez años habré terminado mis estudios, ...

....

....

....

DIFICULTAD ***

18. Elija la preposición más adecuada en cada caso.

a) Yo confío ...... ti.

b) Si te apetece, te invito .... un helado.

c) Samuel se enojó .... Raúl sin motivo.

d) Espera .... tu hermano, no tardará mucho.

e) Nosotros nos hemos ilusionado mucho .... el nuevo proyecto.

f) ¿Ustedes irán .... la fiesta esta noche?

g) Ellos se marcharon .... aquí hace cinco minutos.

h) He puesto los abrigos .... el armario.

i) Hoy he soñado .... las vacaciones.

j) ¿Has convencido .... Laura .... que venga?

19. Señale qué indica el verbo destacado en cada caso.

Podrían ir al centro en tren, será más cómodo que el coche.
¿Me **podría** decir qué hora es?
Podríamos quedar mañana.

posibilidad

sugerencia

cortesía

20. Complete el siguiente cuadro.

usted	tú	vos
....	....	¿Tenés hora?
....	¿Hablas algún idioma?	....
¿Vive solo?	....	....
....	¿De dónde eres?	....
¿En qué trabaja?	....	....
....	....	¿Y vos qué decís?
¿Qué estudia?	....	....

1. Hablar: *hablo, hablas, habla, hablamos, habláis, hablan.* Mirar: *miro, miras, mira, miramos, miráis, miran.* Llamar: *llamo, llamas, llama, llamamos, llamáis, llaman.* Correr: *corro, corres, corre, corremos, corréis, corren.* Meter: *meto, metes, mete, metemos, metéis, meten.* Abrir: *abro, abres, abre, abrimos, abrís, abren.* Recibir: *recibo, recibes, recibe, recibimos, recibís, reciben.* Subir: *subo, subes, sube, subimos, subís, suben.*

2. Respuesta tipo: *Todos los días me levanto a las siete y cuarto de la mañana, me ducho y desayuno. Salgo de casa a las ocho y camino hasta el metro. En el trabajo paso la mayor parte del día. Sin embargo, normalmente como en casa con mi marido y con mis dos hijos, y por las tardes vamos al parque a pasear.*

3. a) *estudiamos* e) *coméis* i) *reciben*
   b) *Trabaja* f) *beben* j) *necesitan*
   c) *usa* g) *vive*
   d) *gana* h) *sube*

4. *ha sido; he viajado; He llegado; he preguntado; he buscado; he subido; han saludado; he buscado; he abrochado; ha empezado; ha subido; he visto; Ha sido; he tenido.* ∎ *El pretérito perfecto se usa para expresar una acción terminada, pero muy cercana al tiempo presente en el que se habla.*

5. *fue; viajé; Llegué; pregunté; busqué; subí; saludaron; busqué; abroché; empezó; subió; vi; Fue; tuve.* ∎ *El pretérito indefinido se utiliza para hablar de acciones pasadas y terminadas.*

6. hacer: *hecho;* volver: *vuelto;* decir: *dicho;* ir: *ido;* romper: *roto;* morir: *muerto;* ver: *visto;* escribir: *escrito;* abrir: *abierto;* poner: *puesto.*

7. Infinitivo: *estar, dar, tener, querer, compartir, salir;* Gerundio: *estando, dando, teniendo, queriendo, compartiendo, saliendo;* Participio: *estado, dado, tenido, querido, compartido, salido.* ∎ Respuesta tipo: *¿Van a querer postre?; Estamos teniendo mucha suerte con el tiempo; A Javier le han dado varios regalos.*

8. *viajará; conocerá; entrevistará; informará; ocurrirán; hablará; sufrirán; estudiará; trabajará; se acostará; saldrán; estará; pasarán; escribirá; contará.* ∎ *El futuro en este texto expresa una acción futura.*

9. *viajaría; conocería; entrevistaría; informaría; ocurrirían; hablaría; sufrirían; estudiaría; trabajaría; se acostaría; saldrían; estaría; pasarían; escribiría; contaría.*

10. a) *doy, tengo* e) *sirve* i) *se acuesta*
    b) *suele* f) *vuelve* j) *conduzco, llueve*
    c) *voy* g) *salgo*
    d) *piensa* h) *prefiere*

11. pon: *poner;* ven: *venir;* ve: *ir;* di: *decir;* haz: *hacer;* sal: *salir;* ten: *tener;* sé: *ser.*

12. Levántate; Lavaos; Vístanse; Siéntese; Quítense; Vayamos; Quedaos; Ponte; Abróchense; Secaos.

13. Respuesta tipo: conduje: *conducir* (*Conduje durante todo el viaje*); trajimos: *traer* (*Ayer trajimos los nuevos ordenadores*); estuvo: *estar* (*Ricardo estuvo muy ingenioso durante la cena*); pusiste: *poner* (*¿Pusiste los libros en la estantería?*); produje: *producir* (*Me temo que produje un fallo en el sistema*); dijimos: *decir* (*Nosotros dijimos que vinierais*); anduvisteis: *andar* (*¿Cuánto anduvisteis ayer?*); pudo: *poder* (*Al final no pudo ser*); hizo: *hacer* (*Hoy hace muchísimo calor*); tuvimos: *tener* (*El martes tuvimos que llevar el coche al taller*); supe: *saber* (*Yo no supe la verdad hasta ayer mañana*); quise: *querer* (*El viernes quise ir al cine pero no pude*); tradujo: *traducir* (*Pepe tradujo ese texto al español*); compuse: *componer* (*El año pasado compuse una canción para vosotros*); obtuvieron: *obtener* (*Mis compañeros obtuvieron el premio de la escuela hace dos años*).

14.

a) vinieron	e) pusimos	i) hicimos, pudimos
b) pudo	f) trajo	j) tradujo
c) quise	g) hubo	k) compuso
d) dijo	h) produjeron	l) estuve

15. Respuesta tipo: Esta mañana ha nevado en el norte; A esa hora ya habrá amanecido y habrá mucha luz; ¿Sabes si lloverá esta tarde?; Ha estado tronando toda la noche; En esta época del año anochece muy pronto. ∎ Estos verbos no se pueden conjugar en primera persona porque son verbos defectivos.

16. caber, cabrá, cabría; decir, diremos, diríamos; haber, habrán, habrían; hacer, harás, harías; poder, podrá, podría; poner, pondréis, pondríais; querer, querrán, querrían; saber, sabrás, sabrías; salir, saldrá, saldría; tener, tendrán, tendrían; valer, valdrás, valdrías; venir, vendré, vendría.

17. Respuesta tipo: Dentro de diez años habré terminado mis estudios, me dedicaré a la medicina e investigaré sobre nuevos remedios para enfermedades hasta ahora incurables. Tendré dos o tres hijos y viviré en Buenos Aires como siempre he deseado.

18.

a) *en*	e) *con*	i) *con*
b) *a*	f) *a*	j) *a, de*
c) *con*	g) *de*	
d) *a*	h) *en*	

19. Podrían ir al centro en tren, será más cómodo que el coche → *sugerencia*; ¿Me podría decir qué hora es? → *cortesía*; Podríamos quedar mañana → *posibilidad*.

20. Usted: ¿Tiene hora?; ¿Habla algún idioma?; ¿Vive solo?; ¿De dónde es?; ¿En qué trabaja?; ¿Y usted qué dice?; ¿Qué estudia?

Tú: ¿Tienes hora?; ¿Hablas algún idioma?; ¿Vives solo?; ¿De dónde eres?; ¿En qué trabajas?; ¿Y tú qué dices?; ¿Qué estudias?

Vos: ¿Tenés hora?; ¿Hablás algún idioma?; ¿Vivís solo?; ¿De dónde sos?; ¿En qué trabajás?; ¿Y vos qué decís?; ¿Qué estudiás?

Lista
de verbos

VERBO	TABLA	MODELO	VERBO	TABLA	MODELO
abalanzar(se)	79	UTILIZAR	abombar	4	HABLAR
abalaustrar	4	HABLAR	abominar	4	HABLAR
abalear	4	HABLAR	abonanzar	79	UTILIZAR
abalizar	79	UTILIZAR	abonar	4	HABLAR
abanderar	4	HABLAR	abordar	4	HABLAR
abandonar	4	HABLAR	aborrascarse	71	SACAR
abanicar	71	SACAR	aborrecer	53	PARECER
abaratar	4	HABLAR	aborregarse	52	PAGAR
abarbechar	4	HABLAR	abortar	4	HABLAR
abarcar	71	SACAR	abotargar	52	PAGAR
abarloar	4	HABLAR	abotonar	4	HABLAR
abarquillar	4	HABLAR	abovedar	4	HABLAR
abarrancar	71	SACAR	aboyar	4	HABLAR
abarrotar	4	HABLAR	abrasar	4	HABLAR
abastecer	53	PARECER	abrazar	79	UTILIZAR
abastionar	4	HABLAR	abrevar	4	HABLAR
abatanar	4	HABLAR	abreviar	4	HABLAR
abatir	6	VIVIR	abrigar	52	PAGAR
abdicar	71	SACAR	abrillantar	4	HABLAR
abigarrar	4	HABLAR	abrir**	6	VIVIR
abisagrar	4	HABLAR	abrochar	4	HABLAR
abismar	4	HABLAR	abrogar	52	PAGAR
abjurar	4	HABLAR	abroncar	71	SACAR
ablandar	4	HABLAR	abroquelar(se)	4	HABLAR
ablusar	4	HABLAR	abrumar	4	HABLAR
abnegar(se)	65	REGAR	absolver*	49	MOVER
abobar	4	HABLAR	absorber	5	BEBER
abocar	71	SACAR	abstener(se)	76	TENER
abocetar	4	HABLAR	abstraer	77	TRAER
abochornar	4	HABLAR	abuchear	4	HABLAR
abocinar	4	HABLAR	abullonar	4	HABLAR
abofetear	4	HABLAR	abultar	4	HABLAR
abogar	52	PAGAR	abundar	4	HABLAR
abolir	9	ABOLIR	aburguesar	4	HABLAR
abollar	4	HABLAR	aburrir	6	VIVIR
abolsarse	4	HABLAR			

* Su participio es *absuelto*.

** Su participio es *abierto*.

VERBO	TABLA	MODELO	VERBO	TABLA	MODELO
abusar	4	HABLAR	acezar	79	UTILIZAR
acabar	4	HABLAR	achabacanar	4	HABLAR
acaecer*	53	PARECER	achacar	71	SACAR
acallar	4	HABLAR	achaflanar	4	HABLAR
acalorar	4	HABLAR	achantar	4	HABLAR
acampanar	4	HABLAR	achaparrarse	4	HABLAR
acampar	4	HABLAR	acharolar	4	HABLAR
acanalar	4	HABLAR	achatar	4	HABLAR
acanallar	4	HABLAR	achatarrar	4	HABLAR
acantilar	4	HABLAR	achicar	71	SACAR
acantonar	4	HABLAR	achicharrar	4	HABLAR
acaparar	4	HABLAR	achispar	4	HABLAR
acaramelar	4	HABLAR	achuchar	4	HABLAR
acardenalar	4	HABLAR	achulaparse	4	HABLAR
acariciar	4	HABLAR	achularse	4	HABLAR
acariñar	4	HABLAR	achurar	4	HABLAR
acarrear	4	HABLAR	acicalar	4	HABLAR
acartonar	4	HABLAR	aclamar	4	HABLAR
acatar	4	HABLAR	aclarar	4	HABLAR
acatarrarse	4	HABLAR	aclimatar	4	HABLAR
acaudalar	4	HABLAR	acobardar	4	HABLAR
acaudillar	4	HABLAR	acodar	4	HABLAR
acceder	5	BEBER	acoger	39	ESCOGER
accidentar	4	HABLAR	acogotar	4	HABLAR
accionar	4	HABLAR	acojonar	4	HABLAR
acechar	4	HABLAR	acolchar	4	HABLAR
acecinar	4	HABLAR	acolchonar	4	HABLAR
acedar	4	HABLAR	acometer	5	BEBER
aceitar	4	HABLAR	acomodar	4	HABLAR
acelerar	4	HABLAR	acompañar	4	HABLAR
acendrar	4	HABLAR	acompasar	4	HABLAR
acentuar	10	ACTUAR	acomplejar	4	HABLAR
aceptar	4	HABLAR	aconchabarse	4	HABLAR
acerar	4	HABLAR	acondicionar	4	HABLAR
acercar	71	SACAR	acongojar	4	HABLAR
acertar	55	PENSAR	aconsejar	4	HABLAR

* Verbo defectivo.

VERBO	TABLA	MODELO	VERBO	TABLA	MODELO
aconsonantar	4	HABLAR	acuñar	4	HABLAR
acontecer*	53	PARECER	acurrucarse	71	SACAR
acopiar	4	HABLAR	acusar	4	HABLAR
acoplar	4	HABLAR	adamascar	71	SACAR
acoquinar	4	HABLAR	adaptar	4	HABLAR
acorazar	79	UTILIZAR	adecentar	4	HABLAR
acorchar	4	HABLAR	adecuar	4	HABLAR
acordar	25	CONTAR	adelantar	4	HABLAR
acordonar	4	HABLAR	adelgazar	79	UTILIZAR
acorralar	4	HABLAR	adentrarse	4	HABLAR
acortar	4	HABLAR	aderezar	79	UTILIZAR
acostar	25	CONTAR	adeudar	4	HABLAR
acostumbrar	4	HABLAR	adherir	74	SENTIR
acotar	4	HABLAR	adicionar	4	HABLAR
acotejar	4	HABLAR	adiestrar	4	HABLAR
acrecentar	55	PENSAR	adivinar	4	HABLAR
acrecer	53	PARECER	adjetivar	4	HABLAR
acreditar	4	HABLAR	adjudicar	71	SACAR
acribillar	4	HABLAR	adjuntar	4	HABLAR
acriollarse	4	HABLAR	administrar	4	HABLAR
acrisolar	4	HABLAR	admirar	4	HABLAR
acristalar	4	HABLAR	admitir	6	VIVIR
acristianar	4	HABLAR	adobar	4	HABLAR
activar	4	HABLAR	adocenar	4	HABLAR
actualizar	79	UTILIZAR	adoctrinar	4	HABLAR
actuar	10	ACTUAR	adolecer	53	PARECER
acuartelar	4	HABLAR	adoptar	4	HABLAR
acuatizar	79	UTILIZAR	adoquinar	4	HABLAR
acuchillar	4	HABLAR	adorar	4	HABLAR
acuciar	4	HABLAR	adormecer	53	PARECER
acuclillarse	4	HABLAR	adormilarse	4	HABLAR
acudir	6	VIVIR	adormitarse	4	HABLAR
acuitar	4	HABLAR	adornar	4	HABLAR
acular	4	HABLAR	adosar	4	HABLAR
acumular	4	HABLAR	adquirir	11	ADQUIRIR
acunar	4	HABLAR	adscribir*	6	VIVIR

* Verbo defectivo. * Su participio es *adscrito*.

VERBO	TABLA	MODELO	VERBO	TABLA	MODELO
adsorber	5	BEBER	afrontar	4	HABLAR
aducir	24	CONDUCIR	agachar	4	HABLAR
adueñarse	4	HABLAR	agarrar	4	HABLAR
adujar(se)	4	HABLAR	agarrotar	4	HABLAR
adular	4	HABLAR	agasajar	4	HABLAR
adulterar	4	HABLAR	agavillar	4	HABLAR
advenir	82	VENIR	agazapar(se)	4	HABLAR
adverbializar	79	UTILIZAR	agenciar	4	HABLAR
advertir	74	SENTIR	agigantar	4	HABLAR
aerotransportar	4	HABLAR	agilipollar	4	HABLAR
afamar	4	HABLAR	agilizar	79	UTILIZAR
afanar	4	HABLAR	agitanar	4	HABLAR
afear	4	HABLAR	agitar	4	HABLAR
afectar	4	HABLAR	aglomerar	4	HABLAR
afeitar	4	HABLAR	aglutinar	4	HABLAR
afelpar	4	HABLAR	agobiar	4	HABLAR
afeminar	4	HABLAR	agolpar(se)	4	HABLAR
aferrar	4	HABLAR	agonizar	79	UTILIZAR
afianzar	79	UTILIZAR	agorar	12	AGORAR
aficionar	4	HABLAR	agostar	4	HABLAR
afilar	4	HABLAR	agotar	4	HABLAR
afiliar	4	HABLAR	agraciar	4	HABLAR
afiligranar	4	HABLAR	agradar	4	HABLAR
afinar	4	HABLAR	agradecer	53	PARECER
afincar	71	SACAR	agrandar	4	HABLAR
afirmar	4	HABLAR	agravar	4	HABLAR
aflautar	4	HABLAR	agraviar	4	HABLAR
afligir	30	DIRIGIR	agredir	9	ABOLIR
aflojar	4	HABLAR	agregar	52	PAGAR
aflorar	4	HABLAR	agremiar	4	HABLAR
afluir	43	HUIR	agriar	41	GUIAR
afofarse	4	HABLAR	agrietar	4	HABLAR
aforar	25	CONTAR	agringarse	52	PAGAR
afrancesar	4	HABLAR	agripar(se)	4	HABLAR
afrentar	4	HABLAR	agrisar	4	HABLAR
africanizar	79	UTILIZAR	agrumar	4	HABLAR

VERBO	TABLA	MODELO	VERBO	TABLA	MODELO
agrupar	4	HABLAR	ajuntar	4	HABLAR
aguachinar	4	HABLAR	ajustar	4	HABLAR
aguaitar	4	HABLAR	ajusticiar	4	HABLAR
aguantar	4	HABLAR	alabar	4	HABLAR
aguar	17	AVERIGUAR	alabear	4	HABLAR
aguardar	4	HABLAR	alaciarse	4	HABLAR
agudizar	79	UTILIZAR	alagar	52	PAGAR
aguerrir	9	ABOLIR	alambicar	71	SACAR
aguijar	4	HABLAR	alambrar	4	HABLAR
aguijonear	4	HABLAR	alancear	4	HABLAR
agujerear	4	HABLAR	alardear	4	HABLAR
agusanarse	4	HABLAR	alargar	52	PAGAR
aguzar	79	UTILIZAR	alarmar	4	HABLAR
ahechar	4	HABLAR	albardar	4	HABLAR
aherrojar	4	HABLAR	albergar	52	PAGAR
aherrumbrar(se)	4	HABLAR	alborear	4	HABLAR
ahijar	41	GUIAR	alborotar	4	HABLAR
ahilar(se)	41	GUIAR	alborozar	79	UTILIZAR
ahogar	52	PAGAR	alcahuetear	4	HABLAR
ahojar	4	HABLAR	alcalinizar	79	UTILIZAR
ahondar	4	HABLAR	alcanforar	4	HABLAR
ahorcar	71	SACAR	alcantarillar	4	HABLAR
ahormar	4	HABLAR	alcanzar	79	UTILIZAR
ahornar	4	HABLAR	alcoholizar(se)	79	UTILIZAR
ahorquillar	4	HABLAR	alear	4	HABLAR
ahorrar	4	HABLAR	alebrestarse	4	HABLAR
ahuecar	71	SACAR	aleccionar	4	HABLAR
ahuevar	4	HABLAR	alegar	52	PAGAR
ahumar	10	ACTUAR	alegorizar	79	UTILIZAR
ahuyentar	4	HABLAR	alegrar	4	HABLAR
airar	41	GUIAR	alejar	4	HABLAR
airear	4	HABLAR	alelar	4	HABLAR
aislar	41	GUIAR	alentar	55	PENSAR
ajar	4	HABLAR	alertar	4	HABLAR
ajardinar	4	HABLAR	aletargar	52	PAGAR
ajetrear(se)	4	HABLAR	aletear	4	HABLAR

VERBO	TABLA	MODELO	VERBO	TABLA	MODELO
alfabetizar	79	UTILIZAR	amainar	4	HABLAR
alfombrar	4	HABLAR	amalgamar	4	HABLAR
aliar	41	GUIAR	amamantar	4	HABLAR
alicatar	4	HABLAR	amancebarse	4	HABLAR
alienar	4	HABLAR	amanecer	53	PARECER
aligerar	4	HABLAR	amanerar	4	HABLAR
alimentar	4	HABLAR	amansar	4	HABLAR
alindar	4	HABLAR	amañar	4	HABLAR
alinear	4	HABLAR	amar	4	HABLAR
aliñar	4	HABLAR	amarar	4	HABLAR
aliquebrar	55	PENSAR	amargar	52	PAGAR
alisar	4	HABLAR	amariconar	4	HABLAR
alistar	4	HABLAR	amarillear	4	HABLAR
aliviar	4	HABLAR	amarrar	4	HABLAR
allanar	4	HABLAR	amartelar(se)	4	HABLAR
allegar	52	PAGAR	amartillar	4	HABLAR
almacenar	4	HABLAR	amasar	4	HABLAR
almibarar	4	HABLAR	amazacotar	4	HABLAR
almidonar	4	HABLAR	ambicionar	4	HABLAR
almohadillar	4	HABLAR	ambientar	4	HABLAR
almorzar	40	FORZAR	amedrentar	4	HABLAR
alocar	71	SACAR	amelgar	52	PAGAR
alojar	4	HABLAR	amenazar	79	UTILIZAR
alquilar	4	HABLAR	amenizar	79	UTILIZAR
alquitranar	4	HABLAR	americanizar	79	UTILIZAR
alterar	4	HABLAR	ameritar	4	HABLAR
altercar	71	SACAR	amerizar	79	UTILIZAR
alternar	4	HABLAR	ametrallar	4	HABLAR
alucinar	4	HABLAR	amigar	52	PAGAR
aludir	6	VIVIR	amilanar	4	HABLAR
alumbrar	4	HABLAR	aminorar	4	HABLAR
alunizar	79	UTILIZAR	amistar	4	HABLAR
alzar	79	UTILIZAR	amnistiar	41	GUIAR
amadrinar	4	HABLAR	amodorrar	4	HABLAR
amaestrar	4	HABLAR	amohinar(se)	41	GUIAR
amagar	52	PAGAR	amojamar	4	HABLAR

VERBO	TABLA	MODELO	VERBO	TABLA	MODELO
amojonar	4	HABLAR	angustiar	4	HABLAR
amolar	25	CONTAR	anhelar	4	HABLAR
amoldar	4	HABLAR	anidar	4	HABLAR
amonarse	4	HABLAR	anieblar(se)	4	HABLAR
amonedar	4	HABLAR	anillar	4	HABLAR
amonestar	4	HABLAR	animalizar	79	UTILIZAR
amontonar	4	HABLAR	animar	4	HABLAR
amoratarse	4	HABLAR	aniñarse	4	HABLAR
amordazar	79	UTILIZAR	aniquilar	4	HABLAR
amorrar	4	HABLAR	anisar	4	HABLAR
amortajar	4	HABLAR	anochecer	53	PARECER
amortecer	53	PARECER	anonadar	4	HABLAR
amortiguar	17	AVERIGUAR	anotar	4	HABLAR
amortizar	79	UTILIZAR	anquilosar	4	HABLAR
amoscar(se)	71	SACAR	ansiar	41	GUIAR
amotinar	4	HABLAR	antagonizar	79	UTILIZAR
amparar	4	HABLAR	anteceder	5	BEBER
ampliar	41	GUIAR	anteponer	60	PONER
amplificar	71	SACAR	anticipar	4	HABLAR
amputar	4	HABLAR	anticuar(se)	4	HABLAR
amueblar	4	HABLAR	antojarse	4	HABLAR
amuermar	4	HABLAR	anualizar	79	UTILIZAR
amurallar	4	HABLAR	anublar	4	HABLAR
analizar	79	UTILIZAR	anudar	4	HABLAR
anarquizar	79	UTILIZAR	anular	4	HABLAR
anatematizar	79	UTILIZAR	anunciar	4	HABLAR
anatemizar	79	UTILIZAR	añadir	6	VIVIR
anclar	4	HABLAR	añejar(se)	4	HABLAR
andamiar	4	HABLAR	añorar	4	HABLAR
andar	13	ANDAR	aojar	4	HABLAR
aneblar(se)	55	PENSAR	aovar	4	HABLAR
anegar	52	PAGAR	aovillarse	4	HABLAR
anejar	4	HABLAR	apabullar	4	HABLAR
anestesiar	4	HABLAR	apacentar	55	PENSAR
anexar	4	HABLAR	apachurrar	4	HABLAR
anexionar	4	HABLAR	apaciguar	17	AVERIGUAR

VERBO	TABLA	MODELO	VERBO	TABLA	MODELO
apadrinar	4	HABLAR	apesadumbrar	4	HABLAR
apagar	52	PAGAR	apestar	4	HABLAR
apaisar	4	HABLAR	apetecer	53	PARECER
apalabrar	4	HABLAR	apiadar	4	HABLAR
apalancar	71	SACAR	apianar	4	HABLAR
apalear	4	HABLAR	apicararse	4	HABLAR
apandar	4	HABLAR	apilar	4	HABLAR
apantanar	4	HABLAR	apimplarse	4	HABLAR
apañar	4	HABLAR	apiñar	4	HABLAR
apapachar	4	HABLAR	apiolar	4	HABLAR
aparcar	71	SACAR	apiparse	4	HABLAR
aparear	4	HABLAR	apiporrarse	4	HABLAR
aparecer	53	PARECER	apisonar	4	HABLAR
aparejar	4	HABLAR	aplacar	71	SACAR
aparentar	4	HABLAR	aplanar	4	HABLAR
aparienciar	4	HABLAR	aplastar	4	HABLAR
apartar	4	HABLAR	aplatanar	4	HABLAR
aparvar	4	HABLAR	aplaudir	6	VIVIR
apasionar	4	HABLAR	aplazar	79	UTILIZAR
apear	4	HABLAR	aplebeyar	4	HABLAR
apechar	4	HABLAR	aplicar	71	SACAR
apechugar	52	PAGAR	aplomar	4	HABLAR
apedrear	4	HABLAR	apocar	71	SACAR
apegar(se)	52	PAGAR	apocopar	4	HABLAR
apelambrar	4	HABLAR	apodar	4	HABLAR
apelar	4	HABLAR	apoderar	4	HABLAR
apellidar	4	HABLAR	apolillar(se)	4	HABLAR
apelmazar(se)	79	UTILIZAR	apoltronarse	4	HABLAR
apelotonar	4	HABLAR	apoquinar	4	HABLAR
apenar	4	HABLAR	aporrear	4	HABLAR
apencar	71	SACAR	aportar	4	HABLAR
apercibir	6	VIVIR	aportillar	4	HABLAR
apergaminarse	4	HABLAR	aposentar	4	HABLAR
aperrear	4	HABLAR	apostar	25	CONTAR
apersonarse	4	HABLAR	apostatar	4	HABLAR
aperturar	4	HABLAR	apostillar	4	HABLAR

VERBO	TABLA	MODELO	VERBO	TABLA	MODELO
apostrofar	4	HABLAR	arcaizar	79	UTILIZAR
apoyar	4	HABLAR	archivar	4	HABLAR
apreciar	4	HABLAR	arder	5	BEBER
aprehender	5	BEBER	arenar	4	HABLAR
apremiar	4	HABLAR	arengar	52	PAGAR
aprender	5	BEBER	argüir	14	ARGÜIR
apresar	4	HABLAR	argumentar	4	HABLAR
aprestar	4	HABLAR	armar	4	HABLAR
apresurar	4	HABLAR	armonizar	79	UTILIZAR
apretar	55	PENSAR	aromatizar	79	UTILIZAR
apretujar	4	HABLAR	arpegiar	4	HABLAR
aprisionar	4	HABLAR	arponear	4	HABLAR
aprobar	25	CONTAR	arquear	4	HABLAR
aprontar	4	HABLAR	arracimarse	4	HABLAR
apropiar	4	HABLAR	arraigar	52	PAGAR
apropincuarse	4	HABLAR	arramblar	4	HABLAR
aprovechar	4	HABLAR	arramplar	4	HABLAR
aprovisionar	4	HABLAR	arrancar	71	SACAR
aproximar	4	HABLAR	arrasar	4	HABLAR
apunarse	4	HABLAR	arrascar	71	SACAR
apuntalar	4	HABLAR	arrastrar	4	HABLAR
apuntar	4	HABLAR	arrear	4	HABLAR
apuntillar	4	HABLAR	arrebañar	4	HABLAR
apuñalar	4	HABLAR	arrebatar	4	HABLAR
apurar	4	HABLAR	arrebolar	4	HABLAR
aquejar	4	HABLAR	arrebujar	4	HABLAR
aquerenciarse	4	HABLAR	arrechar(se)	4	HABLAR
aquietar	4	HABLAR	arreciar	4	HABLAR
aquilatar	4	HABLAR	arredrar	4	HABLAR
arabizar	79	UTILIZAR	arreglar	4	HABLAR
arañar	4	HABLAR	arrejuntarse	4	HABLAR
arar	4	HABLAR	arrellanarse	4	HABLAR
arbitrar	4	HABLAR	arremangar	52	PAGAR
arbolar	4	HABLAR	arremeter	5	BEBER
arborizar	79	UTILIZAR	arremolinar	4	HABLAR
arcabucear	4	HABLAR	arrempujar	4	HABLAR

VERBO	TABLA	MODELO	VERBO	TABLA	MODELO
arrendar	55	PENSAR	asentar	55	PENSAR
arrepanchigarse	52	PAGAR	asentir	74	SENTIR
arrepentirse	74	SENTIR	aserrar	55	PENSAR
arrestar	4	HABLAR	asertar	4	HABLAR
arriar	41	GUIAR	asesar	4	HABLAR
arribar	4	HABLAR	asesinar	4	HABLAR
arriesgar	52	PAGAR	asesorar	4	HABLAR
arrimar	4	HABLAR	asestar	55	PENSAR
arrinconar	4	HABLAR	aseverar	4	HABLAR
arrobar	4	HABLAR	asfaltar	4	HABLAR
arrodillar	4	HABLAR	asfixiar	4	HABLAR
arrogar	52	PAGAR	asignar	4	HABLAR
arrojar	4	HABLAR	asilar	4	HABLAR
arrollar	4	HABLAR	asilvestrar	4	HABLAR
arromanzar	79	UTILIZAR	asimilar	4	HABLAR
arropar	4	HABLAR	asir	15	ASIR
arrostrar	4	HABLAR	asistir	6	VIVIR
arroyar	4	HABLAR	asociar	4	HABLAR
arruar	10	ACTUAR	asolar	25	CONTAR
arrufar	4	HABLAR	asolear	4	HABLAR
arrugar	52	PAGAR	asomar	4	HABLAR
arruinar	4	HABLAR	asombrar	4	HABLAR
arrullar	4	HABLAR	asonantar	4	HABLAR
arrumar	4	HABLAR	asonar	25	CONTAR
arrumbar	4	HABLAR	asordar	4	HABLAR
articular	4	HABLAR	asorochar	4	HABLAR
asaetar	4	HABLAR	asperger	39	ESCOGER
asaetear	4	HABLAR	asperjar	4	HABLAR
asalariar	4	HABLAR	aspirar	4	HABLAR
asaltar	4	HABLAR	asquear	4	HABLAR
asar	4	HABLAR	astillar	4	HABLAR
ascender	56	PERDER	astreñir	21	CEÑIR
asear	4	HABLAR	astringir	30	DIRIGIR
asediar	4	HABLAR	asumir	6	VIVIR
asegurar	4	HABLAR	asustar	4	HABLAR
asemejar	4	HABLAR	atacar	71	SACAR

VERBO	TABLA	MODELO	VERBO	TABLA	MODELO
atafagar	52	PAGAR	atontar	4	HABLAR
atajar	4	HABLAR	atontolinar	4	HABLAR
atalajar	4	HABLAR	atorar	4	HABLAR
atañer*	75	TAÑER	atormentar	4	HABLAR
atar	4	HABLAR	atornillar	4	HABLAR
atarantar	4	HABLAR	atortolar(se)	4	HABLAR
atardecer	53	PARECER	atosigar	52	PAGAR
atarear(se)	4	HABLAR	atracar	71	SACAR
atarugar(se)	52	PAGAR	atraer	77	TRAER
atascar	71	SACAR	atragantar(se)	4	HABLAR
ataviar	41	GUIAR	atrancar	71	SACAR
atemorizar	79	UTILIZAR	atrapar	4	HABLAR
atemperar	4	HABLAR	atrasar	4	HABLAR
atenazar	79	UTILIZAR	atravesar	55	PENSAR
atender	56	PERDER	atrever(se)	8	ATREVERSE
atener(se)	76	TENER	atribuir	43	HUIR
atentar	4	HABLAR	atribular	4	HABLAR
atenuar	10	ACTUAR	atrincar	71	SACAR
aterir	9	ABOLIR	atrincherar	4	HABLAR
aterrar	4	HABLAR	atrofiar	4	HABLAR
aterrizar	79	UTILIZAR	atronar	25	CONTAR
aterrorizar	79	UTILIZAR	atropellar	4	HABLAR
atesorar	4	HABLAR	atufar	4	HABLAR
atestar	4	HABLAR	aturdir	6	VIVIR
atestiguar	17	AVERIGUAR	aturullar	4	HABLAR
atezar	79	UTILIZAR	atusar	4	HABLAR
atiborrar	4	HABLAR	auditar	4	HABLAR
atildar	4	HABLAR	augurar	4	HABLAR
atinar	4	HABLAR	aullar	10	ACTUAR
atiplar	4	HABLAR	aumentar	4	HABLAR
atirantar	4	HABLAR	aunar	10	ACTUAR
atisbar	4	HABLAR	aupar	10	ACTUAR
atizar	79	UTILIZAR	aureolar	4	HABLAR
atollar(se)	4	HABLAR	auscultar	4	HABLAR
atolondrar	4	HABLAR	ausentar	4	HABLAR
atomizar	79	UTILIZAR	auspiciar	4	HABLAR

* Verbo defectivo.

VERBO	TABLA	MODELO	VERBO	TABLA	MODELO
autenticar	71	SACAR	azotar	4	HABLAR
autentificar	71	SACAR	azucarar	4	HABLAR
automatizar	79	UTILIZAR	azufrar	4	HABLAR
automedicarse	71	SACAR	azular	4	HABLAR
autorizar	79	UTILIZAR	azulear	4	HABLAR
auxiliar	4	HABLAR	azuzar	79	UTILIZAR
avalar	4	HABLAR	babear	4	HABLAR
avanzar	79	UTILIZAR	babosear	4	HABLAR
avasallar	4	HABLAR	bachear	4	HABLAR
avecinar	4	HABLAR	bailar	4	HABLAR
avecindar(se)	4	HABLAR	bailotear	4	HABLAR
avejentar	4	HABLAR	bajar	4	HABLAR
avenar	4	HABLAR	bajear	4	HABLAR
avenir	82	VENIR	balacear	4	HABLAR
aventajar	4	HABLAR	baladronear	4	HABLAR
aventar	55	PENSAR	balancear	4	HABLAR
aventurar	4	HABLAR	balar	4	HABLAR
avergonzar	16	AVERGONZAR	balastar	4	HABLAR
averiar	41	GUIAR	balbucear	4	HABLAR
averiguar	17	AVERIGUAR	balbucir*	6	VIVIR
aviar	41	GUIAR	balcanizar	79	UTILIZAR
avillanar	4	HABLAR	baldar	4	HABLAR
avinagrar	4	HABLAR	baldear	4	HABLAR
avisar	4	HABLAR	baldonar	4	HABLAR
avispar	4	HABLAR	baldonear	4	HABLAR
avistar	4	HABLAR	balear	4	HABLAR
avituallar	4	HABLAR	balizar	79	UTILIZAR
avivar	4	HABLAR	bambalear(se)	4	HABLAR
avizorar	4	HABLAR	bambanear(se)	4	HABLAR
ayudar	4	HABLAR	bambolear(se)	4	HABLAR
ayunar	4	HABLAR	bambonear	4	HABLAR
ayuntar	4	HABLAR	bandear	4	HABLAR
azacanear	4	HABLAR	banderillear	4	HABLAR
azarar	4	HABLAR	banquetear	4	HABLAR
azogar	52	PAGAR	bañar	4	HABLAR
azorar	4	HABLAR	baquear	4	HABLAR

* Verbo defectivo.

VERBO	TABLA	MODELO	VERBO	TABLA	MODELO
baquetear	4	HABLAR	bendecir*	18	BENDECIR
barajar	4	HABLAR	beneficiar	4	HABLAR
baratear	4	HABLAR	berrear	4	HABLAR
barbar	4	HABLAR	besar	4	HABLAR
barbarizar	79	UTILIZAR	bestializarse	79	UTILIZAR
barbear	4	HABLAR	besucar	71	SACAR
barbechar	4	HABLAR	besuquear	4	HABLAR
barbotar	4	HABLAR	bieldar	4	HABLAR
barbotear	4	HABLAR	bienquerer	63	QUERER
barbullar	4	HABLAR	bienvivir	6	VIVIR
baremar	4	HABLAR	bifurcarse	71	SACAR
barloar	4	HABLAR	bilocarse	71	SACAR
barloventear	4	HABLAR	binar	4	HABLAR
barnizar	79	UTILIZAR	biografiar	41	GUIAR
barrenar	4	HABLAR	birlar	4	HABLAR
barrer	5	BEBER	bisar	4	HABLAR
barritar	4	HABLAR	bisbisar	4	HABLAR
barruntar	4	HABLAR	bisbisear	4	HABLAR
basar	4	HABLAR	bisecar	71	SACAR
bascular	4	HABLAR	biselar	4	HABLAR
bastantear	4	HABLAR	bizcar	71	SACAR
bastar	4	HABLAR	bizcochar	4	HABLAR
batallar	4	HABLAR	bizquear	4	HABLAR
batanar	4	HABLAR	blandir	9	ABOLIR
batanear	4	HABLAR	blanquear	4	HABLAR
batear	4	HABLAR	blanquecer	53	PARECER
batir	6	VIVIR	blasfemar	4	HABLAR
batojar	4	HABLAR	blasonar	4	HABLAR
bautizar	79	UTILIZAR	blindar	4	HABLAR
beatificar	71	SACAR	blocar	71	SACAR
beber	5	BEBER	bloquear	4	HABLAR
becar	71	SACAR	bobear	4	HABLAR
befar	4	HABLAR	bobinar	4	HABLAR
beldar	55	PENSAR	bocezar	79	UTILIZAR
			bogar	52	PAGAR
			boicotear	4	HABLAR

* Tiene un participio regular (*bendecido*) que se usa en la conjugación y otro irregular (*bendito*) que se usa como adjetivo.

VERBO	TABLA	MODELO	VERBO	TABLA	MODELO
bojar	4	HABLAR	bruñir	58	PLAÑIR
bolear	4	HABLAR	bruzar	79	UTILIZAR
bollar	4	HABLAR	bucear	4	HABLAR
bombardear	4	HABLAR	bufar	4	HABLAR
bombear	4	HABLAR	buitrear	4	HABLAR
bonificar	71	SACAR	bullir	58	PLAÑIR
boquear	4	HABLAR	burbujear	4	HABLAR
borbollar	4	HABLAR	burilar	4	HABLAR
borbotar	4	HABLAR	burlar	4	HABLAR
borbotear	4	HABLAR	burocratizar	79	UTILIZAR
bordar	4	HABLAR	burrajear	4	HABLAR
bordear	4	HABLAR	buscar	71	SACAR
bornear	4	HABLAR	buzar	79	UTILIZAR
borrajear	4	HABLAR	buzonear	4	HABLAR
borrar	4	HABLAR	cabalgar	52	PAGAR
borronear	4	HABLAR	cabecear	4	HABLAR
bosquejar	4	HABLAR	caber	19	CABER
bostezar	79	UTILIZAR	cabildear	4	HABLAR
botar	4	HABLAR	cablear	4	HABLAR
boxear	4	HABLAR	cablegrafiar	41	GUIAR
bracear	4	HABLAR	cabrear	4	HABLAR
bramar	4	HABLAR	cabrillear	4	HABLAR
brasear	4	HABLAR	cacarear	4	HABLAR
brear	4	HABLAR	cachar	4	HABLAR
bregar	52	PAGAR	cachear	4	HABLAR
brescar	71	SACAR	cachondear(se)	4	HABLAR
brillar	4	HABLAR	caciquear	4	HABLAR
brincar	71	SACAR	caducar	71	SACAR
brindar	4	HABLAR	caer	20	CAER
briscar	71	SACAR	cagar	52	PAGAR
bromear	4	HABLAR	calafatear	4	HABLAR
broncear	4	HABLAR	calandrar	4	HABLAR
brotar	4	HABLAR	calar	4	HABLAR
brozar	79	UTILIZAR	calcar	71	SACAR
brujear	4	HABLAR	calcetar	4	HABLAR
brujulear	4	HABLAR	calcificar	71	SACAR

VERBO	TABLA	MODELO	VERBO	TABLA	MODELO
calcinar	4	HABLAR	capacitar	4	HABLAR
calcular	4	HABLAR	capar	4	HABLAR
caldear	4	HABLAR	capear	4	HABLAR
calendarizar	79	UTILIZAR	capiscar	71	SACAR
calentar	55	PENSAR	capitalizar	79	UTILIZAR
calibrar	4	HABLAR	capitanear	4	HABLAR
calificar	71	SACAR	capitular	4	HABLAR
caligrafiar	41	GUIAR	capotar	4	HABLAR
callar	4	HABLAR	capotear	4	HABLAR
callejear	4	HABLAR	captar	4	HABLAR
calmar	4	HABLAR	capturar	4	HABLAR
calumniar	4	HABLAR	caracolear	4	HABLAR
calzar	79	UTILIZAR	caracterizar	79	UTILIZAR
cambalachear	4	HABLAR	caramelizar	79	UTILIZAR
cambiar	4	HABLAR	carbonizar	79	UTILIZAR
camelar	4	HABLAR	carburar	4	HABLAR
caminar	4	HABLAR	carcajear(se)	4	HABLAR
campanear	4	HABLAR	carcomer	5	BEBER
campanillear	4	HABLAR	cardar	4	HABLAR
campar	4	HABLAR	carear	4	HABLAR
campear	4	HABLAR	carecer	53	PARECER
camuflar	4	HABLAR	carenar	4	HABLAR
canalear	4	HABLAR	cargar	52	PAGAR
canalizar	79	UTILIZAR	cariar	4	HABLAR
cancelar	4	HABLAR	caricaturizar	79	UTILIZAR
cancerar	4	HABLAR	carnear	4	HABLAR
candar	4	HABLAR	carraspear	4	HABLAR
canear	4	HABLAR	carrilar	4	HABLAR
canibalizar	79	UTILIZAR	cartear(se)	4	HABLAR
canjear	4	HABLAR	cartografiar	41	GUIAR
canonizar	79	UTILIZAR	casar	4	HABLAR
cansar	4	HABLAR	cascabelear	4	HABLAR
cantar	4	HABLAR	cascar	71	SACAR
cantear	4	HABLAR	castañear	4	HABLAR
canturrear	4	HABLAR	castañetear	4	HABLAR
cañonear	4	HABLAR	castellanizar	79	UTILIZAR

VERBO	TABLA	MODELO	VERBO	TABLA	MODELO
castigar	52	PAGAR	centuplicar	71	SACAR
castrar	4	HABLAR	ceñir	21	CEÑIR
catalanizar	79	UTILIZAR	cepillar	4	HABLAR
catalizar	79	UTILIZAR	cercar	71	SACAR
catalogar	52	PAGAR	cercenar	4	HABLAR
catapultar	4	HABLAR	cerciorar	4	HABLAR
catar	4	HABLAR	cerner	56	PERDER
catear	4	HABLAR	cernir	31	DISCERNIR
categorizar	79	UTILIZAR	cerrar	55	PENSAR
catequizar	79	UTILIZAR	certificar	71	SACAR
causar	4	HABLAR	cesantear	4	HABLAR
cauterizar	79	UTILIZAR	cesar	4	HABLAR
cautivar	4	HABLAR	chacharear	4	HABLAR
cavar	4	HABLAR	chafar	4	HABLAR
cavilar	4	HABLAR	chalanear	4	HABLAR
cazar	79	UTILIZAR	chalar	4	HABLAR
cebar	4	HABLAR	chamarilear	4	HABLAR
cecear	4	HABLAR	chamullar	4	HABLAR
cecinar	4	HABLAR	chamuscar	71	SACAR
ceder	5	BEBER	chancear	4	HABLAR
cegar	65	REGAR	chancletear	4	HABLAR
cejar	4	HABLAR	changar	52	PAGAR
celar	4	HABLAR	chantajear	4	HABLAR
celebrar	4	HABLAR	chapalear	4	HABLAR
cellisquear	4	HABLAR	chapar	4	HABLAR
cementar	4	HABLAR	chapear	4	HABLAR
cenar	4	HABLAR	chapotear	4	HABLAR
cencerrear	4	HABLAR	chapucear	4	HABLAR
cendrar	4	HABLAR	chapurrar	4	HABLAR
censar	4	HABLAR	chapurrear	4	HABLAR
censurar	4	HABLAR	chapuzar	79	UTILIZAR
centellar	4	HABLAR	chaquetear	4	HABLAR
centellear	4	HABLAR	charlar	4	HABLAR
centralizar	79	UTILIZAR	charlatanear	4	HABLAR
centrar	4	HABLAR	charlotear	4	HABLAR
centrifugar	52	PAGAR	charolar	4	HABLAR

VERBO	TABLA	MODELO	VERBO	TABLA	MODELO
chascar	71	SACAR	cimbrar	4	HABLAR
chasquear	4	HABLAR	cimbrear	4	HABLAR
chatear	4	HABLAR	cimentar	4	HABLAR
checar	71	SACAR	cincelar	4	HABLAR
chequear	4	HABLAR	cinchar	4	HABLAR
chicolear	4	HABLAR	cinematografiar	41	GUIAR
chichear	4	HABLAR	cinglar	4	HABLAR
chiflar	4	HABLAR	circuir	43	HUIR
chillar	4	HABLAR	circular	4	HABLAR
chinchar	4	HABLAR	circuncidar	4	HABLAR
chingar	52	PAGAR	circundar	4	HABLAR
chirlar	4	HABLAR	circunferir	74	SENTIR
chirriar	41	GUIAR	circunnavegar	52	PAGAR
chiscar	71	SACAR	circunscribir*	6	VIVIR
chismorrear	4	HABLAR	circunvalar	4	HABLAR
chispear	4	HABLAR	ciscar	71	SACAR
chisporrotear	4	HABLAR	citar	4	HABLAR
chistar	4	HABLAR	civilizar	79	UTILIZAR
chivar(se)	4	HABLAR	cizañar	4	HABLAR
chocar	71	SACAR	clamar	4	HABLAR
chochear	4	HABLAR	clarear	4	HABLAR
choricear	4	HABLAR	clarificar	71	SACAR
chorizar	79	UTILIZAR	clasificar	71	SACAR
chorrear	4	HABLAR	claudicar	71	SACAR
chotear(se)	4	HABLAR	clausurar	4	HABLAR
chuflar	4	HABLAR	clavar	4	HABLAR
chulear	4	HABLAR	clavetear	4	HABLAR
chunguearse	4	HABLAR	climatizar	79	UTILIZAR
chupar	4	HABLAR	clocar	78	TROCAR
chupetear	4	HABLAR	cloquear	4	HABLAR
churruscar	71	SACAR	clorar	4	HABLAR
chutar	4	HABLAR	cloroformizar	79	UTILIZAR
ciar	41	GUIAR	coaccionar	4	HABLAR
cicatear	4	HABLAR	coadyuvar	4	HABLAR
cicatrizar	79	UTILIZAR	coagular	4	HABLAR
cifrar	4	HABLAR	coaligar	52	PAGAR
			* Su participio es *circunscrito*.		

VERBO	TABLA	MODELO	VERBO	TABLA	MODELO
coartar	4	HABLAR	colonizar	79	UTILIZAR
cobijar	4	HABLAR	colorar	4	HABLAR
cobrar	4	HABLAR	colorear	4	HABLAR
cocear	4	HABLAR	columbrar	4	HABLAR
cocer	22	COCER	columpiar	4	HABLAR
cocinar	4	HABLAR	comadrear	4	HABLAR
codear	4	HABLAR	comandar	4	HABLAR
codiciar	4	HABLAR	comanditar	4	HABLAR
codificar	71	SACAR	combar	4	HABLAR
codirigir	30	DIRIGIR	combatir	6	VIVIR
coercer	81	VENCER	combinar	4	HABLAR
coexistir	6	VIVIR	comedir(se)	54	PEDIR
coger	39	ESCOGER	comentar	4	HABLAR
cohabitar	4	HABLAR	comenzar	35	EMPEZAR
cohechar	4	HABLAR	comer	5	BEBER
cohesionar	4	HABLAR	comercializar	79	UTILIZAR
cohibir	62	PROHIBIR	comerciar	4	HABLAR
cohonestar	4	HABLAR	cometer	5	BEBER
coincidir	6	VIVIR	comisar	4	HABLAR
cojear	4	HABLAR	comiscar	71	SACAR
cojudear	4	HABLAR	comisionar	4	HABLAR
colaborar	4	HABLAR	comisquear	4	HABLAR
colapsar	4	HABLAR	compactar	4	HABLAR
colar	25	CONTAR	compadecer	53	PARECER
colear	4	HABLAR	compadrar	4	HABLAR
coleccionar	4	HABLAR	compadrear	4	HABLAR
colectar	4	HABLAR	compaginar	4	HABLAR
colectivizar	79	UTILIZAR	comparar	4	HABLAR
colegiar(se)	4	HABLAR	comparecer	53	PARECER
colegir	34	ELEGIR	compartimentar	4	HABLAR
colgar	23	COLGAR	compartir	6	VIVIR
coligar	52	PAGAR	compasar	4	HABLAR
colindar	4	HABLAR	compatibilizar	79	UTILIZAR
colisionar	4	HABLAR	compeler	5	BEBER
colmar	4	HABLAR	compelir	6	VIVIR
colocar	71	SACAR	compendiar	4	HABLAR

VERBO	TABLA	MODELO	VERBO	TABLA	MODELO
compenetrarse	4	HABLAR	conciliar	4	HABLAR
compensar	4	HABLAR	concitar	4	HABLAR
competer	5	BEBER	concluir	43	HUIR
competir	54	PEDIR	concomerse	5	BEBER
compilar	4	HABLAR	concordar	25	CONTAR
compincharse	4	HABLAR	concretar	4	HABLAR
complacer	53	PARECER	concretizar	79	UTILIZAR
complementar	4	HABLAR	conculcar	71	SACAR
completar	4	HABLAR	concurrir	6	VIVIR
complicar	71	SACAR	concursar	4	HABLAR
componer	60	PONER	condecorar	4	HABLAR
comportar	4	HABLAR	condenar	4	HABLAR
comprar	4	HABLAR	condensar	4	HABLAR
comprehender	5	BEBER	condescender	56	PERDER
comprender	5	BEBER	condicionar	4	HABLAR
comprimir	6	VIVIR	condimentar	4	HABLAR
comprobar	25	CONTAR	condoler(se)	5	BEBER
comprometer	5	BEBER	condonar	4	HABLAR
compulsar	4	HABLAR	conducir	24	CONDUCIR
compungir(se)*	30	DIRIGIR	conectar	4	HABLAR
computar	4	HABLAR	conexionarse	4	HABLAR
computarizar	79	UTILIZAR	confabular(se)	4	HABLAR
computerizar	79	UTILIZAR	confeccionar	4	HABLAR
comulgar	52	PAGAR	confederar	4	HABLAR
comunicar	71	SACAR	conferenciar	4	HABLAR
concatenar	4	HABLAR	conferir	74	SENTIR
concebir	54	PEDIR	confesar	55	PENSAR
conceder	5	BEBER	confiar	41	GUIAR
concelebrar	4	HABLAR	configurar	4	HABLAR
concentrar	4	HABLAR	confinar	4	HABLAR
conceptualizar	79	UTILIZAR	confirmar	4	HABLAR
conceptuar	10	ACTUAR	confiscar	71	SACAR
concernir*	30	DISCERNIR	confitar	4	HABLAR
concertar	55	PENSAR	confluir	43	HUIR
conchabar	4	HABLAR	conformar	4	HABLAR
concienciar	4	HABLAR	confortar	4	HABLAR

* Verbo defectivo.

VERBO	TABLA	MODELO	VERBO	TABLA	MODELO
confraternizar	79	UTILIZAR	constatar	4	HABLAR
confrontar	4	HABLAR	consternar	4	HABLAR
confundir	6	VIVIR	constipar(se)	4	HABLAR
congelar	4	HABLAR	constitucionalizar	79	UTILIZAR
congeniar	4	HABLAR	constituir	43	HUIR
congestionar	4	HABLAR	constreñir	21	CEÑIR
conglomerar	4	HABLAR	construir	43	HUIR
congraciar	4	HABLAR	consultar	4	HABLAR
congratular	4	HABLAR	consumar	4	HABLAR
congregar	52	PAGAR	consumir	6	VIVIR
conjeturar	4	HABLAR	contabilizar	79	UTILIZAR
conjugar	52	PAGAR	contactar	4	HABLAR
conjuntar	4	HABLAR	contagiar	4	HABLAR
conjurar	4	HABLAR	contaminar	4	HABLAR
conllevar	4	HABLAR	contar	25	CONTAR
conmemorar	4	HABLAR	contemplar	4	HABLAR
conminar	4	HABLAR	contemporizar	79	UTILIZAR
conmocionar	4	HABLAR	contender	56	PERDER
conmover	49	MOVER	contener	76	TENER
conmutar	4	HABLAR	contentar	4	HABLAR
connotar	4	HABLAR	contestar	4	HABLAR
conocer	53	PARECER	continuar	10	ACTUAR
conquistar	4	HABLAR	contonearse	4	HABLAR
consagrar	4	HABLAR	contornear	4	HABLAR
conseguir	73	SEGUIR	contorsionarse	4	HABLAR
consensuar	10	ACTUAR	contraatacar	71	SACAR
consentir	74	SENTIR	contrabalancear	4	HABLAR
conservar	4	HABLAR	contradecir	27	DECIR
considerar	4	HABLAR	contraer	77	TRAER
consignar	4	HABLAR	contraindicar	71	SACAR
consistir	6	VIVIR	contrapesar	4	HABLAR
consolar	25	CONTAR	contraponer	60	PONER
consolidar	4	HABLAR	contrapuntear	4	HABLAR
consonantizar(se)	79	UTILIZAR	contrariar	41	GUIAR
conspirar	4	HABLAR	contrarrestar	4	HABLAR
constar	4	HABLAR	contrastar	4	HABLAR

VERBO	TABLA	MODELO	VERBO	TABLA	MODELO
contratar	4	HABLAR	corregir*	34	ELEGIR
contravenir	82	VENIR	correr	5	BEBER
contribuir	43	HUIR	corresponder	5	BEBER
contristar	4	HABLAR	corretear	4	HABLAR
controlar	4	HABLAR	corroborar	4	HABLAR
contundir	6	VIVIR	corroer	69	ROER
conturbar	4	HABLAR	corromper	5	BEBER
contusionar	4	HABLAR	cortar	4	HABLAR
convalecer	53	PARECER	cortejar	4	HABLAR
convalidar	4	HABLAR	corvetear	4	HABLAR
convencer	81	VENCER	coscarse	71	SACAR
convenir	82	VENIR	cosechar	4	HABLAR
converger	39	ESCOGER	coser	5	BEBER
convergir	30	DIRIGIR	cosificar	71	SACAR
conversar	4	HABLAR	cosquillear	4	HABLAR
convertir	74	SENTIR	costar	25	CONTAR
convidar	4	HABLAR	costear	4	HABLAR
convivir	6	VIVIR	cotejar	4	HABLAR
convocar	71	SACAR	cotillear	4	HABLAR
convulsionar	4	HABLAR	cotizar	79	UTILIZAR
cooperar	4	HABLAR	cotorrear	4	HABLAR
coordinar	4	HABLAR	craquear	4	HABLAR
copar	4	HABLAR	crear	4	HABLAR
copear	4	HABLAR	crecer	53	PARECER
copiar	4	HABLAR	creer	46	LEER
coproducir	24	CONDUCIR	crepitar	4	HABLAR
copular	4	HABLAR	criar	41	GUIAR
coquetear	4	HABLAR	cribar	4	HABLAR
corcovar	4	HABLAR	criogenizar	79	UTILIZAR
corear	4	HABLAR	crisolar	4	HABLAR
cornear	4	HABLAR	crispar	4	HABLAR
coronar	4	HABLAR	cristalizar	79	UTILIZAR
corporeizar	79	UTILIZAR	cristianar	4	HABLAR
corporizar	79	UTILIZAR	cristianizar	79	UTILIZAR
			criticar	71	SACAR
			croar	4	HABLAR

* Tiene un participio regular (*corregido*) que se usa en la conjugación y otro irregular (*correcto*) que se usa como adjetivo.

VERBO	TABLA	MODELO	VERBO	TABLA	MODELO
cromar	4	HABLAR	damasquinar	4	HABLAR
cronometrar	4	HABLAR	damnificar	71	SACAR
crotorar	4	HABLAR	danzar	79	UTILIZAR
crucificar	71	SACAR	dañar	4	HABLAR
crujir	6	VIVIR	dar	26	DAR
cruzar	79	UTILIZAR	datar	4	HABLAR
cuadrar	4	HABLAR	deambular	4	HABLAR
cuadricular	4	HABLAR	debatir	6	VIVIR
cuadriplicar	71	SACAR	debelar	4	HABLAR
cuajar	4	HABLAR	deber	5	BEBER
cualificar	71	SACAR	debilitar	4	HABLAR
cuantificar	71	SACAR	debitar	4	HABLAR
cuartear	4	HABLAR	debutar	4	HABLAR
cubicar	71	SACAR	decaer	20	CAER
cubrir*	6	VIVIR	decalcificar	71	SACAR
cuchichear	4	HABLAR	decalvar	4	HABLAR
cuestionar	4	HABLAR	decantar	4	HABLAR
cuidar	4	HABLAR	decapar	4	HABLAR
culebrear	4	HABLAR	decapitar	4	HABLAR
culminar	4	HABLAR	decelerar	4	HABLAR
culpabilizar	79	UTILIZAR	decepcionar	4	HABLAR
culpar	4	HABLAR	decidir	6	VIVIR
cultivar	4	HABLAR	decir	27	DECIR
culturizar	79	UTILIZAR	declamar	4	HABLAR
cumplimentar	4	HABLAR	declarar	4	HABLAR
cumplir	6	VIVIR	declinar	4	HABLAR
cundir	6	VIVIR	decodificar	71	SACAR
curar	4	HABLAR	decolar	4	HABLAR
curiosear	4	HABLAR	decolorar	4	HABLAR
currar	4	HABLAR	decomisar	4	HABLAR
currelar	4	HABLAR	decorar	4	HABLAR
cursar	4	HABLAR	decrecer	53	PARECER
curtir	6	VIVIR	decretar	4	HABLAR
curvar	4	HABLAR	dedicar	71	SACAR
custodiar	4	HABLAR	deducir	24	CONDUCIR
daguerrotipar	4	HABLAR	defecar	71	SACAR

* Su participio es *cubierto*.

VERBO	TABLA	MODELO	VERBO	TABLA	MODELO
defender	56	PERDER	denostar	25	CONTAR
defenestrar	4	HABLAR	denotar	4	HABLAR
definir	6	VIVIR	densificar	71	SACAR
deflagrar	4	HABLAR	dentar	55	PENSAR
defoliar	4	HABLAR	dentellar	4	HABLAR
deforestar	4	HABLAR	dentellear	4	HABLAR
deformar	4	HABLAR	denunciar	4	HABLAR
defraudar	4	HABLAR	deparar	4	HABLAR
degenerar	4	HABLAR	departir	6	VIVIR
deglutir	6	VIVIR	depauperar	4	HABLAR
degollar	16	CONTAR	depender	5	BEBER
degradar	4	HABLAR	depilar	4	HABLAR
degustar	4	HABLAR	deplorar	4	HABLAR
deificar	71	SACAR	deponer	60	PONER
dejar	4	HABLAR	deportar	4	HABLAR
delatar	4	HABLAR	depositar	4	HABLAR
delegar	52	PAGAR	depravar	4	HABLAR
deleitar	4	HABLAR	deprecar	71	SACAR
deletrear	4	HABLAR	depreciar	4	HABLAR
deliberar	4	HABLAR	depredar	4	HABLAR
delimitar	4	HABLAR	deprimir	6	VIVIR
delinear	4	HABLAR	depurar	4	HABLAR
delinquir	28	DELINQUIR	derechizar	79	UTILIZAR
delirar	4	HABLAR	derivar	4	HABLAR
demacrar	4	HABLAR	derogar	52	PAGAR
demandar	4	HABLAR	derrabar	4	HABLAR
demarcar	71	SACAR	derramar	4	HABLAR
demarrar	4	HABLAR	derrapar	4	HABLAR
democratizar	79	UTILIZAR	derrengar	52	PAGAR
demoler	49	MOVER	derretir	54	PEDIR
demorar	4	HABLAR	derribar	4	HABLAR
demostrar	25	CONTAR	derrocar	71	SACAR
demudar	4	HABLAR	derrochar	4	HABLAR
denegar	65	REGAR	derrotar	4	HABLAR
denigrar	4	HABLAR	derrubiar	4	HABLAR
denominar	4	HABLAR	derruir	43	HUIR

VERBO	TABLA	MODELO	VERBO	TABLA	MODELO
derrumbar	4	HABLAR	desalar	4	HABLAR
desabastecer	53	PARECER	desalentar	55	PENSAR
desabollar	4	HABLAR	desalinear	4	HABLAR
desabonarse	4	HABLAR	desalinizar	79	UTILIZAR
desabotonar	4	HABLAR	desaliñar	4	HABLAR
desabrigar	52	PAGAR	desalojar	4	HABLAR
desabrochar	4	HABLAR	desalquilar	4	HABLAR
desacalorarse	4	HABLAR	desamarrar	4	HABLAR
desacatar	4	HABLAR	desambiguar	17	AVERIGUAR
desacelerar	4	HABLAR	desamoblar	25	CONTAR
desacertar	55	PENSAR	desamortizar	79	UTILIZAR
desaclimatar	4	HABLAR	desamotinarse	4	HABLAR
desacobardar	4	HABLAR	desamparar	4	HABLAR
desacomodar	4	HABLAR	desamueblar	4	HABLAR
desacompasar	4	HABLAR	desandar	13	ANDAR
desaconsejar	4	HABLAR	desangrar	4	HABLAR
desacoplar	4	HABLAR	desanidar	4	HABLAR
desacordar	25	CONTAR	desanimar	4	HABLAR
desacostumbrar	4	HABLAR	desanudar	4	HABLAR
desacralizar	79	UTILIZAR	desaparcar	71	SACAR
desacreditar	4	HABLAR	desaparecer	53	PARECER
desactivar	4	HABLAR	desaparejar	4	HABLAR
desacuartelar	4	HABLAR	desapasionar	4	HABLAR
desadormecer	53	PARECER	desapegar(se)	52	PAGAR
desafear	4	HABLAR	desapolillar	4	HABLAR
desaferrar	4	HABLAR	desaprobar	25	CONTAR
desafiar	41	GUIAR	desaprovechar	4	HABLAR
desafinar	4	HABLAR	desarbolar	4	HABLAR
desaforar	25	CONTAR	desarmar	4	HABLAR
desagradar	4	HABLAR	desarmonizar	79	UTILIZAR
desagraviar	4	HABLAR	desaromatizarse	79	UTILIZAR
desaguar	17	AVERIGUAR	desarraigar	52	PAGAR
desahogar	52	PAGAR	desarreglar	4	HABLAR
desahuciar	4	HABLAR	desarrendar	55	PENSAR
desairar	4	HABLAR	desarrollar	4	HABLAR
desajustar	4	HABLAR	desarropar	4	HABLAR

VERBO	TABLA	MODELO	VERBO	TABLA	MODELO
desarrugar	52	PAGAR	descabezar	79	UTILIZAR
desarticular	4	HABLAR	descacharrar	4	HABLAR
desasear	4	HABLAR	descafeinar	41	GUIAR
desasir	15	ASIR	descalabrar	4	HABLAR
desasistir	6	VIVIR	descalcificar	71	SACAR
desasnar	4	HABLAR	descalificar	71	SACAR
desasosegar	65	REGAR	descalzar	79	UTILIZAR
desatar	4	HABLAR	descamar	4	HABLAR
desatascar	71	SACAR	descambiar	4	HABLAR
desataviar	41	GUIAR	descaminar	4	HABLAR
desatender	56	PERDER	descamisar	4	HABLAR
desatinar	4	HABLAR	descampar	4	HABLAR
desatornillar	4	HABLAR	descansar	4	HABLAR
desatracar	71	SACAR	descantillar	4	HABLAR
desatrancar	71	SACAR	descapitalizar	79	UTILIZAR
desautorizar	79	UTILIZAR	descapotar	4	HABLAR
desavenir	82	VENIR	descapullar	4	HABLAR
desayunar	4	HABLAR	descararse	4	HABLAR
desazonar	4	HABLAR	descarbonatar	4	HABLAR
desbancar	71	SACAR	descargar	52	PAGAR
desbandarse	4	HABLAR	descarnar	4	HABLAR
desbarajustar	4	HABLAR	descarriar	41	GUIAR
desbaratar	4	HABLAR	descarrilar	4	HABLAR
desbarrancar	71	SACAR	descartar	4	HABLAR
desbarrar	4	HABLAR	descasar	4	HABLAR
desbastar	4	HABLAR	descascar	71	SACAR
desbeber	5	BEBER	descascarar	4	HABLAR
desbloquear	4	HABLAR	descascarillar	4	HABLAR
desbocar	71	SACAR	descender	56	PERDER
desbordar	4	HABLAR	descentralizar	79	UTILIZAR
sbravar	4	HABLAR	descentrar	4	HABLAR
nar	4	HABLAR	desceñir	21	CEÑIR
	79	UTILIZAR	descepar	4	HABLAR
	4	HABLAR	descercar	71	SACAR
		PAGAR	descerebrar	4	HABLAR
		HABLAR	descerrajar	4	HABLAR

VERBO	TABLA	MODELO	VERBO	TABLA	MODELO
descifrar	4	HABLAR	descontrolar[se]	4	HABLAR
descimbrar	4	HABLAR	desconvocar	71	SACAR
descimentar	55	PENSAR	descorazonar	4	HABLAR
descinchar	4	HABLAR	descorchar	4	HABLAR
desclasificar	71	SACAR	descornar	25	CONTAR
desclavar	4	HABLAR	descorrer	5	BEBER
descoagular	4	HABLAR	descortezar	79	UTILIZAR
descocarse	71	SACAR	descoser	5	BEBER
descodificar	71	SACAR	descoyuntar	4	HABLAR
descojonarse	4	HABLAR	descremar	4	HABLAR
descolgar	23	COLGAR	describir*	6	VIVIR
descollar	25	CONTAR	descruzar	79	UTILIZAR
descolocar	71	SACAR	descuadernar	4	HABLAR
descolonizar	79	UTILIZAR	descuajaringar	52	PAGAR
descolorar	4	HABLAR	descuajeringar	52	PAGAR
descolorir*	6	VIVIR	descuartizar	79	UTILIZAR
descombrar	4	HABLAR	descubrir**	6	VIVIR
descomedirse	54	PEDIR	descuerar	4	HABLAR
descomer	5	BEBER	descuidar	4	HABLAR
descompaginar	4	HABLAR	desdecir	27	DECIR
descompasar	4	HABLAR	desdeñar	4	HABLAR
descompensar	4	HABLAR	desdibujar	4	HABLAR
descomponer	60	PONER	desdoblar	4	HABLAR
desconcertar	55	PENSAR	desdorar	4	HABLAR
desconchar	4	HABLAR	desdramatizar	79	UTILIZAR
desconectar	4	HABLAR	desear	4	HABLAR
desconfiar	41	GUIAR	desecar	71	SACAR
descongelar	4	HABLAR	desechar	4	HABLAR
descongestionar	4	HABLAR	desembalar	4	HABLAR
desconocer	53	PARECER	desembalsar	4	HABLAR
desconsolar	25	CONTAR	desembarazar	79	UTILIZAR
descontaminar	4	HABLAR	desembarcar	71	SACAR
descontar	25	CONTAR	desembargar	52	PAGAR
descontentar	4	HABLAR	desembarrar	4	HABLAR
descontextualizar	79	UTILIZAR	desembocar	71	SACAR
descontinuar	10	ACTUAR			

* Su participio es *descrito*.

** Su participio es *descubierto*.

* Verbo defectivo.

VERBO	TABLA	MODELO	VERBO	TABLA	MODELO
desembolsar	4	HABLAR	desenchufar	4	HABLAR
desembotar	4	HABLAR	desenclavar	4	HABLAR
desembozar	79	UTILIZAR	desencofrar	4	HABLAR
desembragar	52	PAGAR	desencoger	39	ESCOGER
desembrollar	4	HABLAR	desencolar	4	HABLAR
desembuchar	4	HABLAR	desencolerizar	79	UTILIZAR
desemejar	4	HABLAR	desenconar	4	HABLAR
desempacar	71	SACAR	desencordar	25	CONTAR
desempachar	4	HABLAR	desencorvar	4	HABLAR
desempalmar	4	HABLAR	desencovar	25	CONTAR
desempañar	4	HABLAR	desencuadernar	4	HABLAR
desempapelar	4	HABLAR	desendemoniar	4	HABLAR
desempaquetar	4	HABLAR	desendiablar	4	HABLAR
desemparejar	4	HABLAR	desendiosar	4	HABLAR
desempatar	4	HABLAR	desenfadar	4	HABLAR
desempedrar	55	PENSAR	desenfocar	71	SACAR
desempeñar	4	HABLAR	desenfrenar	4	HABLAR
desempolvar	4	HABLAR	desenfundar	4	HABLAR
desemponzoñar	4	HABLAR	desenfurecer	53	PARECER
desempotrar	4	HABLAR	desenfurruñar	4	HABLAR
desempuñar	4	HABLAR	desenganchar	4	HABLAR
desenamorar	4	HABLAR	desengañar	4	HABLAR
desencadenar	4	HABLAR	desengarzar	79	UTILIZAR
desencajar	4	HABLAR	desengastar	4	HABLAR
desencajonar	4	HABLAR	desengomar	4	HABLAR
desencallar	4	HABLAR	desengoznar	4	HABLAR
desencaminar	4	HABLAR	desengranar	4	HABLAR
desencantar	4	HABLAR	desengrasar	4	HABLAR
desencapotar(se)	4	HABLAR	desengrosar	25	CONTAR
desencarcelar	4	HABLAR	desenhebrar	4	HABLAR
desencarecer	53	PARECER	desenjaezar	79	UTILIZAR
...argar	52	PAGAR	desenjaular	4	HABLAR
...rse	4	HABLAR	desenladrillar	4	HABLAR
...	4	HABLAR	desenlazar	79	UTILIZAR
...		HABLAR	desenlosar	4	HABLAR
...		PENSAR	desenmarañar	4	HABLAR

185

VERBO	TABLA	MODELO	VERBO	TABLA	MODELO
desenmascarar	4	HABLAR	desetiquetar	4	HABLAR
desenojar	4	HABLAR	desfalcar	71	SACAR
desenredar	4	HABLAR	desfallecer	53	PARECER
desenrollar	4	HABLAR	desfasar	4	HABLAR
desenroscar	71	SACAR	desfavorecer	53	PARECER
desensamblar	4	HABLAR	desfibrar	4	HABLAR
desensartar	4	HABLAR	desfibrilar	4	HABLAR
desensibilizar	79	UTILIZAR	desfigurar	4	HABLAR
desensillar	4	HABLAR	desfilar	4	HABLAR
desensoberbecer	53	PARECER	desflecar	71	SACAR
desensortijar	4	HABLAR	desflorar	4	HABLAR
desentablillar	4	HABLAR	desfogar	52	PAGAR
desentenderse	56	PERDER	desfondar	4	HABLAR
desenterrar	55	PENSAR	desforestar	4	HABLAR
desentoldar	4	HABLAR	desforrar	4	HABLAR
desentonar	4	HABLAR	desfruncir	85	ZURCIR
desentorpecer	53	PARECER	desgajar	4	HABLAR
desentrampar	4	HABLAR	desganar	4	HABLAR
desentrañar	4	HABLAR	desgañitarse	4	HABLAR
desentrenar	4	HABLAR	desgarrar	4	HABLAR
desentronizar	79	UTILIZAR	desgasificar	71	SACAR
desentubar	4	HABLAR	desgastar	4	HABLAR
desentumecer	53	PARECER	desglosar	4	HABLAR
desenvainar	4	HABLAR	desgomar	4	HABLAR
desenvolver	49	MOVER	desgraciar	4	HABLAR
desenzarzar	79	UTILIZAR	desgranar	4	HABLAR
desequilibrar	4	HABLAR	desgravar	4	HABLAR
desertar	4	HABLAR	desgreñar	4	HABLAR
desertizar	79	UTILIZAR	desguarnecer	53	PARECER
desescamar	4	HABLAR	desguazar	79	UTILIZAR
desescombrar	4	HABLAR	deshabitar	4	HABLAR
desesperanzar	79	UTILIZAR	deshabituar	10	ACTUAR
desesperar	4	HABLAR	deshacer	42	HACER
desespumar	4	HABLAR	deshelar	55	PENSAR
desestabilizar	79	UTILIZAR	desherbar	55	PENSAR
desestimar	4	HABLAR	desheredar	4	HABLAR

VERBO	TABLA	MODELO	VERBO	TABLA	MODELO
desherrar	55	PENSAR	desliar	41	GUIAR
desherrumbrar	4	HABLAR	desligar	52	PAGAR
deshidratar	4	HABLAR	deslindar	4	HABLAR
deshilachar	4	HABLAR	deslizar	79	UTILIZAR
deshilar	4	HABLAR	deslomar	4	HABLAR
deshilvanar	4	HABLAR	deslucir	47	LUCIR
deshinchar	4	HABLAR	deslumbrar	4	HABLAR
deshipotecar	71	SACAR	deslustrar	4	HABLAR
deshojar	4	HABLAR	desmadejar	4	HABLAR
deshollinar	4	HABLAR	desmadrar	4	HABLAR
deshonrar	4	HABLAR	desmagnetizar	79	UTILIZAR
deshornar	4	HABLAR	desmandar(se)	4	HABLAR
deshuesar	4	HABLAR	desmantelar	4	HABLAR
deshuevarse	4	HABLAR	desmañanarse	4	HABLAR
deshumanizar	79	UTILIZAR	desmaquillar	4	HABLAR
desideologizar	79	UTILIZAR	desmarcar(se)	71	SACAR
designar	4	HABLAR	desmayar	4	HABLAR
desigualar	4	HABLAR	desmedirse	54	PEDIR
desilusionar	4	HABLAR	desmejorar	4	HABLAR
desimantar	4	HABLAR	desmelenar	4	HABLAR
desincrustar	4	HABLAR	desmembrar	55	PENSAR
desinfectar	4	HABLAR	desmemoriarse	4	HABLAR
desinflar	4	HABLAR	desmentir	74	SENTIR
desinformar	4	HABLAR	desmenuzar	79	UTILIZAR
desinhibir	6	VIVIR	desmerecer	53	PARECER
desinsectar	4	HABLAR	desmesurar	4	HABLAR
desintegrar	4	HABLAR	desmigajar	4	HABLAR
desinteresarse	4	HABLAR	desmigar	52	PAGAR
desintoxicar	71	SACAR	desmilitarizar	79	UTILIZAR
desintubar	4	HABLAR	desmineralizarse	79	UTILIZAR
desistir	6	VIVIR	desmitificar	71	SACAR
desjarretar	4	HABLAR	desmochar	4	HABLAR
deslegalizar	79	UTILIZAR	desmontar	4	HABLAR
deslegitimar	4	HABLAR	desmoralizar	79	UTILIZAR
desleír	66	REÍR	desmoronar	4	HABLAR
deslenguar	4	HABLAR	desmotivar	4	HABLAR

VERBO	TABLA	MODELO	VERBO	TABLA	MODELO
desmovilizar	79	UTILIZAR	desparejar	4	HABLAR
desnacionalizar	79	UTILIZAR	desparramar	4	HABLAR
desnarigar	52	PAGAR	despatarrar	4	HABLAR
desnatar	4	HABLAR	despavesar	4	HABLAR
desnaturalizar	79	UTILIZAR	despavonar	4	HABLAR
desnivelar	4	HABLAR	despechar(se)	4	HABLAR
desnucar	71	SACAR	despechugar	52	PAGAR
desnuclearizar	79	UTILIZAR	despedazar	79	UTILIZAR
desnudar	4	HABLAR	despedir	54	PEDIR
desnutrirse	6	VIVIR	despedregar	52	PAGAR
desobedecer	53	PARECER	despegar	52	PAGAR
desobstruir	43	HUIR	despeinar	4	HABLAR
desocupar	4	HABLAR	despejar	4	HABLAR
desodorizar	79	UTILIZAR	despellejar	4	HABLAR
desoír	50	OÍR	despelotarse	4	HABLAR
desojar	4	HABLAR	despeluchar	4	HABLAR
desolar	25	CONTAR	despenalizar	79	UTILIZAR
desoldar	25	CONTAR	despendolarse	4	HABLAR
desollar	25	CONTAR	despeñar	4	HABLAR
desoprimir	6	VIVIR	despepitar	4	HABLAR
desorbitar	4	HABLAR	desperdiciar	4	HABLAR
desordenar	4	HABLAR	desperdigar	52	PAGAR
desorejar	4	HABLAR	desperezarse	79	UTILIZAR
desorganizar	79	UTILIZAR	desperrar	4	HABLAR
desorientar	4	HABLAR	despersonalizar	79	UTILIZAR
desosar	30	DESOSAR	despertar*	55	PENSAR
desovar	4	HABLAR	despiezar	79	UTILIZAR
desovillar	4	HABLAR	despilfarrar	4	HABLAR
desoxidar	4	HABLAR	despintar	4	HABLAR
desoxigenar	4	HABLAR	despiojar	4	HABLAR
despabilar	4	HABLAR	despistar	4	HABLAR
despachar	4	HABLAR	desplazar	79	UTILIZAR
despachurrar	4	HABLAR	desplegar	65	REGAR
despampanar	4	HABLAR	desplomar	4	HABLAR
despanzurrar	4	HABLAR			
desparasitar	4	HABLAR			

* Tiene un participio regular (*despertado*)
que se usa en la conjugación y otro irregular
(*despierto*) que se usa como adjetivo.

VERBO	TABLA	MODELO	VERBO	TABLA	MODELO
desplumar	4	HABLAR	destetar	4	HABLAR
despoblar	25	CONTAR	destilar	4	HABLAR
despojar	4	HABLAR	destinar	4	HABLAR
despolitizar	79	UTILIZAR	destituir	43	HUIR
despopularizar	79	UTILIZAR	destornillar	4	HABLAR
desportillar	4	HABLAR	destrenzar	79	UTILIZAR
desposar	4	HABLAR	destripar	4	HABLAR
desposeer	46	LEER	destronar	4	HABLAR
despotricar	71	SACAR	destroncar	71	SACAR
despreciar	4	HABLAR	destrozar	79	UTILIZAR
desprender	5	BEBER	destruir	43	HUIR
despreocuparse	4	HABLAR	desubicar(se)	71	SACAR
desprestigiar	4	HABLAR	desuncir	85	ZURCIR
desprogramar	4	HABLAR	desunir	6	VIVIR
desproporcionar	4	HABLAR	desvalijar	4	HABLAR
despumar	4	HABLAR	desvalorizar	79	UTILIZAR
despuntar	4	HABLAR	desvanecer	53	PARECER
desquiciar	4	HABLAR	desvarar	4	HABLAR
desquitar	4	HABLAR	desvariar	41	GUIAR
desratizar	79	UTILIZAR	desvelar	4	HABLAR
desriñonar	4	HABLAR	desvencijar	4	HABLAR
desrizar	79	UTILIZAR	desvergonzarse	16	AVERGONZAR
destacar	71	SACAR	desvestir	54	PEDIR
destajar	4	HABLAR	desviar	41	GUIAR
destapar	4	HABLAR	desvincular	4	HABLAR
destaponar	4	HABLAR	desvirgar	52	PAGAR
destechar	4	HABLAR	desvirtuar	10	ACTUAR
destejar	4	HABLAR	desvitalizar	79	UTILIZAR
destejer	5	BEBER	desvivirse	6	VIVIR
destellar	4	HABLAR	desyerbar	4	HABLAR
destellear	4	HABLAR	detallar	4	HABLAR
destemplar	4	HABLAR	detectar	4	HABLAR
destensar	4	HABLAR	detener	76	TENER
desteñir	21	CEÑIR	detentar	4	HABLAR
desternillarse	4	HABLAR	deteriorar	4	HABLAR
desterrar	55	PENSAR	determinar	4	HABLAR

VERBO	TABLA	MODELO	VERBO	TABLA	MODELO
detestar	4	HABLAR	dinamitar	4	HABLAR
detonar	4	HABLAR	dinamizar	79	UTILIZAR
detraer	77	TRAER	diñar	4	HABLAR
devaluar	10	ACTUAR	diplomar	4	HABLAR
devanar	4	HABLAR	diptongar	52	PAGAR
devastar	4	HABLAR	diquelar	4	HABLAR
devengar	52	PAGAR	dirigir	30	DIRIGIR
devenir	82	VENIR	dirimir	6	VIVIR
devolver*	49	MOVER	discar	71	SACAR
devorar	4	HABLAR	discernir	31	DISCERNIR
diagnosticar	71	SACAR	disciplinar	4	HABLAR
diagramar	4	HABLAR	discontinuar	4	HABLAR
dialogar	52	PAGAR	discordar	25	CONTAR
dibujar	4	HABLAR	discrepar	4	HABLAR
dictaminar	4	HABLAR	discretear	4	HABLAR
dictar	4	HABLAR	discriminar	4	HABLAR
diezmar	4	HABLAR	disculpar	4	HABLAR
difamar	4	HABLAR	discurrir	6	VIVIR
diferenciar	4	HABLAR	discursear	4	HABLAR
diferir	74	SENTIR	discutir	6	VIVIR
dificultar	4	HABLAR	disecar	71	SACAR
difuminar	4	HABLAR	diseccionar	6	VIVIR
difundir	6	VIVIR	diseminar	4	HABLAR
digerir	74	SENTIR	disentir	74	SENTIR
digitalizar	79	UTILIZAR	diseñar	4	HABLAR
dignarse	4	HABLAR	disertar	4	HABLAR
dignificar	71	SACAR	disfrazar	79	UTILIZAR
dilacerar	4	HABLAR	disfrutar	4	HABLAR
dilapidar	4	HABLAR	disgregar	52	PAGAR
dilatar	4	HABLAR	disgustar	4	HABLAR
diligenciar	4	HABLAR	disidir	6	VIVIR
dilucidar	4	HABLAR	disimular	4	HABLAR
diluir	43	HUIR	disipar	4	HABLAR
diluviar	4	HABLAR	dislocar	71	SACAR
dimanar	4	HABLAR	disminuir	43	HUIR
dimitir	6	VIVIR	disociar	4	HABLAR

* Su participio es *devuelto*.

VERBO	TABLA	MODELO	VERBO	TABLA	MODELO
disolver*	49	MOVER	domesticar	71	SACAR
disonar	25	CONTAR	domiciliar	4	HABLAR
disparar	4	HABLAR	dominar	4	HABLAR
disparatar	4	HABLAR	donar	4	HABLAR
dispensar	4	HABLAR	dopar	4	HABLAR
dispersar	4	HABLAR	dorar	4	HABLAR
displacer	53	PARECER	dormir	33	DORMIR
disponer	60	PONER	dormitar	4	HABLAR
disputar	4	HABLAR	dosificar	71	SACAR
distanciar	4	HABLAR	dotar	4	HABLAR
distar	4	HABLAR	dragar	52	PAGAR
distender	56	PERDER	dramatizar	79	UTILIZAR
distinguir	32	DISTINGUIR	drapear	4	HABLAR
distorsionar	4	HABLAR	drenar	4	HABLAR
distraer	77	TRAER	driblar	4	HABLAR
distribuir	43	HUIR	drogar	52	PAGAR
disturbar	4	HABLAR	dropar	4	HABLAR
disuadir	6	VIVIR	duchar	4	HABLAR
divagar	52	PAGAR	dudar	4	HABLAR
divergir	30	DIRIGIR	dulcificar	71	SACAR
diversificar	71	SACAR	duplicar	71	SACAR
divertir	74	SENTIR	durar	4	HABLAR
dividir	6	VIVIR	echar	4	HABLAR
divinizar	79	UTILIZAR	eclipsar	4	HABLAR
divisar	4	HABLAR	eclosionar	4	HABLAR
divorciar	4	HABLAR	ecologizar	79	UTILIZAR
divulgar	52	PAGAR	economizar	79	UTILIZAR
doblar	4	HABLAR	ecualizar	79	UTILIZAR
doblegar	52	PAGAR	edificar	71	SACAR
doctorar	4	HABLAR	editar	4	HABLAR
doctrinar	4	HABLAR	editorializar	79	UTILIZAR
documentar	4	HABLAR	educar	71	SACAR
dogmatizar	79	UTILIZAR	edulcorar	4	HABLAR
doler	49	MOVER	efectuar	10	ACTUAR
domar	4	HABLAR	eflorescerse	53	PARECER
domeñar	4	HABLAR	efluir	43	HUIR

* Su participio es *disuelto*.

VERBO	TABLA	MODELO	VERBO	TABLA	MODELO
egresar	4	HABLAR	embarullar	4	HABLAR
ejecutar	4	HABLAR	embaucar	71	SACAR
ejemplarizar	79	UTILIZAR	embaular	10	ACTUAR
ejemplificar	71	SACAR	embeber	5	BEBER
ejercer	81	VENCER	embelecar	71	SACAR
ejercitar	4	HABLAR	embelesar	4	HABLAR
elaborar	4	HABLAR	embellecer	53	PARECER
electrificar	71	SACAR	emberrenchinarse	4	HABLAR
electrizar	79	UTILIZAR	emberrincharse	4	HABLAR
electrocutar	4	HABLAR	embestir	54	PEDIR
electrolizar	79	UTILIZAR	embetunar	4	HABLAR
elegir*	34	ELEGIR	emblandecer	53	PARECER
elevar	4	HABLAR	emblanquecer	53	PARECER
elidir	6	VIVIR	embobar	4	HABLAR
eliminar	4	HABLAR	embobecer	53	PARECER
elogiar	4	HABLAR	embocar	71	SACAR
elucidar	4	HABLAR	embolar	4	HABLAR
elucubrar	4	HABLAR	embolsar	4	HABLAR
eludir	6	VIVIR	emboquillar	4	HABLAR
emanar	4	HABLAR	emborrachar	4	HABLAR
emancipar	4	HABLAR	emborrascar(se)	71	SACAR
emascular	4	HABLAR	emborronar	4	HABLAR
embadurnar	4	HABLAR	emboscar	71	SACAR
embaír	9	ABOLIR	embotar	4	HABLAR
embalar	4	HABLAR	embotellar	4	HABLAR
embaldosar	4	HABLAR	embozar	79	UTILIZAR
embalsamar	4	HABLAR	embragar	52	PAGAR
embalsar	4	HABLAR	embravecer	53	PARECER
embanastar	4	HABLAR	embrazar	79	UTILIZAR
embarazar	79	UTILIZAR	embrear	4	HABLAR
embarcar	71	SACAR	embriagar	52	PAGAR
embargar	52	PAGAR	embridar	4	HABLAR
embarrancar	71	SACAR	embrollar	4	HABLAR
embarrar	4	HABLAR	embromar	4	HABLAR
			embrujar	4	HABLAR
			embrutecer	53	PARECER

* Tiene un participio regular (*elegido*) que se usa
en la conjugación y otro irregular (*electo*)
que se usa como adjetivo.

VERBO	TABLA	MODELO	VERBO	TABLA	MODELO
embuchar	4	HABLAR	empedrar	55	PENSAR
embutir	6	VIVIR	empenachar	4	HABLAR
emerger	39	ESCOGER	empeñar	4	HABLAR
emigrar	4	HABLAR	empeorar	4	HABLAR
emitir	6	VIVIR	empequeñecer	53	PARECER
emocionar	4	HABLAR	emperejilar	4	HABLAR
empacar	71	SACAR	emperezar(se)	79	UTILIZAR
empachar	4	HABLAR	emperifollar	4	HABLAR
empadrarse	4	HABLAR	emperrarse	4	HABLAR
empadronar	4	HABLAR	empezar	35	EMPEZAR
empalagar	52	PAGAR	empinar	4	HABLAR
empalar	4	HABLAR	empingorotar(se)	4	HABLAR
empalidecer	53	PARECER	empitonar	4	HABLAR
empalizar	79	UTILIZAR	empizarrar	4	HABLAR
empalmar	4	HABLAR	emplastecer	53	PARECER
empanar	4	HABLAR	emplazar	79	UTILIZAR
empanizar	79	UTILIZAR	emplear	4	HABLAR
empantanar	4	HABLAR	emplomar	4	HABLAR
empañar	4	HABLAR	emplumar	4	HABLAR
empapar	4	HABLAR	empobrecer	53	PARECER
empapelar	4	HABLAR	empollar	4	HABLAR
empapuciar	4	HABLAR	empolvar	4	HABLAR
empapujar	4	HABLAR	emponzoñar	4	HABLAR
empapuzar	79	UTILIZAR	emporcar	78	TROCAR
empaquetar	4	HABLAR	emporrarse	4	HABLAR
emparedar	4	HABLAR	empotrar	4	HABLAR
emparejar	4	HABLAR	empozar	79	UTILIZAR
emparentar	4	HABLAR	emprender	5	BEBER
emparrar	4	HABLAR	empujar	4	HABLAR
emparrillar	4	HABLAR	empuñar	4	HABLAR
empastar	4	HABLAR	empurar	4	HABLAR
empatar	4	HABLAR	emputar	4	HABLAR
empavesar	4	HABLAR	emputecer	53	PARECER
empavonar	4	HABLAR	emular	4	HABLAR
empecer	53	PARECER	emulsionar	4	HABLAR
empecinarse	4	HABLAR	enajenar	4	HABLAR

VERBO	TABLA	MODELO	VERBO	TABLA	MODELO
enalbardar	4	HABLAR	encanecer	53	PARECER
enaltecer	53	PARECER	encanijar	4	HABLAR
enamorar	4	HABLAR	encanillar	4	HABLAR
enamoriscarse	71	SACAR	encantar	4	HABLAR
enarbolar	4	HABLAR	encañar	4	HABLAR
enarcar	71	SACAR	encañizar	79	UTILIZAR
enardecer	53	PARECER	encañonar	4	HABLAR
enarenar	4	HABLAR	encaperuzar	79	UTILIZAR
enastar	4	HABLAR	encapotar(se)	4	HABLAR
encabalgar	52	PAGAR	encapricharse	4	HABLAR
encaballar	4	HABLAR	encapsular	4	HABLAR
encabestrar	4	HABLAR	encapuchar	4	HABLAR
encabezar	79	UTILIZAR	encaramar	4	HABLAR
encabritarse	4	HABLAR	encarar	4	HABLAR
encabronar	4	HABLAR	encarcelar	4	HABLAR
encachar	4	HABLAR	encarecer	53	PARECER
encadenar	4	HABLAR	encargar	52	PAGAR
encajar	4	HABLAR	encariñar(se)	4	HABLAR
encajetillar	4	HABLAR	encarnar	4	HABLAR
encajonar	4	HABLAR	encarnizar(se)	79	UTILIZAR
encalabrinar	4	HABLAR	encarpetar	4	HABLAR
encalar	4	HABLAR	encarrilar	4	HABLAR
encallar	4	HABLAR	encartar	4	HABLAR
encallecer	53	PARECER	encartonar	4	HABLAR
encallejonar	4	HABLAR	encasillar	4	HABLAR
encalmar	4	HABLAR	encasquetar	4	HABLAR
encalvecer	53	PARECER	encasquillar(se)	4	HABLAR
encamar(se)	4	HABLAR	encastillar(se)	4	HABLAR
encaminar	4	HABLAR	encastrar	4	HABLAR
encamotarse	4	HABLAR	encausar	4	HABLAR
encampanar(se)	4	HABLAR	encauzar	79	UTILIZAR
encanalar	4	HABLAR	encelar	4	HABLAR
encanallar	4	HABLAR	encenagarse	52	PAGAR
encanarse	4	HABLAR	encender	56	PERDER
encanastar	4	HABLAR	encerar	4	HABLAR
encandilar	4	HABLAR	encerrar	55	PENSAR

VERBO	TABLA	MODELO	VERBO	TABLA	MODELO
encestar	4	HABLAR	encuadrar	4	HABLAR
encharcar	71	SACAR	encubar	4	HABLAR
enchastrar	4	HABLAR	encubrir*	6	VIVIR
enchilar	4	HABLAR	encuerar	4	HABLAR
enchinar	4	HABLAR	encuestar	4	HABLAR
enchinchar	4	HABLAR	encumbrar	4	HABLAR
enchiquerar	4	HABLAR	encurtir	6	VIVIR
enchironar	4	HABLAR	endemoniar	4	HABLAR
enchispar	4	HABLAR	endentar	55	PENSAR
enchuecar	71	SACAR	endentecer	53	PARECER
enchufar	4	HABLAR	enderechar	4	HABLAR
encintar	4	HABLAR	enderezar	79	UTILIZAR
encizañar	4	HABLAR	endeudar	4	HABLAR
enclaustrar	4	HABLAR	endiablarse	4	HABLAR
enclavar	4	HABLAR	endilgar	52	PAGAR
enclocar	71	SACAR	endiñar	4	HABLAR
encluecar	71	SACAR	endiosar	4	HABLAR
encocorar	4	HABLAR	endomingarse	52	PAGAR
encofrar	4	HABLAR	endosar	4	HABLAR
encoger	39	ESCOGER	endrogar	52	PAGAR
encolar	4	HABLAR	endulzar	79	UTILIZAR
encolerizar	79	UTILIZAR	endurecer	53	PARECER
encomendar	55	PENSAR	enemistar	4	HABLAR
encomiar	4	HABLAR	enervar	4	HABLAR
enconar	4	HABLAR	enfadar	4	HABLAR
encontrar	25	CONTAR	enfangar	52	PAGAR
encoñarse	4	HABLAR	enfardar	4	HABLAR
encorajinar	4	HABLAR	enfatizar	79	UTILIZAR
encorbatarse	4	HABLAR	enfermar	4	HABLAR
encordar	25	CONTAR	enfervorizar	79	UTILIZAR
encorsetar	4	HABLAR	enfilar	4	HABLAR
encortinar	4	HABLAR	enflaquecer	53	PARECER
encorvar	4	HABLAR	enfocar	71	SACAR
encrespar	4	HABLAR	enfoscar	71	SACAR
encristalar	4	HABLAR	enfrascar	71	SACAR
encuadernar	4	HABLAR	enfrentar	4	HABLAR

* Su participio es *encubierto*.

VERBO	TABLA	MODELO	VERBO	TABLA	MODELO
enfriar	41	GUIAR	enguarrar	4	HABLAR
enfundar	4	HABLAR	enguatar	4	HABLAR
enfurecer	53	PARECER	enguirnaldar	4	HABLAR
enfurruñarse	4	HABLAR	engullir	58	PLAÑIR
engalanar	4	HABLAR	engurruñar	4	HABLAR
engallar(se)	4	HABLAR	enharinar	4	HABLAR
enganchar	4	HABLAR	enhebrar	4	HABLAR
engañar	4	HABLAR	enherbolar	4	HABLAR
engarrotar	4	HABLAR	enhollinarse	4	HABLAR
engarzar	79	UTILIZAR	enhornar	4	HABLAR
engastar	4	HABLAR	enjabonar	4	HABLAR
engatillar(se)	4	HABLAR	enjaezar	79	UTILIZAR
engatusar	4	HABLAR	enjalbegar	52	PAGAR
engavillar	4	HABLAR	enjalmar	4	HABLAR
engendrar	4	HABLAR	enjambrar	4	HABLAR
englobar	4	HABLAR	enjaretar	4	HABLAR
engolar	4	HABLAR	enjaular	4	HABLAR
engolfar(se)	4	HABLAR	enjerir	6	VIVIR
engolosinar	4	HABLAR	enjoyar	4	HABLAR
engomar	4	HABLAR	enjuagar	52	PAGAR
engominarse	4	HABLAR	enjugar	52	PAGAR
engordar	4	HABLAR	enjuiciar	4	HABLAR
engoznar	4	HABLAR	enladrillar	4	HABLAR
engrampar	4	HABLAR	enlatar	4	HABLAR
engranar	4	HABLAR	enlazar	79	UTILIZAR
engrandecer	53	PARECER	enllantar	4	HABLAR
engrapar	4	HABLAR	enlobreguecer	53	PARECER
engrasar	4	HABLAR	enlodar	4	HABLAR
engreír	66	REÍR	enlodazar	79	UTILIZAR
engrescar(se)	71	SACAR	enlomar	4	HABLAR
engrosar	25	CONTAR	enloquecer	53	PARECER
engrudar	4	HABLAR	enlosar	4	HABLAR
engruesar	4	HABLAR	enlucir	47	LUCIR
enguachinar	4	HABLAR	enlutar	4	HABLAR
engualdrapar	4	HABLAR	enmaderar	4	HABLAR
enguantar	4	HABLAR	enmadrarse	4	HABLAR

VERBO	TABLA	MODELO	VERBO	TABLA	MODELO
enmagrecer	53	PARECER	enroscar	71	SACAR
enmarañar	4	HABLAR	enrubiar	4	HABLAR
enmarcar	71	SACAR	enrudecer	53	PARECER
enmascarar	4	HABLAR	ensabanar	4	HABLAR
enmasillar	4	HABLAR	ensacar	71	SACAR
enmelar	55	PENSAR	ensalivar	4	HABLAR
enmendar	55	PENSAR	ensalzar	79	UTILIZAR
enmohecer	53	PARECER	ensamblar	4	HABLAR
enmoquetar	4	HABLAR	ensanchar	4	HABLAR
enmudecer	53	PARECER	ensangrentar	55	PENSAR
enmugrecer	53	PARECER	ensañar(se)	4	HABLAR
ennegrecer	53	PARECER	ensartar	4	HABLAR
ennoblecer	53	PARECER	ensayar	4	HABLAR
ennoviarse	4	HABLAR	ensebar	4	HABLAR
enojar	4	HABLAR	enseñar	4	HABLAR
enorgullecer	53	PARECER	enseñorear(se)	4	HABLAR
enquiciar	4	HABLAR	ensillar	4	HABLAR
enquistar(se)	4	HABLAR	ensimismarse	4	HABLAR
enrabiar	4	HABLAR	ensoberbecer	53	PARECER
enrabietar(se)	4	HABLAR	ensombrecer	53	PARECER
enracimarse	4	HABLAR	ensoñar	25	CONTAR
enraizar	37	ENRAIZAR	ensopar	4	HABLAR
enramar	4	HABLAR	ensordecer	53	PARECER
enranciar	4	HABLAR	ensortijar	4	HABLAR
enrarecer	53	PARECER	ensuciar	4	HABLAR
enrasar	4	HABLAR	entablar	4	HABLAR
enredar	4	HABLAR	entablillar	4	HABLAR
enrejar	4	HABLAR	entalegar	52	PAGAR
enriquecer	53	PARECER	entallar	4	HABLAR
enriscar	71	SACAR	entallecer	53	PARECER
enristrar	4	HABLAR	entarimar	4	HABLAR
enrocar	71	SACAR	entelar	4	HABLAR
enrojecer	53	PARECER	entender	56	PERDER
enrolar	4	HABLAR	entenebrecer	53	PARECER
enrollar	4	HABLAR	enterar	4	HABLAR
enronquecer	53	PARECER	enternecer	53	PARECER

VERBO	TABLA	MODELO	VERBO	TABLA	MODELO
enterrar	55	PENSAR	entroncar	71	SACAR
entibar	4	HABLAR	entronizar	79	UTILIZAR
entibiar	4	HABLAR	entrullar	4	HABLAR
entintar	4	HABLAR	entubar	4	HABLAR
entoldar	4	HABLAR	entumecer	53	PARECER
entonar	4	HABLAR	entumirse	6	VIVIR
entontecer	53	PARECER	enturbiar	4	HABLAR
entorchar	4	HABLAR	entusiasmar	4	HABLAR
entornar	4	HABLAR	enumerar	4	HABLAR
entorpecer	53	PARECER	enunciar	4	HABLAR
entrampar	4	HABLAR	envainar	4	HABLAR
entrañar	4	HABLAR	envalentonar	4	HABLAR
entrar	4	HABLAR	envalijar	4	HABLAR
entreabrir**	6	VIVIR	envanecer	53	PARECER
entrecavar	4	HABLAR	envarar	4	HABLAR
entrecerrar	4	HABLAR	envasar	4	HABLAR
entrechocar	71	SACAR	envejecer	53	PARECER
entrecomillar	4	HABLAR	envenenar	4	HABLAR
entrecortar	4	HABLAR	enverar	4	HABLAR
entrecruzar	79	UTILIZAR	envergar	52	PAGAR
entregar	52	PAGAR	envestir	6	VIVIR
entrelazar	79	UTILIZAR	enviar	41	GUIAR
entremeter	5	BEBER	enviciar	4	HABLAR
entremezclar	4	HABLAR	envidar	4	HABLAR
entrenar	4	HABLAR	envidiar	4	HABLAR
entreoír	50	OÍR	envilecer	53	PARECER
entresacar	71	SACAR	enviudar	4	HABLAR
entretejer	5	BEBER	envolver*	49	MOVER
entretener	76	TENER	enyesar	4	HABLAR
entrever	83	VER	enzarzar	79	UTILIZAR
entreverar	4	HABLAR	epatar	4	HABLAR
entrevistar	4	HABLAR	equidistar	4	HABLAR
entristecer	53	PARECER	equilibrar	4	HABLAR
entrometer(se)	5	BEBER	equipar	4	HABLAR
entromparse	4	HABLAR	equiparar	4	HABLAR
entronar	4	HABLAR	equivaler	80	VALER

** Su participio es *entreabierto*.   * Su participio es *envuelto*.

VERBO	TABLA	MODELO	VERBO	TABLA	MODELO
equivocar	71	SACAR	escavar	4	HABLAR
erguir	37	ERGUIR	escayolar	4	HABLAR
erigir	30	DIRIGIR	escenificar	71	SACAR
erizar	79	UTILIZAR	escindir	6	VIVIR
erosionar	4	HABLAR	esclarecer	53	PARECER
erradicar	71	SACAR	esclavizar	79	UTILIZAR
errar	38	ERRAR	esclerotizar	79	UTILIZAR
eructar	4	HABLAR	escocer	22	COCER
esbozar	79	UTILIZAR	escoger	39	ESCOGER
escabechar	4	HABLAR	escolarizar	79	UTILIZAR
escabullir(se)	58	PLAÑIR	escoliar	4	HABLAR
escacharrar	4	HABLAR	escoltar	4	HABLAR
escachifollar	4	HABLAR	escombrar	4	HABLAR
escagarruzarse	79	UTILIZAR	esconder	5	BEBER
escalabrar	4	HABLAR	escoñar	4	HABLAR
escalar	4	HABLAR	escorar	4	HABLAR
escaldar	4	HABLAR	escoriar	4	HABLAR
escalfar	4	HABLAR	escornarse	25	CONTAR
escalonar	4	HABLAR	escorzar	79	UTILIZAR
escamar	4	HABLAR	escotar	4	HABLAR
escamotear	4	HABLAR	escribir*	6	VIVIR
escampar	4	HABLAR	escriturar	4	HABLAR
escanciar	4	HABLAR	escrutar	4	HABLAR
escandalizar	79	UTILIZAR	escuadrar	4	HABLAR
escandallar	4	HABLAR	escuchar	4	HABLAR
escanear	4	HABLAR	escudar	4	HABLAR
escapar	4	HABLAR	escudriñar	4	HABLAR
escaquear(se)	4	HABLAR	esculcar	71	SACAR
escarbar	4	HABLAR	esculpir	6	VIVIR
escarchar	4	HABLAR	escupir	6	VIVIR
escardar	4	HABLAR	escurrir	6	VIVIR
escarmenar	4	HABLAR	esforzar	40	FORZAR
escarmentar	55	PENSAR	esfumar	4	HABLAR
escarnecer	53	PARECER	esfuminar	4	HABLAR
escasear	4	HABLAR	esgrafiar	41	GUIAR
escatimar	4	HABLAR	esgrimir	6	VIVIR

* Su participio es *escrito*.

VERBO	TABLA	MODELO	VERBO	TABLA	MODELO
eslabonar	4	HABLAR	esportear	4	HABLAR
esmachar	4	HABLAR	esposar	4	HABLAR
esmaltar	4	HABLAR	esprintar	4	HABLAR
esmerar(se)	4	HABLAR	espulgar	52	PAGAR
esmerilar	4	HABLAR	espumajear	4	HABLAR
esmorecer	53	PARECER	espumar	4	HABLAR
esnifar	4	HABLAR	espurrear	4	HABLAR
espabilar	4	HABLAR	espurriar	41	GUIAR
espachurrar	4	HABLAR	esputar	4	HABLAR
espaciar	4	HABLAR	esquejar	4	HABLAR
espantar	4	HABLAR	esquematizar	79	UTILIZAR
españolear	4	HABLAR	esquiar	41	GUIAR
españolizar	79	UTILIZAR	esquilar	4	HABLAR
esparcir	85	ZURCIR	esquilmar	4	HABLAR
esparramar	4	HABLAR	esquinar	4	HABLAR
esparrancarse	71	SACAR	esquivar	4	HABLAR
espatarrarse	4	HABLAR	estabilizar	79	UTILIZAR
especializar	79	UTILIZAR	establecer	53	PARECER
especificar	71	SACAR	estabular	4	HABLAR
especular	4	HABLAR	estacionar	4	HABLAR
espeluznar	4	HABLAR	estafar	4	HABLAR
esperanzar	79	UTILIZAR	estallar	4	HABLAR
esperar	4	HABLAR	estampar	4	HABLAR
espesar	4	HABLAR	estampillar	4	HABLAR
espetar	4	HABLAR	estancar	71	SACAR
espiar	4	HABLAR	estandarizar	79	UTILIZAR
espichar	4	HABLAR	estañar	4	HABLAR
espigar	52	PAGAR	estaquear	4	HABLAR
espirar	4	HABLAR	estar	3	ESTAR
espiritualizar	79	UTILIZAR	estatalizar	79	UTILIZAR
esplender	5	BEBER	estatificar	71	SACAR
espolear	4	HABLAR	estatuir	43	HUIR
espoliar	4	HABLAR	esterar	4	HABLAR
espolvorear	4	HABLAR	estercolar	4	HABLAR
esponjar	4	HABLAR	estereotipar	4	HABLAR
esponsorizar	7	UTILIZAR	esterilizar	79	UTILIZAR

VERBO	TABLA	MODELO	VERBO	TABLA	MODELO
estibar	4	HABLAR	europeizar	36	ENRAIZAR
estigmatizar	79	UTILIZAR	evacuar	4	HABLAR
estilar	4	HABLAR	evadir	6	VIVIR
estilizar	79	UTILIZAR	evaluar	4	HABLAR
estimar	4	HABLAR	evangelizar	79	UTILIZAR
estimular	4	HABLAR	evaporar	4	HABLAR
estipular	4	HABLAR	evaporizar	79	UTILIZAR
estirar	4	HABLAR	evidenciar	4	HABLAR
estofar	4	HABLAR	evitar	4	HABLAR
estomagar	52	PAGAR	evocar	71	SACAR
estoquear	4	HABLAR	evolucionar	4	HABLAR
estorbar	4	HABLAR	exacerbar	4	HABLAR
estornudar	4	HABLAR	exagerar	4	HABLAR
estragar	52	PAGAR	exaltar	4	HABLAR
estrangular	4	HABLAR	examinar	4	HABLAR
estraperlear	4	HABLAR	exasperar	4	HABLAR
estratificar	71	SACAR	excarcelar	4	HABLAR
estrechar	4	HABLAR	excavar	4	HABLAR
estregar	65	REGAR	exceder	5	BEBER
estrellar	4	HABLAR	exceptuar	10	ACTUAR
estremecer	53	PARECER	excitar	4	HABLAR
estrenar	4	HABLAR	exclamar	4	HABLAR
estreñir	21	CEÑIR	exclaustrar	4	HABLAR
estresar	4	HABLAR	excluir	43	HUIR
estriar	41	GUIAR	excogitar	4	HABLAR
estribar	4	HABLAR	excomulgar	52	PAGAR
estropear	4	HABLAR	excoriar	4	HABLAR
estructurar	4	HABLAR	excretar	4	HABLAR
estrujar	4	HABLAR	exculpar	4	HABLAR
estucar	71	SACAR	excusar	4	HABLAR
estuchar	4	HABLAR	execrar	4	HABLAR
estudiar	4	HABLAR	exfoliar	4	HABLAR
estufar	4	HABLAR	exhalar	4	HABLAR
estuprar	4	HABLAR	exhibir	6	VIVIR
eternizar	79	UTILIZAR	exhortar	4	HABLAR
etiquetar	4	HABLAR	exhumar	4	HABLAR

VERBO	TABLA	MODELO	VERBO	TABLA	MODELO
exigir	30	DIRIGIR	expurgar	52	PAGAR
exiliar	4	HABLAR	extasiar	41	GUIAR
eximir	6	VIVIR	extender	56	PERDER
existir	6	VIVIR	extenuar	10	ACTUAR
exonerar	4	HABLAR	exteriorizar	79	UTILIZAR
exorbitar	4	HABLAR	exterminar	4	HABLAR
exorcizar	79	UTILIZAR	externalizar	79	UTILIZAR
exornar	4	HABLAR	extinguir	32	DISTINGUIR
expandir	6	VIVIR	extirpar	4	HABLAR
expansionar	4	HABLAR	extorsionar	4	HABLAR
expatriar	41	GUIAR	extractar	4	HABLAR
expectorar	4	HABLAR	extraditar	4	HABLAR
expedientar	4	HABLAR	extraer	77	TRAER
expedir	5	PEDIR	extralimitarse	4	HABLAR
expeler	5	BEBER	extranjerizar	79	UTILIZAR
expender	5	BEBER	extrañar	4	HABLAR
experienciar	4	HABLAR	extrapolar	4	HABLAR
experimentar	4	HABLAR	extravasarse	4	HABLAR
expiar	4	HABLAR	extraviar	41	GUIAR
expirar	4	HABLAR	extremar	4	HABLAR
explanar	4	HABLAR	exudar	4	HABLAR
explayar	4	HABLAR	exultar	4	HABLAR
explicar	71	SACAR	eyacular	4	HABLAR
explicitar	4	HABLAR	eyectar	4	HABLAR
explicotear	4	HABLAR	fabricar	71	SACAR
explorar	4	HABLAR	fabular	4	HABLAR
explosionar	4	HABLAR	facilitar	4	HABLAR
explotar	4	HABLAR	facturar	4	HABLAR
expoliar	4	HABLAR	facultar	4	HABLAR
exponer	60	PONER	faenar	4	HABLAR
exportar	4	HABLAR	fagocitar	4	HABLAR
expresar	4	HABLAR	fajar	4	HABLAR
exprimir	6	VIVIR	fallar	4	HABLAR
expropiar	4	HABLAR	fallecer	53	PARECER
expugnar	4	HABLAR	falsar	4	HABLAR
expulsar	4	HABLAR	falsear	4	HABLAR

VERBO	TABLA	MODELO	VERBO	TABLA	MODELO
falsificar	71	SACAR	finar	4	HABLAR
faltar	4	HABLAR	fincar	71	SACAR
familiarizar	79	UTILIZAR	fingir	30	DIRIGIR
fanatizar	79	UTILIZAR	finiquitar	4	HABLAR
fanfarronear	4	HABLAR	fintar	4	HABLAR
fantasear	4	HABLAR	firmar	4	HABLAR
fardar	4	HABLAR	fiscalizar	79	UTILIZAR
farfullar	4	HABLAR	fisgar	52	PAGAR
farolear	4	HABLAR	fisgonear	4	HABLAR
fascinar	4	HABLAR	flagelar	4	HABLAR
fastidiar	4	HABLAR	flambear	4	HABLAR
fatigar	52	PAGAR	flamear	4	HABLAR
favorecer	53	PARECER	flanquear	4	HABLAR
faxear	4	HABLAR	flaquear	4	HABLAR
fechar	4	HABLAR	fletar	4	HABLAR
fecundar	4	HABLAR	flexibilizar	79	UTILIZAR
fecundizar	79	UTILIZAR	flexionar	4	HABLAR
federar	4	HABLAR	flipar	4	HABLAR
felicitar	4	HABLAR	flirtear	4	HABLAR
felpar	4	HABLAR	flojear	4	HABLAR
fenecer	53	PARECER	florear	4	HABLAR
fermentar	4	HABLAR	florecer	53	PARECER
fertilizar	79	UTILIZAR	flotar	4	HABLAR
festejar	4	HABLAR	fluctuar	10	ACTUAR
festonear	4	HABLAR	fluir	43	HUIR
fiar	41	GUIAR	focalizar	79	UTILIZAR
fichar	4	HABLAR	foguear	4	HABLAR
fidelizar	79	UTILIZAR	foliar	4	HABLAR
figurar	4	HABLAR	follar	4	HABLAR
fijar	4	HABLAR	fomentar	4	HABLAR
filar	4	HABLAR	fondear	4	HABLAR
filmar	4	HABLAR	forcejear	4	HABLAR
filosofar	4	HABLAR	forestar	4	HABLAR
filtrar	4	HABLAR	forjar	4	HABLAR
finalizar	79	UTILIZAR	formalizar	79	UTILIZAR
financiar	4	HABLAR	formar	4	HABLAR

VERBO	TABLA	MODELO	VERBO	TABLA	MODELO
formatear	4	HABLAR	frustrar	4	HABLAR
formular	4	HABLAR	fugar(se)	52	PAGAR
fornicar	71	SACAR	fulgir	30	DIRIGIR
forrar	4	HABLAR	fulgurar	4	HABLAR
fortalecer	53	PARECER	fulminar	4	HABLAR
fortificar	71	SACAR	fumar	4	HABLAR
forzar	40	FORZAR	fumigar	52	PAGAR
fosfatar	4	HABLAR	funcionar	4	HABLAR
fosforecer	53	PARECER	fundamentar	4	HABLAR
fosforescer	53	PARECER	fundar	4	HABLAR
fosilizar(se)	79	UTILIZAR	fundir	6	VIVIR
fotocopiar	4	HABLAR	fusilar	4	HABLAR
fotografiar	41	GUIAR	fusionar	4	HABLAR
fotosintetizar	79	UTILIZAR	fustigar	52	PAGAR
fracasar	4	HABLAR	gafar	4	HABLAR
fraccionar	4	HABLAR	galantear	4	HABLAR
fracturar	4	HABLAR	galardonar	4	HABLAR
fragmentar	4	HABLAR	gallar	4	HABLAR
fraguar	17	AVERIGUAR	gallardear	4	HABLAR
franquear	4	HABLAR	gallear	4	HABLAR
fraternizar	79	UTILIZAR	galleguizar	79	UTILIZAR
frecuentar	4	HABLAR	galopar	4	HABLAR
fregar	65	REGAR	galvanizar	79	UTILIZAR
fregotear	4	HABLAR	gambear	4	HABLAR
freír*	66	REÍR	gamberrear	4	HABLAR
frenar	4	HABLAR	gamitar	4	HABLAR
fresar	4	HABLAR	ganar	4	HABLAR
frezar	79	UTILIZAR	gandulear	4	HABLAR
friccionar	4	HABLAR	gangrenarse	4	HABLAR
frisar	4	HABLAR	gansear	4	HABLAR
fritar	4	HABLAR	gañir	58	PLAÑIR
frotar	4	HABLAR	garabatear	4	HABLAR
fructificar	71	SACAR	garantizar	79	UTILIZAR
fruncir	85	ZURCIR	garapiñar	4	HABLAR
			gargajear	4	HABLAR
			garrapatear	4	HABLAR

* Tiene un participio regular (freído) que se
usa en la conjugación y otro irregular (frito)
que se usa como adjetivo.

VERBO	TABLA	MODELO	VERBO	TABLA	MODELO
garrapiñar	4	HABLAR	gorronear	4	HABLAR
garrir	6	VIVIR	gotear	4	HABLAR
gasear	4	HABLAR	gozar	79	UTILIZAR
gasificar	71	SACAR	grabar	4	HABLAR
gastar	4	HABLAR	graduar	10	ACTUAR
gatear	4	HABLAR	grafiar	41	GUIAR
gazmiar(se)	4	HABLAR	grajear	4	HABLAR
geminar	4	HABLAR	gramaticalizarse	79	UTILIZAR
gemir	54	PEDIR	granar	4	HABLAR
generalizar	79	UTILIZAR	granear	4	HABLAR
generar	4	HABLAR	granizar	79	UTILIZAR
germanizar	79	UTILIZAR	granjear(se)	4	HABLAR
germinar	4	HABLAR	granular	4	HABLAR
gestar	4	HABLAR	grapar	4	HABLAR
gesticular	4	HABLAR	gratificar	71	SACAR
gestionar	4	HABLAR	gratinar	4	HABLAR
gibar	4	HABLAR	gravar	4	HABLAR
gimotear	4	HABLAR	gravitar	4	HABLAR
girar	4	HABLAR	graznar	4	HABLAR
gitanear	4	HABLAR	grillarse	4	HABLAR
glasear	4	HABLAR	gripar(se)	4	HABLAR
globalizar	79	UTILIZAR	grisear	4	HABLAR
gloriar	41	GUIAR	gritar	4	HABLAR
glorificar	71	SACAR	gruñir	58	PLAÑIR
glosar	4	HABLAR	guadañar	4	HABLAR
glotonear	4	HABLAR	guardar	4	HABLAR
gobernar	55	PENSAR	guarecer	53	PARECER
golear	4	HABLAR	guarnecer	53	PARECER
golfear	4	HABLAR	guarrear	4	HABLAR
golosinar	4	HABLAR	guasearse	4	HABLAR
golosinear	4	HABLAR	guatear	4	HABLAR
golpear	4	HABLAR	guerrear	4	HABLAR
golpetear	4	HABLAR	guiar	41	GUIAR
gorgoritear	4	HABLAR	guillarse	4	HABLAR
gorgotear	4	HABLAR	guillotinar	4	HABLAR
gorjear	4	HABLAR	guindar	4	HABLAR

VERBO	TABLA	MODELO	VERBO	TABLA	MODELO
guiñar	4	HABLAR	hibernar	4	HABLAR
guipar	4	HABLAR	hibridar	4	HABLAR
guisar	4	HABLAR	hidratar	4	HABLAR
gustar	4	HABLAR	hidrogenar	4	HABLAR
haber	1	HABER	hidrolizar	79	UTILIZAR
habilitar	4	HABLAR	higienizar	79	UTILIZAR
habitar	4	HABLAR	hilar	4	HABLAR
habituar	10	ACTUAR	hilvanar	4	HABLAR
hablar	4	HABLAR	hincar	71	SACAR
hacer	42	HACER	hinchar	4	HABLAR
hachear	4	HABLAR	hipar	4	HABLAR
hacinar	4	HABLAR	hiperbolizar	79	UTILIZAR
halagar	52	PAGAR	hipertrofiar	4	HABLAR
halar	4	HABLAR	hipnotizar	79	UTILIZAR
hallar	4	HABLAR	hipotecar	71	SACAR
hambrear	4	HABLAR	hisopar	4	HABLAR
haraganear	4	HABLAR	hisopear	4	HABLAR
hartar	4	HABLAR	hispanizar	79	UTILIZAR
hastiar	41	GUIAR	historiar	4	HABLAR
hebraizar	36	ENRAIZAR	hocicar	71	SACAR
hechizar	79	UTILIZAR	hociquear	4	HABLAR
heder	56	PERDER	hojaldrar	4	HABLAR
helar	55	PENSAR	hojear	4	HABLAR
helenizar(se)	79	UTILIZAR	holgar	23	COLGAR
henchir	54	PEDIR	holgazanear	4	HABLAR
hender	56	PERDER	hollar	25	CONTAR
hendir	31	DISCERNIR	homenajear	4	HABLAR
heñir	21	CEÑIR	homogeneizar	79	UTILIZAR
herbolar	4	HABLAR	homologar	52	PAGAR
heredar	4	HABLAR	hondear	4	HABLAR
herir	74	SENTIR	honrar	4	HABLAR
hermanar	4	HABLAR	horadar	4	HABLAR
hermosear	4	HABLAR	hormiguear	4	HABLAR
herniarse	4	HABLAR	hornear	4	HABLAR
herrar	55	PENSAR	horripilar	4	HABLAR
hervir	74	SENTIR	horrorizar	79	UTILIZAR

VERBO	TABLA	MODELO	VERBO	TABLA	MODELO
hospedar	4	HABLAR	imitar	4	HABLAR
hospitalizar	79	UTILIZAR	impacientar	4	HABLAR
hostiar	4	HABLAR	impactar	4	HABLAR
hostigar	52	PAGAR	impartir	6	VIVIR
hostilizar	79	UTILIZAR	impedir	54	PEDIR
hozar	79	UTILIZAR	impeler	5	BEBER
huevear	4	HABLAR	imperar	4	HABLAR
huir	43	HUIR	impermeabilizar	79	UTILIZAR
humanizar	79	UTILIZAR	impetrar	4	HABLAR
humear	4	HABLAR	implantar	4	HABLAR
humedecer	53	PARECER	implementar	4	HABLAR
humidificar	71	SACAR	implicar	71	SACAR
humillar	4	HABLAR	implorar	4	HABLAR
hundir	4	HABLAR	imponer	60	PONER
huracanarse	4	HABLAR	importar	4	HABLAR
hurgar	52	PAGAR	importunar	4	HABLAR
huronear	4	HABLAR	imposibilitar	4	HABLAR
hurtar	4	HABLAR	impostar	4	HABLAR
husmear	4	HABLAR	imprecar	71	SACAR
idealizar	79	UTILIZAR	impregnar	4	HABLAR
idear	4	HABLAR	impresionar	4	HABLAR
identificar	71	SACAR	imprimar	4	HABLAR
idiotizar	79	UTILIZAR	imprimir*	6	VIVIR
idolatrar	4	HABLAR	improvisar	4	HABLAR
ignorar	4	HABLAR	impugnar	4	HABLAR
igualar	4	HABLAR	impulsar	4	HABLAR
ilegalizar	79	UTILIZAR	impurificar	71	SACAR
ilegitimar	4	HABLAR	imputar	4	HABLAR
iluminar	4	HABLAR	inaugurar	4	HABLAR
ilusionar	4	HABLAR	incapacitar	4	HABLAR
ilustrar	4	HABLAR	incardinar	4	HABLAR
imaginar	4	HABLAR	incautarse	4	HABLAR
imanar	4	HABLAR	incendiar	4	HABLAR
imantar	4	HABLAR	incensar	55	PENSAR
imbricar	71	SACAR			
imbuir	43	HUIR			

* Tiene un participio regular (*imprimido*)
que se usa en la conjugación y otro irregular
(*impreso*) que se usa como adjetivo.

VERBO	TABLA	MODELO	VERBO	TABLA	MODELO
incentivar	4	HABLAR	indultar	4	HABLAR
incidir	6	VIVIR	industrializar	79	UTILIZAR
incinerar	4	HABLAR	industriar(se)	4	HABLAR
incitar	4	HABLAR	inervar	4	HABLAR
inclaustrar	4	HABLAR	infamar	4	HABLAR
inclinar	4	HABLAR	infantilizar	79	UTILIZAR
incluir	43	HUIR	infartar	4	HABLAR
incoar	4	HABLAR	infatuar	10	ACTUAR
incomodar	4	HABLAR	infectar	4	HABLAR
incomunicar	71	SACAR	inferir	74	SENTIR
incordiar	4	HABLAR	infestar	4	HABLAR
incorporar	4	HABLAR	inficionar	4	HABLAR
incrementar	4	HABLAR	infiltrar	4	HABLAR
increpar	4	HABLAR	inflamar	4	HABLAR
incriminar	4	HABLAR	inflar	4	HABLAR
incrustar	4	HABLAR	infligir	30	DIRIGIR
incubar	4	HABLAR	influenciar	4	HABLAR
inculcar	71	SACAR	influir	43	HUIR
inculpar	4	HABLAR	informar	4	HABLAR
incumbir*	6	VIVIR	informatizar	79	UTILIZAR
incumplir	6	VIVIR	infrautilizar	79	UTILIZAR
incurrir	6	VIVIR	infravalorar	4	HABLAR
incursionar	4	HABLAR	infringir	30	DIRIGIR
indagar	52	PAGAR	infundir	6	VIVIR
indemnizar	79	UTILIZAR	ingeniar	4	HABLAR
independizar	79	UTILIZAR	ingerir	74	SENTIR
indexar	4	HABLAR	ingresar	4	HABLAR
indicar	71	SACAR	inhabilitar	4	HABLAR
indiferenciar	4	HABLAR	inhalar	4	HABLAR
indigestarse	4	HABLAR	inhibir	6	VIVIR
indignar	4	HABLAR	inhumar	4	HABLAR
indisciplinar	4	HABLAR	inicializar	79	UTILIZAR
indisponer	60	PONER	iniciar	4	HABLAR
individualizar	79	UTILIZAR	injerir(se)	74	SENTIR
indizar	79	UTILIZAR	injertar	4	HABLAR
inducir	24	CONDUCIR	injuriar	4	HABLAR

* Verbo defectivo.

VERBO	TABLA	MODELO	VERBO	TABLA	MODELO
inmigrar	4	HABLAR	insurreccionar	4	HABLAR
inmiscuir(se)	43	HUIR	integrar	4	HABLAR
inmolar	4	HABLAR	intelectualizar	79	UTILIZAR
inmortalizar	79	UTILIZAR	intensificar	71	SACAR
inmovilizar	79	UTILIZAR	intentar	4	HABLAR
inmunizar	79	UTILIZAR	interactuar	10	ACTUAR
inmutar	4	HABLAR	intercalar	4	HABLAR
innovar	4	HABLAR	intercambiar	4	HABLAR
inocular	4	HABLAR	interceder	5	BEBER
inquietar	4	HABLAR	interceptar	4	HABLAR
inquirir	11	ADQUIRIR	intercomunicar	71	SACAR
insacular	4	HABLAR	interesar	4	HABLAR
insalivar	4	HABLAR	interferir	74	SENTIR
inscribir*	6	VIVIR	interfoliar	4	HABLAR
inseminar	4	HABLAR	interiorizar	79	UTILIZAR
insensibilizar	79	UTILIZAR	interlinear	4	HABLAR
insertar	4	HABLAR	intermediar	4	HABLAR
insinuar	10	ACTUAR	internacionalizar	79	UTILIZAR
insistir	6	VIVIR	internar	4	HABLAR
insolentar(se)	4	HABLAR	interpaginar	4	HABLAR
insonorizar	79	UTILIZAR	interpelar	4	HABLAR
inspeccionar	4	HABLAR	interpolar	4	HABLAR
inspirar	4	HABLAR	interponer	60	PONER
instalar	4	HABLAR	interpretar	4	HABLAR
instar	4	HABLAR	interrelacionar	4	HABLAR
instaurar	4	HABLAR	interrogar	52	PAGAR
instigar	52	PAGAR	interrumpir	6	VIVIR
instilar	4	HABLAR	intervenir	82	VENIR
institucionalizar	79	UTILIZAR	interviuvar	4	HABLAR
instituir	43	HUIR	intimar	4	HABLAR
instruir	43	HUIR	intimidar	4	HABLAR
instrumentalizar	79	UTILIZAR	intitular	4	HABLAR
instrumentar	4	HABLAR	intoxicar	71	SACAR
insubordinar	4	HABLAR	intranquilizar	79	UTILIZAR
insuflar	4	HABLAR	intricar	71	SACAR
insultar	4	HABLAR	intrigar	52	PAGAR

* Su participio es *inscrito*.

VERBO	TABLA	MODELO	VERBO	TABLA	MODELO
intrincar	71	SACAR	jalonar	4	HABLAR
introducir	24	CONDUCIR	jamar	4	HABLAR
intubar	4	HABLAR	jarrear	4	HABLAR
intuir	43	HUIR	jaspear	4	HABLAR
inundar	4	HABLAR	jerarquizar	79	UTILIZAR
inutilizar	79	UTILIZAR	jeringar	52	PAGAR
invadir	6	VIVIR	jiñar	4	HABLAR
invalidar	4	HABLAR	jipiar	4	HABLAR
inventar	4	HABLAR	joder	5	BEBER
inventariar	41	GUIAR	jorobar	4	HABLAR
invernar	55	PENSAR	joropear	4	HABLAR
invertir	74	SENTIR	jubilar	4	HABLAR
investigar	52	PAGAR	judaizar	79	UTILIZAR
investir	54	PEDIR	jugar	45	JUGAR
invitar	4	HABLAR	juguetear	4	HABLAR
invocar	71	SACAR	jumpear	4	HABLAR
involucionar	4	HABLAR	juntar	4	HABLAR
involucrar	4	HABLAR	juramentar	4	HABLAR
inyectar	4	HABLAR	jurar	4	HABLAR
ionizar	79	UTILIZAR	justificar	71	SACAR
ir	44	IR	justipreciar	4	HABLAR
irisar	4	HABLAR	juzgar	52	PAGAR
ironizar	79	UTILIZAR	kilometrar	4	HABLAR
irradiar	4	HABLAR	labializar	79	UTILIZAR
irrigar	52	PAGAR	laborar	4	HABLAR
irritar	4	HABLAR	laborear	4	HABLAR
irrogar	52	PAGAR	labrar	4	HABLAR
irrumpir	6	VIVIR	laburar	4	HABLAR
islamizar	79	UTILIZAR	lacar	71	SACAR
italianizar	79	UTILIZAR	lacerar	4	HABLAR
izar	79	UTILIZAR	lacrar	4	HABLAR
jabonar	4	HABLAR	lactar	4	HABLAR
jactar(se)	4	HABLAR	ladear	4	HABLAR
jadear	4	HABLAR	ladrar	4	HABLAR
jalar	4	HABLAR	lagrimear	4	HABLAR
jalear	4	HABLAR	laicalizar	79	UTILIZAR

VERBO	TABLA	MODELO	VERBO	TABLA	MODELO
laicizar	79	UTILIZAR	levitar	4	HABLAR
lamber	5	BEBER	lexicalizar	79	UTILIZAR
lamentar	4	HABLAR	liar	41	GUIAR
lamer	5	BEBER	libar	4	HABLAR
lametear	4	HABLAR	liberalizar	79	UTILIZAR
laminar	4	HABLAR	liberar	4	HABLAR
lampar	4	HABLAR	libertar	4	HABLAR
lamprear	4	HABLAR	librar	4	HABLAR
lancear	4	HABLAR	licenciar	4	HABLAR
languidecer	53	PARECER	licitar	4	HABLAR
lanzar	79	UTILIZAR	licuar	4	HABLAR
lapidar	4	HABLAR	liderar	4	HABLAR
laquear	4	HABLAR	lidiar	4	HABLAR
largar	52	PAGAR	ligar	52	PAGAR
lastimar	4	HABLAR	lignificar	71	SACAR
lastrar	4	HABLAR	ligotear	4	HABLAR
latinizar	79	UTILIZAR	lijar	4	HABLAR
latir	6	VIVIR	limar	4	HABLAR
laurear	4	HABLAR	limitar	4	HABLAR
lavar	4	HABLAR	limpiar	4	HABLAR
lavotear	4	HABLAR	linchar	4	HABLAR
laxar	4	HABLAR	lindar	4	HABLAR
lechucear	4	HABLAR	liofilizar	79	UTILIZAR
leer	46	LEER	liquidar	4	HABLAR
legalizar	79	UTILIZAR	lisiar	4	HABLAR
legar	52	PAGAR	lisonjear	4	HABLAR
legislar	4	HABLAR	listar	4	HABLAR
legitimar	4	HABLAR	litigar	52	PAGAR
legrar	4	HABLAR	lividecer	53	PARECER
lenificar	71	SACAR	llagar	52	PAGAR
lentificar	71	SACAR	llamar	4	HABLAR
lesionar	4	HABLAR	llamear	4	HABLAR
leudar	4	HABLAR	llanear	4	HABLAR
levantar	4	HABLAR	llegar	52	PAGAR
levar	4	HABLAR	llenar	4	HABLAR
levigar	52	PAGAR	llevar	4	HABLAR

VERBO	TABLA	MODELO	VERBO	TABLA	MODELO
llorar	4	HABLAR	malear	4	HABLAR
lloriquear	4	HABLAR	maleducar	71	SACAR
llover	49	MOVER	malgastar	4	HABLAR
lloviznar	4	HABLAR	malherir	74	SENTIR
loar	4	HABLAR	malhumorar	4	HABLAR
localizar	79	UTILIZAR	maliciar	4	HABLAR
lograr	4	HABLAR	malinterpretar	4	HABLAR
lubricar	71	SACAR	malmeter	5	BEBER
lubrificar	71	SACAR	malograr	4	HABLAR
luchar	4	HABLAR	malparir	6	VIVIR
lucir	47	LUCIR	malquistar	4	HABLAR
lucrar(se)	4	HABLAR	maltear	4	HABLAR
lucubrar	4	HABLAR	maltratar	4	HABLAR
lustrar	4	HABLAR	malvender	5	BEBER
luxar	4	HABLAR	malversar	4	HABLAR
macanear	4	HABLAR	malvivir	6	VIVIR
macar(se)	71	SACAR	mamar	4	HABLAR
macear	4	HABLAR	manar	4	HABLAR
macerar	4	HABLAR	manchar	4	HABLAR
machacar	71	SACAR	mancillar	4	HABLAR
machar	4	HABLAR	mancomunar	4	HABLAR
machetear	4	HABLAR	mancornar	25	CONTAR
machihembrar	4	HABLAR	mandar	4	HABLAR
machucar	71	SACAR	mandatar	4	HABLAR
madrugar	52	PAGAR	manducar	71	SACAR
madurar	4	HABLAR	manejar	4	HABLAR
magnetizar	79	UTILIZAR	mangar	52	PAGAR
magnificar	71	SACAR	mangonear	4	HABLAR
magrear	4	HABLAR	maniatar	4	HABLAR
magullar	4	HABLAR	manifestar**	55	PENSAR
majar	4	HABLAR	maniobrar	4	HABLAR
malacostumbrar	4	HABLAR			
malbaratar	4	HABLAR			
malcomer	5	BEBER			
malcriar	41	GUIAR			
maldecir*	18	BENDECIR			

* Tiene un participio regular (maldecido) que se usa en la conjugación y otro irregular (maldito) que se usa como adjetivo.

** Tiene un participio regular (manifestado) que se usa en la conjugación y otro irregular (manifiesto) que se usa como adjetivo.

VERBO	TABLA	MODELO	VERBO	TABLA	MODELO
manipular	4	HABLAR	mascullar	4	HABLAR
manosear	4	HABLAR	masificar	71	SACAR
manotear	4	HABLAR	masticar	71	SACAR
mansurrear	4	HABLAR	masturbar	4	HABLAR
mansurronear	4	HABLAR	matar	4	HABLAR
mantear	4	HABLAR	matear	4	HABLAR
mantener	76	TENER	materializar	79	UTILIZAR
manufacturar	4	HABLAR	maternizar	79	UTILIZAR
manumitir	6	VIVIR	matizar	79	UTILIZAR
mañanear	4	HABLAR	matraquear	4	HABLAR
maquearse	4	HABLAR	matricular	4	HABLAR
maquetar	4	HABLAR	matrimoniar	4	HABLAR
maquillar	4	HABLAR	maullar	10	ACTUAR
maquinar	4	HABLAR	maximizar	79	UTILIZAR
maquinizar	79	UTILIZAR	mayar	4	HABLAR
maravillar	4	HABLAR	mayear	4	HABLAR
marcar	71	SACAR	mazar	79	UTILIZAR
marcear	4	HABLAR	mear	4	HABLAR
marchar	4	HABLAR	mecanizar	79	UTILIZAR
marchitar	4	HABLAR	mecanografiar	41	GUIAR
marear	4	HABLAR	mecer	81	VENCER
marginar	4	HABLAR	mechar	4	HABLAR
mariconear	4	HABLAR	mediar	4	HABLAR
maridar	4	HABLAR	mediatizar	79	UTILIZAR
mariposear	4	HABLAR	medicar	71	SACAR
mariscar	71	SACAR	medicinar	4	HABLAR
marranear	4	HABLAR	medir	54	PEDIR
marrar	4	HABLAR	meditar	4	HABLAR
martillar	4	HABLAR	medrar	4	HABLAR
martillear	4	HABLAR	mejer	5	BEBER
martirizar	79	UTILIZAR	mejorar	4	HABLAR
marujear	4	HABLAR	melar	55	PENSAR
masacrar	4	HABLAR	melificar	71	SACAR
masajear	4	HABLAR	mellar	4	HABLAR
mascar	71	SACAR	memorar	4	HABLAR
masculinizar	79	UTILIZAR	memorizar	79	UTILIZAR

VERBO	TABLA	MODELO	VERBO	TABLA	MODELO
mencionar	4	HABLAR	milagrear	4	HABLAR
mendigar	52	PAGAR	militar	4	HABLAR
menear	4	HABLAR	militarizar	79	UTILIZAR
menguar	17	AVERIGUAR	milonguear	4	HABLAR
menoscabar	4	HABLAR	mimar	4	HABLAR
menospreciar	4	HABLAR	mimbrear	4	HABLAR
menstruar	10	ACTUAR	mimetizar(se)	79	UTILIZAR
mensualizar	79	UTILIZAR	minar	4	HABLAR
mensurar	4	HABLAR	mineralizar	79	UTILIZAR
mentalizar	79	UTILIZAR	miniar	4	HABLAR
mentar	55	PENSAR	miniaturizar	79	UTILIZAR
mentir	74	SENTIR	minimizar	79	UTILIZAR
menudear	4	HABLAR	minorar	4	HABLAR
mercadear	4	HABLAR	minusvalorar	4	HABLAR
mercantilizar	79	UTILIZAR	mirar	4	HABLAR
mercar	71	SACAR	mistificar	71	SACAR
merecer	53	PARECER	misturar	4	HABLAR
merendar	55	PENSAR	mitificar	71	SACAR
merengar	52	PAGAR	mitigar	52	PAGAR
mermar	4	HABLAR	mixtificar	71	SACAR
merodear	4	HABLAR	mixturar	4	HABLAR
mesar	4	HABLAR	modelar	4	HABLAR
mesurar	4	HABLAR	moderar	4	HABLAR
metabolizarse	79	UTILIZAR	modernizar	79	UTILIZAR
metaforizar	79	UTILIZAR	modificar	71	SACAR
metalizar	79	UTILIZAR	modular	4	HABLAR
metamorfosear	4	HABLAR	mofar(se)	4	HABLAR
meteorizar	79	UTILIZAR	mojar	4	HABLAR
meter	5	BEBER	molar	4	HABLAR
metodizar	79	UTILIZAR	moldear	4	HABLAR
mezclar	4	HABLAR	moldurar	4	HABLAR
microfilmar	4	HABLAR	moler	49	MOVER
microinyectar	4	HABLAR	molestar	4	HABLAR
micronizar	79	UTILIZAR	molificar	71	SACAR
migar	52	PAGAR	molturar	4	HABLAR
migrar	4	HABLAR	momificar	71	SACAR

VERBO	TABLA	MODELO	VERBO	TABLA	MODELO
mondar	4	HABLAR	municipalizar	79	UTILIZAR
monetizar	79	UTILIZAR	muñir	58	PLAÑIR
monitorizar	79	UTILIZAR	murmurar	4	HABLAR
monologar	52	PAGAR	musicar	71	SACAR
monopolizar	79	UTILIZAR	musitar	4	HABLAR
monoptongar	52	PAGAR	mustiar	4	HABLAR
montanear	4	HABLAR	mutar	4	HABLAR
montar	4	HABLAR	mutilar	4	HABLAR
montear	4	HABLAR	nacer	53	PARECER
moquear	4	HABLAR	nacionalizar	79	UTILIZAR
moquetar	4	HABLAR	nadar	4	HABLAR
moralizar	79	UTILIZAR	naquear	4	HABLAR
morar	4	HABLAR	narcotizar	79	UTILIZAR
morder	49	MOVER	narrar	4	HABLAR
mordiscar	71	SACAR	nasalizar	79	UTILIZAR
mordisquear	4	HABLAR	naturalizar	79	UTILIZAR
morigerar	4	HABLAR	naufragar	52	PAGAR
morir	48	MORIR	navegar	52	PAGAR
morrear	4	HABLAR	nebulizar	79	UTILIZAR
mortificar	71	SACAR	necesitar	4	HABLAR
mosconear	4	HABLAR	negar	65	REGAR
mosquear	4	HABLAR	negociar	4	HABLAR
mostrar	25	CONTAR	negrear	4	HABLAR
motear	4	HABLAR	nesgar	52	PAGAR
motejar	4	HABLAR	neurotizar	79	UTILIZAR
motivar	4	HABLAR	neutralizar	79	UTILIZAR
motorizar	79	UTILIZAR	nevar	55	PENSAR
mover	49	MOVER	neviscar	71	SACAR
movilizar	79	UTILIZAR	nidificar	71	SACAR
mudar	4	HABLAR	nimbar	4	HABLAR
mugir	30	DIRIGIR	ningunear	4	HABLAR
mullir	58	PLAÑIR	niquelar	4	HABLAR
multar	4	HABLAR	nitrar	4	HABLAR
multicopiar	4	HABLAR	nivelar	4	HABLAR
multiplicar	71	SACAR	nombrar	4	HABLAR
municionar	4	HABLAR	nominalizar	79	UTILIZAR

VERBO	TABLA	MODELO	VERBO	TABLA	MODELO
nominar	4	HABLAR	ofender	5	BEBER
noquear	4	HABLAR	ofertar	4	HABLAR
normalizar	79	UTILIZAR	oficializar	79	UTILIZAR
notar	4	HABLAR	oficiar	4	HABLAR
notificar	71	SACAR	ofrecer	53	PARECER
novelar	4	HABLAR	ofrendar	4	HABLAR
novelear	4	HABLAR	ofuscar	71	SACAR
nublar	4	HABLAR	oír	50	OÍR
nuclearizar	79	UTILIZAR	ojear	4	HABLAR
numerar	4	HABLAR	okupar	4	HABLAR
nutrir	6	VIVIR	oler	51	OLER
obcecar	71	SACAR	olfatear	4	HABLAR
obedecer	53	PARECER	oliscar	71	SACAR
objetar	4	HABLAR	olisquear	4	HABLAR
objetivar	4	HABLAR	olvidar	4	HABLAR
obligar	52	PAGAR	omitir	6	VIVIR
obliterar	4	HABLAR	ondear	4	HABLAR
obnubilar	4	HABLAR	ondular	4	HABLAR
obrar	4	HABLAR	opar	4	HABLAR
obsequiar	4	HABLAR	operar	4	HABLAR
observar	4	HABLAR	opinar	4	HABLAR
obsesionar	4	HABLAR	oponer	60	PONER
obstaculizar	79	UTILIZAR	opositar	4	HABLAR
obstar	4	HABLAR	oprimir	6	VIVIR
obstinar(se)	4	HABLAR	oprobiar	4	HABLAR
obstruir	43	HUIR	optar	4	HABLAR
obtener	76	TENER	optimar	4	HABLAR
obturar	4	HABLAR	optimizar	79	UTILIZAR
obviar	4	HABLAR	opugnar	4	HABLAR
ocasionar	4	HABLAR	orar	4	HABLAR
occidentalizar	79	UTILIZAR	orbitar	4	HABLAR
ocluir	43	HUIR	ordenar	4	HABLAR
ocultar	4	HABLAR	ordeñar	4	HABLAR
ocupar	4	HABLAR	orear	4	HABLAR
ocurrir*	6	VIVIR	organizar	79	UTILIZAR
odiar	4	HABLAR	orientalizar	79	UTILIZAR

* Verbo defectivo.

VERBO	TABLA	MODELO	VERBO	TABLA	MODELO
orientar	4	HABLAR	palmar	4	HABLAR
originar	4	HABLAR	palmear	4	HABLAR
orillar	4	HABLAR	palmotear	4	HABLAR
orinar	4	HABLAR	palpar	4	HABLAR
orlar	4	HABLAR	palpitar	4	HABLAR
ornamentar	4	HABLAR	pandear	4	HABLAR
ornar	4	HABLAR	panderetear	4	HABLAR
orquestar	4	HABLAR	panificar	71	SACAR
orzar	79	UTILIZAR	papar	4	HABLAR
osar	4	HABLAR	papear	4	HABLAR
oscilar	4	HABLAR	parabolizar	79	UTILIZAR
oscurecer	53	PARECER	parafinar	4	HABLAR
osificarse	71	SACAR	parafrasear	4	HABLAR
ostentar	4	HABLAR	paralizar	79	UTILIZAR
otear	4	HABLAR	parangonar	4	HABLAR
otoñar	4	HABLAR	parapetar	4	HABLAR
otorgar	52	PAGAR	parar	4	HABLAR
ovacionar	4	HABLAR	parasitar	4	HABLAR
ovalar	4	HABLAR	parcelar	4	HABLAR
ovar	4	HABLAR	parchear	4	HABLAR
ovillar	4	HABLAR	parear	4	HABLAR
ovular	4	HABLAR	parecer	53	PARECER
oxidar	4	HABLAR	parir	6	VIVIR
oxigenar	4	HABLAR	parlamentar	4	HABLAR
pacer	53	PARECER	parlar	4	HABLAR
pacificar	71	SACAR	parlotear	4	HABLAR
pactar	4	HABLAR	parodiar	4	HABLAR
padecer	53	PARECER	parpadear	4	HABLAR
paganizar	79	UTILIZAR	parquear	4	HABLAR
pagar	52	PAGAR	parrafear	4	HABLAR
paginar	4	HABLAR	parrandear	4	HABLAR
paladear	4	HABLAR	participar	4	HABLAR
palatalizar	79	UTILIZAR	particularizar	79	UTILIZAR
paletizar	79	UTILIZAR	partir	6	VIVIR
paliar	41	GUIAR	pasaportar	4	HABLAR
palidecer	53	PARECER	pasar	4	HABLAR

VERBO	TABLA	MODELO	VERBO	TABLA	MODELO
pasear	4	HABLAR	penar	4	HABLAR
pasmar	4	HABLAR	pencar	71	SACAR
pastar	4	HABLAR	pender	5	BEBER
pasterizar	79	UTILIZAR	pendonear	4	HABLAR
pasteurizar	79	UTILIZAR	penetrar	4	HABLAR
pastorear	4	HABLAR	pensar	55	PENSAR
patalear	4	HABLAR	pensionar	4	HABLAR
patear	4	HABLAR	peñiscar	71	SACAR
patentar	4	HABLAR	peraltar	4	HABLAR
patentizar	79	UTILIZAR	percatar(se)	4	HABLAR
patinar	4	HABLAR	perchar	4	HABLAR
patrocinar	4	HABLAR	percibir	6	VIVIR
patronear	4	HABLAR	percudir	6	VIVIR
patrullar	4	HABLAR	percutir	6	VIVIR
pauperizar	79	UTILIZAR	perder	56	PERDER
pausar	4	HABLAR	perdonar	4	HABLAR
pautar	4	HABLAR	perdurar	4	HABLAR
pavimentar	4	HABLAR	perecer	53	PARECER
pavonar	4	HABLAR	peregrinar	4	HABLAR
pavonear(se)	4	HABLAR	perfeccionar	4	HABLAR
peatonalizar	79	UTILIZAR	perfilar	4	HABLAR
pecar	71	SACAR	perforar	4	HABLAR
pechar	4	HABLAR	perfumar	4	HABLAR
pedalear	4	HABLAR	pergeñar	4	HABLAR
pedir	54	PEDIR	periclitar	4	HABLAR
pedorrear	4	HABLAR	perifrasear	4	HABLAR
peerse	5	BEBER	peritar	4	HABLAR
pegar	52	PAGAR	perjudicar	71	SACAR
peinar	4	HABLAR	perjurar	4	HABLAR
pelar	4	HABLAR	perlar	4	HABLAR
pelear	4	HABLAR	permanecer	53	PARECER
pelechar	4	HABLAR	permitir	6	VIVIR
peligrar	4	HABLAR	permutar	4	HABLAR
pellizcar	71	SACAR	pernoctar	4	HABLAR
pelotear	4	HABLAR	perorar	4	HABLAR
penalizar	79	UTILIZAR	perpetrar	4	HABLAR

VERBO	TABLA	MODELO	VERBO	TABLA	MODELO
perpetuar	10	ACTUAR	pindonguear	4	HABLAR
perseguir	73	SEGUIR	pingar	52	PAGAR
perseverar	4	HABLAR	pingonear	4	HABLAR
persignar	4	HABLAR	pintar	4	HABLAR
persistir	6	VIVIR	pintarrajear	4	HABLAR
personalizar	79	UTILIZAR	pinzar	79	UTILIZAR
personarse	4	HABLAR	pirar(se)	4	HABLAR
personificar	71	SACAR	piratear	4	HABLAR
persuadir	6	VIVIR	pirograbar	4	HABLAR
pertenecer	53	PARECER	piropear	4	HABLAR
pertrechar	4	HABLAR	pirrar	4	HABLAR
perturbar	4	HABLAR	pisar	4	HABLAR
pervertir	74	SENTIR	pisotear	4	HABLAR
pervivir	6	VIVIR	pitar	4	HABLAR
pesar	4	HABLAR	pitorrearse	4	HABLAR
pescar	71	SACAR	pivotar	4	HABLAR
pespuntar	4	HABLAR	placar	71	SACAR
pespuntear	4	HABLAR	placer	57	PLACER
pestañear	4	HABLAR	plagar	52	PAGAR
petar	4	HABLAR	plagiar	4	HABLAR
petrificar	71	SACAR	planchar	4	HABLAR
petrolear	4	HABLAR	planear	4	HABLAR
piafar	4	HABLAR	planificar	71	SACAR
piar	41	GUIAR	plantar	4	HABLAR
picanear	4	HABLAR	plantear	4	HABLAR
picar	71	SACAR	plantificar	71	SACAR
picardear	4	HABLAR	plañir	58	PLAÑIR
picotear	4	HABLAR	plasmar	4	HABLAR
pifiar	4	HABLAR	plastificar	71	SACAR
pigmentar	4	HABLAR	platear	4	HABLAR
pignorar	4	HABLAR	platicar	71	SACAR
pillar	4	HABLAR	platinar	4	HABLAR
pilotar	4	HABLAR	plegar	65	REGAR
pilotear	4	HABLAR	pleitear	4	HABLAR
pimplar	4	HABLAR	plisar	4	HABLAR
pinchar	4	HABLAR	pluralizar	79	UTILIZAR

VERBO	TABLA	MODELO	VERBO	TABLA	MODELO
poblar	25	CONTAR	practicar	71	SACAR
podar	4	HABLAR	precaver	5	BEBER
poder	59	PODER	preceder	5	BEBER
podrir	6	VIVIR	preceptuar	10	ACTUAR
poetizar	79	UTILIZAR	preciar(se)	4	HABLAR
polarizar	79	UTILIZAR	precintar	4	HABLAR
polemizar	79	UTILIZAR	precipitar	4	HABLAR
policromar	4	HABLAR	precisar	4	HABLAR
polinizar	79	UTILIZAR	preconcebir	54	PEDIR
politiquear	4	HABLAR	preconizar	79	UTILIZAR
politizar	79	UTILIZAR	predecir	61	PREDECIR
pollear	4	HABLAR	predestinar	4	HABLAR
pololear	4	HABLAR	predeterminar	4	HABLAR
polucionar	4	HABLAR	predicar	71	SACAR
ponchar	4	HABLAR	predisponer	60	PONER
ponderar	4	HABLAR	predominar	4	HABLAR
poner	60	PONER	preferir	74	SENTIR
pontificar	71	SACAR	prefigurar	4	HABLAR
popularizar	79	UTILIZAR	prefijar	4	HABLAR
pordiosear	4	HABLAR	pregonar	4	HABLAR
porfiar	41	GUIAR	preguntar	4	HABLAR
pormenorizar	79	UTILIZAR	prejuzgar	52	PAGAR
portar	4	HABLAR	preludiar	4	HABLAR
portear	4	HABLAR	premeditar	4	HABLAR
posar	4	HABLAR	premiar	4	HABLAR
poseer	46	LEER	premonizar	79	UTILIZAR
posesionar	4	HABLAR	prendar	4	HABLAR
posibilitar	4	HABLAR	prender	5	BEBER
posicionar	4	HABLAR	prensar	4	HABLAR
positivar	4	HABLAR	preñar	4	HABLAR
posponer	60	PONER	preocupar	71	SACAR
postergar	52	PAGAR	preparar	4	HABLAR
postrar	4	HABLAR	preponderar	4	HABLAR
postular	4	HABLAR	presagiar	4	HABLAR
potabilizar	79	UTILIZAR	prescindir	6	VIVIR
potenciar	4	HABLAR	prescribir*	6	VIVIR

* Su participio es *prescrito*.

VERBO	TABLA	MODELO	VERBO	TABLA	MODELO
presenciar	4	HABLAR	profanar	4	HABLAR
presentar	4	HABLAR	proferir	74	SENTIR
presentir	74	SENTIR	profesar	4	HABLAR
preservar	4	HABLAR	profesionalizar	79	UTILIZAR
presidir	6	VIVIR	profetizar	79	UTILIZAR
presionar	4	HABLAR	profundizar	79	UTILIZAR
prestar	4	HABLAR	programar	4	HABLAR
prestigiar	4	HABLAR	progresar	4	HABLAR
presumir	6	VIVIR	prohibir	62	PROHIBIR
presuponer	60	PONER	prohijar	41	GUIAR
presupuestar	4	HABLAR	proliferar	4	HABLAR
presurizar	79	UTILIZAR	prologar	52	PAGAR
pretender	5	BEBER	prolongar	52	PAGAR
preterir*	6	VIVIR	promediar	4	HABLAR
pretextar	4	HABLAR	prometer	5	BEBER
prevalecer	53	PARECER	promocionar	4	HABLAR
prevaler	80	VALER	promover	49	MOVER
prevaricar	71	SACAR	promulgar	52	PAGAR
prevenir	82	VENIR	pronosticar	71	SACAR
prever	83	VER	pronunciar	4	HABLAR
primar	4	HABLAR	propagar	52	PAGAR
principiar	4	HABLAR	propalar	4	HABLAR
pringar	52	PAGAR	propasar	4	HABLAR
priorizar	79	UTILIZAR	propender	5	BEBER
privar	4	HABLAR	propiciar	4	HABLAR
privatizar	79	UTILIZAR	propinar	4	HABLAR
privilegiar	4	HABLAR	proponer	60	PONER
probar	25	CONTAR	proporcionar	4	HABLAR
problematizar	79	UTILIZAR	propugnar	4	HABLAR
proceder	5	BEBER	propulsar	4	HABLAR
procesar	4	HABLAR	prorratear	4	HABLAR
proclamar	4	HABLAR	prorrogar	52	PAGAR
procrear	4	HABLAR	prorrumpir	6	VIVIR
procurar	4	HABLAR	proscribir**	6	VIVIR
prodigar	52	PAGAR	proseguir	73	SEGUIR
producir	24	CONDUCIR	prosificar	71	SACAR

* Verbo defectivo. ** Su participio es *proscrito*.

VERBO	TABLA	MODELO	VERBO	TABLA	MODELO
prosperar	4	HABLAR	quedar	4	HABLAR
prosternarse	4	HABLAR	quejar(se)	4	HABLAR
prostituir	43	HUIR	quemar	4	HABLAR
protagonizar	79	UTILIZAR	querellarse	4	HABLAR
proteger	39	ESCOGER	querer	63	QUERER
protestar	4	HABLAR	quietar	4	HABLAR
prototipizar	79	UTILIZAR	quilar	4	HABLAR
proveer*	46	LEER	quintar	4	HABLAR
provenir	82	VENIR	quintuplicar	71	SACAR
provocar	71	SACAR	quitar	4	HABLAR
proyectar	4	HABLAR	rabear	4	HABLAR
psicoanalizar	79	UTILIZAR	rabiar	4	HABLAR
publicar	71	SACAR	rabiatar	4	HABLAR
publicitar	4	HABLAR	racanear	4	HABLAR
pudrir**	6	VIVIR	rachear	4	HABLAR
puentear	4	HABLAR	racimar	4	HABLAR
pugnar	4	HABLAR	racionalizar	79	UTILIZAR
pujar	4	HABLAR	racionar	4	HABLAR
pulimentar	4	HABLAR	radiar	4	HABLAR
pulir	6	VIVIR	radicalizar	79	UTILIZAR
pulsar	4	HABLAR	radicar	71	SACAR
pulular	4	HABLAR	radiografiar	41	GUIAR
pulverizar	79	UTILIZAR	raer	64	RAER
puncionar	4	HABLAR	rajar	4	HABLAR
punir	6	VIVIR	ralear	4	HABLAR
puntear	4	HABLAR	ralentizar	79	UTILIZAR
puntualizar	79	UTILIZAR	rallar	4	HABLAR
puntuar	10	ACTUAR	ramificar(se)	71	SACAR
punzar	79	UTILIZAR	ramonear	4	HABLAR
purgar	52	PAGAR	ranciar(se)	4	HABLAR
purificar	71	SACAR	rapar	4	HABLAR
putear	4	HABLAR	raptar	4	HABLAR
quebrantar	4	HABLAR	rasar	4	HABLAR
quebrar	55	PENSAR	rascar	71	SACAR
			rasear	4	HABLAR
			rasgar	52	PAGAR

* Tiene un participio regular (*proveído*) que se usa en la conjugación y un participio irregular (*provisto*) que se utiliza como adjetivo.

** Su participio es *podrido*.

VERBO	TABLA	MODELO	VERBO	TABLA	MODELO
raspar	4	HABLAR	rebasar	4	HABLAR
rastrear	4	HABLAR	rebatir	6	VIVIR
rastrillar	4	HABLAR	rebelarse	4	HABLAR
rastrojar	4	HABLAR	reblandecer	53	PARECER
rasurar	4	HABLAR	rebobinar	4	HABLAR
ratear	4	HABLAR	rebosar	4	HABLAR
ratificar	71	SACAR	rebotar	4	HABLAR
rayar	4	HABLAR	rebotear	4	HABLAR
razonar	4	HABLAR	rebozar	79	UTILIZAR
reabrir*	6	VIVIR	rebrotar	4	HABLAR
reabsorber(se)	5	BEBER	rebudiar	4	HABLAR
reaccionar	4	HABLAR	rebufar	4	HABLAR
reactivar	4	HABLAR	rebujar	4	HABLAR
reacuñar	4	HABLAR	rebullir	58	PLAÑIR
readmitir	6	VIVIR	reburujar	4	HABLAR
reafirmar	4	HABLAR	rebuscar	71	SACAR
reagravar	4	HABLAR	rebuznar	4	HABLAR
reagrupar	4	HABLAR	recabar	4	HABLAR
reajustar	4	HABLAR	recaer	20	CAER
realizar	79	UTILIZAR	recalar	4	HABLAR
realojar	4	HABLAR	recalcar	71	SACAR
realquilar	4	HABLAR	recalentar	55	PENSAR
realzar	79	UTILIZAR	recalificar	71	SACAR
reanimar	4	HABLAR	recamar	4	HABLAR
reanudar	4	HABLAR	recambiar	4	HABLAR
reaparecer	53	PARECER	recapacitar	4	HABLAR
reargüir	14	ARGÜIR	recapitular	4	HABLAR
rearmar	4	HABLAR	recargar	52	PAGAR
reasegurar	4	HABLAR	recatar	4	HABLAR
reasumir	6	VIVIR	recauchutar	4	HABLAR
reatar	4	HABLAR	recaudar	4	HABLAR
reavivar	4	HABLAR	recebar	4	HABLAR
rebajar	4	HABLAR	recelar	4	HABLAR
rebalsar	4	HABLAR	recepcionar	4	HABLAR
rebanar	4	HABLAR	recetar	4	HABLAR
rebañar	4	HABLAR	rechazar	79	UTILIZAR

* Su participio es *reabierto*.

VERBO	TABLA	MODELO	VERBO	TABLA	MODELO
rechiflar	4	HABLAR	recrear	4	HABLAR
rechinar	4	HABLAR	recriar	41	GUIAR
rechistar	4	HABLAR	recriminar	4	HABLAR
recibir	6	VIVIR	recrudecer(se)	53	PARECER
reciclar	4	HABLAR	rectificar	71	SACAR
recidivar	4	HABLAR	recuadrar	4	HABLAR
recitar	4	HABLAR	recubrir*	6	VIVIR
reclamar	4	HABLAR	recular	4	HABLAR
reclinar	4	HABLAR	recuperar	4	HABLAR
recluir	43	HUIR	recurrir	6	VIVIR
reclutar	4	HABLAR	recusar	4	HABLAR
recobrar	4	HABLAR	redactar	4	HABLAR
recocer	22	COCER	redar	4	HABLAR
recochinearse	4	HABLAR	redargüir	14	ARGÜIR
recodar	4	HABLAR	redefinir	6	VIVIR
recoger	39	ESCOGER	redimir	6	VIVIR
recolectar	4	HABLAR	redistribuir	43	HUIR
recomendar	55	PENSAR	redoblar	4	HABLAR
recompensar	4	HABLAR	redondear	4	HABLAR
reconcentrar	4	HABLAR	reducir	24	CONDUCIR
reconciliar	4	HABLAR	redundar	4	HABLAR
reconcomer	5	BEBER	reduplicar	71	SACAR
reconducir	24	CONDUCIR	reedificar	71	SACAR
reconfortar	4	HABLAR	reeditar	4	HABLAR
reconocer	53	PARECER	reeducar	71	SACAR
reconquistar	4	HABLAR	reelaborar	4	HABLAR
reconstituir	43	HUIR	reelegir**	34	ELEGIR
reconstruir	43	HUIR	reembolsar	4	HABLAR
reconvenir	82	VENIR	reemplazar	79	UTILIZAR
reconvertir	74	SENTIR	reencarnar(se)	4	HABLAR
recopilar	4	HABLAR	reencontrar	4	HABLAR
recordar	25	CONTAR	reenganchar(se)	4	HABLAR
recorrer	5	BEBER	reenviar	41	GUIAR
recortar	4	HABLAR			
recoser	5	BEBER			
recostar	25	CONTAR			

* Su participio es *recubierto*.
** Tiene un participio regular (*reelegido*) que se usa en la conjugación y otro irregular (*reelecto*) que se usa como adjetivo.

225

VERBO	TABLA	MODELO	VERBO	TABLA	MODELO
reescribir*	6	VIVIR	regañar	4	HABLAR
reestrenar	4	HABLAR	regar	65	REGAR
reestructurar	4	HABLAR	regatear	4	HABLAR
reexpedir	54	PEDIR	regazar	79	UTILIZAR
reexportar	4	HABLAR	regenerar	4	HABLAR
refaccionar	4	HABLAR	regentar	4	HABLAR
refanfinflar	4	HABLAR	regionalizar	79	UTILIZAR
referenciar	4	HABLAR	regir	34	ELEGIR
referir	74	SENTIR	registrar	4	HABLAR
refinar	4	HABLAR	reglamentar	4	HABLAR
refitolear	4	HABLAR	reglar	4	HABLAR
reflectar	4	HABLAR	regocijar	4	HABLAR
reflejar	4	HABLAR	regodearse	4	HABLAR
reflexionar	4	HABLAR	regoldar	25	CONTAR
reflorecer	53	PARECER	regresar	4	HABLAR
reflotar	4	HABLAR	regruñir	6	VIVIR
refluir	43	HUIR	regular	4	HABLAR
refocilar(se)	4	HABLAR	regularizar	79	UTILIZAR
reforestar	4	HABLAR	regurgitar	4	HABLAR
reformar	4	HABLAR	rehabilitar	4	HABLAR
reforzar	40	FORZAR	rehacer	42	HACER
refractar	4	HABLAR	rehilar	41	GUIAR
refregar	65	REGAR	rehogar	52	PAGAR
refreír**	66	REÍR	rehuir	43	HUIR
refrenar	4	HABLAR	rehumedecer	53	PARECER
refrendar	4	HABLAR	rehundir	6	VIVIR
refrescar	71	SACAR	rehusar	10	ACTUAR
refrigerar	4	HABLAR	reimplantar	4	HABLAR
refugiar	4	HABLAR	reimportar	4	HABLAR
refulgir	30	DIRIGIR	reimprimir	6	VIVIR
refundir	6	VIVIR	reinar	4	HABLAR
refunfuñar	4	HABLAR	reincidir	6	VIVIR
refutar	4	HABLAR	reincorporar	4	HABLAR
regalar	4	HABLAR	reinicializar	79	UTILIZAR
regalonear	4	HABLAR	reiniciar	4	HABLAR
			reinsertar	4	HABLAR

* Su participio es *reescrito*.
** Su participio es *refrito*.

226

VERBO	TABLA	MODELO	VERBO	TABLA	MODELO
reintegrar	4	HABLAR	remitir	6	VIVIR
reinvertir	6	VIVIR	remodelar	4	HABLAR
reír	66	REÍR	remojar	4	HABLAR
reiterar	4	HABLAR	remolcar	71	SACAR
reivindicar	71	SACAR	remoler	49	MOVER
rejonear	4	HABLAR	remolonear	4	HABLAR
rejuvenecer	53	PARECER	remontar	4	HABLAR
relacionar	4	HABLAR	remorder	49	MOVER
relajar	4	HABLAR	remover	49	MOVER
relamer(se)	5	BEBER	remozar	79	UTILIZAR
relampaguear	4	HABLAR	remplazar	79	UTILIZAR
relanzar	79	UTILIZAR	remunerar	4	HABLAR
relatar	4	HABLAR	renacer	53	PARECER
relativizar	79	UTILIZAR	rencontrar	4	HABLAR
relegar	52	PAGAR	rendir	54	PEDIR
relevar	4	HABLAR	renegar	65	REGAR
relinchar	4	HABLAR	renegrear	4	HABLAR
rellenar	4	HABLAR	renguear	4	HABLAR
relucir	47	LUCIR	renovar	25	CONTAR
relumbrar	4	HABLAR	renquear	4	HABLAR
remachar	4	HABLAR	rentabilizar	79	UTILIZAR
remallar	4	HABLAR	rentar	4	HABLAR
remangar	52	PAGAR	renunciar	4	HABLAR
remansarse	4	HABLAR	reñir	21	CEÑIR
remar	4	HABLAR	reordenar	4	HABLAR
remarcar	71	SACAR	reorganizar	79	UTILIZAR
remasterizar	79	UTILIZAR	repanchigarse	52	PAGAR
rematar	4	HABLAR	repanchingarse	52	PAGAR
rembolsar	4	HABLAR	repantigarse	52	PAGAR
remecer	81	VENCER	reparar	4	HABLAR
remedar	4	HABLAR	repartir	6	VIVIR
remediar	4	HABLAR	repasar	4	HABLAR
rememorar	4	HABLAR	repatear	4	HABLAR
remendar	55	PENSAR	repatriar	41	GUIAR
remeter	5	BEBER	repeinar	4	HABLAR
remirar	4	HABLAR	repeler	5	BEBER

VERBO	TABLA	MODELO	VERBO	TABLA	MODELO
repensar	55	PENSAR	requerir	74	SENTIR
repentizar	79	UTILIZAR	requisar	4	HABLAR
repercutir	6	VIVIR	resabiar	4	HABLAR
repescar	71	SACAR	resaltar	4	HABLAR
repetir	54	PEDIR	resarcir	85	ZURCIR
repicar	71	SACAR	resbalar	4	HABLAR
repintar	4	HABLAR	rescatar	4	HABLAR
repiquetear	4	HABLAR	rescindir	6	VIVIR
replantar	4	HABLAR	resecar	71	SACAR
replantear	4	HABLAR	resembrar	55	PENSAR
replegar	65	REGAR	resentirse	74	SENTIR
replicar	71	SACAR	reseñar	4	HABLAR
repoblar	25	CONTAR	reservar	4	HABLAR
reponer	60	PONER	resetear	4	HABLAR
reportajear	4	HABLAR	resfriar(se)	41	GUIAR
reportar	4	HABLAR	resguardar	4	HABLAR
reposar	4	HABLAR	residir	6	VIVIR
repostar	4	HABLAR	resignar(se)	4	HABLAR
reprehender	5	BEBER	resinar	4	HABLAR
reprender	5	BEBER	resistir	6	VIVIR
represar	4	HABLAR	resobar	4	HABLAR
representar	4	HABLAR	resollar	25	CONTAR
reprimir	6	VIVIR	resolver*	49	MOVER
reprivatizar	79	UTILIZAR	resonar	25	CONTAR
reprobar	25	CONTAR	resondrar	4	HABLAR
reprochar	4	HABLAR	resoplar	4	HABLAR
reproducir	23	CONDUCIR	respaldar	4	HABLAR
reptar	4	HABLAR	respectar**	4	HABLAR
repudiar	4	HABLAR	respetar	4	HABLAR
repugnar	4	HABLAR	respigar	52	PAGAR
repujar	4	HABLAR	respingar	52	PAGAR
repulir	6	VIVIR	respirar	4	HABLAR
repuntar	4	HABLAR	resplandecer	53	PARECER
reputar	4	HABLAR	responder	67	RESPONDER
requebrar	55	PENSAR	responsabilizar	79	UTILIZAR
requemar	4	HABLAR			

* Su participio es *resuelto*.

** Verbo defectivo.

VERBO	TABLA	MODELO	VERBO	TABLA	MODELO
resquebrajar(se)	4	HABLAR	retrotraer	77	TRAER
restablecer	53	PARECER	retumbar	4	HABLAR
restallar	4	HABLAR	reunir	68	REUNIR
restañar	4	HABLAR	reutilizar	79	UTILIZAR
restar	4	HABLAR	revalidar	4	HABLAR
restaurar	4	HABLAR	revalorizar	79	UTILIZAR
restituir	43	HUIR	revaluar	10	ACTUAR
restregar	65	REGAR	revascularizar	79	UTILIZAR
restringir	30	DIRIGIR	revelar	4	HABLAR
resucitar	4	HABLAR	revender	5	BEBER
resultar	4	HABLAR	revenir(se)	82	VENIR
resumir	6	VIVIR	reventar	55	PENSAR
resurgir	30	DIRIGIR	reverberar	4	HABLAR
resurtir	6	VIVIR	reverdecer	53	PARECER
retar	4	HABLAR	reverenciar	4	HABLAR
retardar	4	HABLAR	reverter	56	PERDER
retejar	4	HABLAR	revertir	74	SENTIR
retemblar	55	PENSAR	revestir	54	PEDIR
retener	76	TENER	revindicar	71	SACAR
retirar	4	HABLAR	revisar	4	HABLAR
retocar	71	SACAR	revistar	4	HABLAR
retomar	4	HABLAR	revitalizar	79	UTILIZAR
retoñar	4	HABLAR	revivir	6	VIVIR
retorcer	22	COCER	revocar	71	SACAR
retornar	4	HABLAR	revolcar	78	TROCAR
retostar	25	CONTAR	revolotear	4	HABLAR
retozar	79	UTILIZAR	revolucionar	4	HABLAR
retractar(se)	4	HABLAR	revolver*	49	MOVER
retractilar	4	HABLAR	rezagarse	52	PAGAR
retraer	77	TRAER	rezar	79	UTILIZAR
retransmitir	6	VIVIR	rezongar	52	PAGAR
retrasar	4	HABLAR	rezumar	4	HABLAR
retratar	4	HABLAR	ribetear	4	HABLAR
retribuir	43	HUIR	ridiculizar	79	UTILIZAR
retroceder	5	BEBER	rielar	4	HABLAR
retronar	25	CONTAR	rifar	4	HABLAR

* Su participio es *revuelto*.

VERBO	TABLA	MODELO	VERBO	TABLA	MODELO
rilar	4	HABLAR	rutar	4	HABLAR
rimar	4	HABLAR	rutilar	4	HABLAR
rivalizar	79	UTILIZAR	saber	70	SABER
rizar	79	UTILIZAR	sablear	4	HABLAR
robar	4	HABLAR	saborear	4	HABLAR
robotizar	79	UTILIZAR	sabotear	4	HABLAR
robustecer	53	PARECER	sacar	71	SACAR
rociar	41	GUIAR	saciar	4	HABLAR
rodar	25	CONTAR	sacralizar	79	UTILIZAR
rodear	4	HABLAR	sacramentar	4	HABLAR
roer	69	ROER	sacrificar	71	SACAR
rogar	23	COLGAR	sacudir	6	VIVIR
rojear	4	HABLAR	sahumar	10	ACTUAR
romancear	4	HABLAR	sajar	4	HABLAR
romanizar	79	UTILIZAR	salar	4	HABLAR
romanzar	79	UTILIZAR	salcochar	4	HABLAR
romper*	5	BEBER	saldar	4	HABLAR
roncar	71	SACAR	salir	72	SALIR
roncear	4	HABLAR	salivar	4	HABLAR
ronchar	4	HABLAR	salmodiar	4	HABLAR
rondar	4	HABLAR	salpicar	71	SACAR
ronronear	4	HABLAR	salpimentar	55	PENSAR
ronzar	79	UTILIZAR	salpresar	4	HABLAR
roscar	71	SACAR	saltar	4	HABLAR
rotar	4	HABLAR	saltear	4	HABLAR
rotular	4	HABLAR	saludar	4	HABLAR
roturar	4	HABLAR	salvaguardar	4	HABLAR
rozar	79	UTILIZAR	salvar	4	HABLAR
ruborizar	79	UTILIZAR	sanar	4	HABLAR
rubricar	71	SACAR	sancionar	4	HABLAR
rugir	30	DIRIGIR	sancochar	4	HABLAR
rular	4	HABLAR	sanear	4	HABLAR
rumiar	4	HABLAR	sangrar	4	HABLAR
rumorar(se)	4	HABLAR	santificar	71	SACAR
rumorear(se)	4	HABLAR	santiguar	17	AVERIGUAR
runrunear	4	HABLAR	saponificar	71	SACAR

* Su participio es *roto*.

VERBO	TABLA	MODELO	VERBO	TABLA	MODELO
saquear	4	HABLAR	serenar	4	HABLAR
satinar	4	HABLAR	seriar	4	HABLAR
satirizar	79	UTILIZAR	sermonear	4	HABLAR
satisfacer	42	HACER	serpear	4	HABLAR
saturar	4	HABLAR	serpentear	4	HABLAR
sazonar	4	HABLAR	serrar	55	PENSAR
secar	71	SACAR	serruchar	4	HABLAR
seccionar	4	HABLAR	servir	54	PEDIR
secretar	4	HABLAR	sesear	4	HABLAR
secretear	4	HABLAR	sesgar	52	PAGAR
secuenciar	4	HABLAR	sestear	4	HABLAR
secuestrar	4	HABLAR	sextuplicar	71	SACAR
secularizar	79	UTILIZAR	signar	4	HABLAR
secundar	4	HABLAR	significar	71	SACAR
sedar	4	HABLAR	silabear	4	HABLAR
sedimentar	4	HABLAR	silbar	4	HABLAR
seducir	24	CONDUCIR	silbotear	4	HABLAR
segar	65	REGAR	silenciar	4	HABLAR
segmentar	4	HABLAR	silogizar	79	UTILIZAR
segregar	52	PAGAR	siluetear	4	HABLAR
seguir	73	SEGUIR	simbolizar	79	UTILIZAR
seleccionar	4	HABLAR	simpatizar	79	UTILIZAR
sellar	4	HABLAR	simplificar	71	SACAR
sembrar	55	PENSAR	simular	4	HABLAR
semejar	4	HABLAR	simultanear	4	HABLAR
sensibilizar	79	UTILIZAR	sincerar(se)	4	HABLAR
sentar	55	PENSAR	sincopar	4	HABLAR
sentenciar	4	HABLAR	sincronizar	79	UTILIZAR
sentir	74	SENTIR	sindicar	71	SACAR
señalar	4	HABLAR	singularizar	79	UTILIZAR
señalizar	79	UTILIZAR	sintetizar	79	UTILIZAR
señorear	4	HABLAR	sintonizar	79	UTILIZAR
separar	4	HABLAR	sirgar	52	PAGAR
septuplicar	71	SACAR	sisar	4	HABLAR
sepultar	4	HABLAR	sisear	4	HABLAR
ser	2	SER	sistematizar	79	UTILIZAR

VERBO	TABLA	MODELO	VERBO	TABLA	MODELO
sitiar	4	HABLAR	sofisticar	71	SACAR
situar	10	ACTUAR	sofocar	71	SACAR
sobar	4	HABLAR	sofreír*	66	REÍR
sobetear	4	HABLAR	sojuzgar	52	PAGAR
sobornar	4	HABLAR	solapar	4	HABLAR
sobrar	4	HABLAR	solar	25	CONTAR
sobreabundar	4	HABLAR	solazar	79	UTILIZAR
sobrealimentar	4	HABLAR	soldar	25	CONTAR
sobrecargar	52	PAGAR	solear	4	HABLAR
sobrecoger	39	ESCOGER	solemnizar	79	UTILIZAR
sobredimensionar	4	HABLAR	soler**	49	MOVER
sobredorar	4	HABLAR	solfear	4	HABLAR
sobreentender	5	BEBER	solicitar	4	HABLAR
sobreexceder	5	BEBER	solidarizar	79	UTILIZAR
sobreexcitar	4	HABLAR	solidificar	71	SACAR
sobrehilar	41	GUIAR	soliviantar	4	HABLAR
sobrellevar	4	HABLAR	sollozar	79	UTILIZAR
sobrenadar	4	HABLAR	soltar***	25	CONTAR
sobrentender	56	PERDER	solucionar	4	HABLAR
sobrepasar	4	HABLAR	solventar	4	HABLAR
sobreponer	60	PONER	somatizar	79	UTILIZAR
sobrepujar	4	HABLAR	sombrear	4	HABLAR
sobresalir	72	SALIR	someter	5	BEBER
sobresaltar	4	HABLAR	sonar	25	CONTAR
sobreseer	46	LEER	sondar	4	HABLAR
sobrestimar	4	HABLAR	sondear	4	HABLAR
sobrevalorar	4	HABLAR	sonorizar	79	UTILIZAR
sobrevenir	82	VENIR	sonreír	66	REÍR
sobrevivir	6	VIVIR	sonrojar	4	HABLAR
sobrevolar	25	CONTAR	sonrosar	4	HABLAR
sobrexceder	5	BEBER	sonsacar	71	SACAR
sobrexcitar	4	HABLAR	soñar	25	CONTAR
socavar	4	HABLAR	sopar	4	HABLAR
sociabilizar	79	UTILIZAR			
socializar	79	UTILIZAR			
socorrer	5	BEBER			

* Su participio es *sofreído* o *sofrito*.
** Verbo defectivo.
*** Tiene un participio regular (*soltado*)
que se usa en la conjugación y otro
irregular (*suelto*) que se usa como adjetivo.

VERBO	TABLA	MODELO	VERBO	TABLA	MODELO
sopear	4	HABLAR	subvenir	82	VENIR
sopesar	4	HABLAR	subvertir	74	SENTIR
sopetear	4	HABLAR	subyacer	84	YACER
soplar	4	HABLAR	subyugar	52	PAGAR
soportar	4	HABLAR	succionar	4	HABLAR
sorber	5	BEBER	suceder	5	BEBER
sorprender	5	BEBER	sucumbir	6	VIVIR
sortear	4	HABLAR	sudar	4	HABLAR
sosegar	65	REGAR	sufragar	52	PAGAR
soslayar	4	HABLAR	sufrir	6	VIVIR
sospechar	4	HABLAR	sugerir	74	SENTIR
sostener	76	TENER	sugestionar	4	HABLAR
soterrar	55	PENSAR	suicidarse	4	HABLAR
suavizar	79	UTILIZAR	sujetar	4	HABLAR
subalimentar	4	HABLAR	sulfatar	4	HABLAR
subarrendar	55	PENSAR	sulfurar	4	HABLAR
subastar	4	HABLAR	sumar	4	HABLAR
subcontratar	4	HABLAR	sumergir	30	DIRIGIR
subdelegar	52	PAGAR	suministrar	4	HABLAR
subdistinguir	32	DISTINGUIR	sumir	6	VIVIR
subdividir	6	VIVIR	supeditar	4	HABLAR
suberificarse	71	SACAR	superabundar	4	HABLAR
subestimar	4	HABLAR	superar	4	HABLAR
subir	6	VIVIR	superpoblar	25	CONTAR
sublevar	4	HABLAR	superponer	60	PONER
sublimar	4	HABLAR	supervalorar	4	HABLAR
subordinar	4	HABLAR	supervisar	4	HABLAR
subrayar	4	HABLAR	suplantar	4	HABLAR
subrogar	52	PAGAR	suplicar	71	SACAR
subsanar	4	HABLAR	suplir	6	VIVIR
subscribir*	6	VIVIR	suponer	60	PONER
subsistir	6	VIVIR	suprimir	6	VIVIR
substanciar	4	HABLAR	supurar	4	HABLAR
subsumir	6	VIVIR	surcar	71	SACAR
subtitular	4	HABLAR	surgir	30	DIRIGIR
subvencionar	4	HABLAR	surtir	6	VIVIR

* Su participio es *subscrito*.

VERBO	TABLA	MODELO	VERBO	TABLA	MODELO
suscitar	4	HABLAR	taponar	4	HABLAR
suscribir*	6	VIVIR	taquigrafiar	41	GUIAR
suspender	5	BEBER	taracear	4	HABLAR
suspirar	4	HABLAR	tarar	4	HABLAR
sustanciar	4	HABLAR	tararear	4	HABLAR
sustantivar	4	HABLAR	tardar	4	HABLAR
sustentar	4	HABLAR	tarifar	4	HABLAR
sustituir	43	HUIR	tartajear	4	HABLAR
sustraer	77	TRAER	tartamudear	4	HABLAR
susurrar	4	HABLAR	tasar	4	HABLAR
suturar	4	HABLAR	tascar	71	SACAR
switchear	4	HABLAR	tasquear	4	HABLAR
tabalear	4	HABLAR	tatarear	4	HABLAR
tabicar	71	SACAR	tatemar	4	HABLAR
tablear	4	HABLAR	tatuar	10	ACTUAR
tabletear	4	HABLAR	tazar	79	UTILIZAR
tabular	4	HABLAR	teatralizar	79	UTILIZAR
tacañear	4	HABLAR	techar	4	HABLAR
tachar	4	HABLAR	teclear	4	HABLAR
tachonar	4	HABLAR	tecnificar	71	SACAR
taconear	4	HABLAR	tejar	4	HABLAR
tajar	4	HABLAR	tejer	5	BEBER
taladrar	4	HABLAR	teledirigir	30	DIRIGIR
talar	4	HABLAR	telefonear	4	HABLAR
tallar	4	HABLAR	telegrafiar	41	GUIAR
talonar	4	HABLAR	televisar	4	HABLAR
tambalear(se)	4	HABLAR	tematizar	79	UTILIZAR
tamborilear	4	HABLAR	temblar	4	HABLAR
tamizar	79	UTILIZAR	temblequear	4	HABLAR
tanguear	4	HABLAR	temer	5	BEBER
tantear	4	HABLAR	templar	4	HABLAR
tañer	75	TAÑER	temporalizar	79	UTILIZAR
tapar	4	HABLAR	temporizar	79	UTILIZAR
tapear	4	HABLAR	tender	56	PERDER
tapiar	4	HABLAR	tener	76	TENER
tapizar	79	UTILIZAR	tensar	4	HABLAR

* Su participio es suscrito.

VERBO	TABLA	MODELO	VERBO	TABLA	MODELO
tensionar	4	HABLAR	tonificar	71	SACAR
tentar	55	PENSAR	tonsurar	4	HABLAR
teñir	21	CEÑIR	tontear	4	HABLAR
teologizar	79	UTILIZAR	topar	4	HABLAR
teorizar	79	UTILIZAR	toquetear	4	HABLAR
terciar	4	HABLAR	torcer	22	COCER
tergiversar	4	HABLAR	torear	4	HABLAR
terminar	4	HABLAR	tornar	4	HABLAR
terquear	4	HABLAR	tornear	4	HABLAR
tersar	4	HABLAR	torpedear	4	HABLAR
testar	4	HABLAR	torrar	4	HABLAR
testificar	71	SACAR	torturar	4	HABLAR
testimoniar	4	HABLAR	toser	5	BEBER
tijeretear	4	HABLAR	tostar	25	CONTAR
tildar	4	HABLAR	totalizar	79	UTILIZAR
timar	4	HABLAR	trabajar	4	HABLAR
timbrar	4	HABLAR	trabar	4	HABLAR
timonear	4	HABLAR	trabucar	71	SACAR
tincar	71	SACAR	tractorar	4	HABLAR
tintar	4	HABLAR	tractorear	4	HABLAR
tintinar	4	HABLAR	traducir	24	CONDUCIR
tintinear	4	HABLAR	traer	77	TRAER
tipificar	71	SACAR	trafagar	52	PAGAR
tiranizar	79	UTILIZAR	traficar	71	SACAR
tirar	4	HABLAR	tragar	52	PAGAR
tiritar	4	HABLAR	traicionar	4	HABLAR
tirotear	4	HABLAR	trajear	4	HABLAR
titear	4	HABLAR	trajinar	4	HABLAR
titilar	4	HABLAR	tramar	4	HABLAR
titiritar	4	HABLAR	tramitar	4	HABLAR
titubear	4	HABLAR	trampear	4	HABLAR
titular	4	HABLAR	trancar	71	SACAR
tiznar	4	HABLAR	tranquilizar	79	UTILIZAR
tocar	71	SACAR	transbordar	4	HABLAR
tolerar	4	HABLAR	transcribir*	6	VIVIR
tomar	4	HABLAR	transcurrir	6	VIVIR

* Su participio es *transcrito*.

VERBO	TABLA	MODELO	VERBO	TABLA	MODELO
transferir	74	SENTIR	trasparentar	4	HABLAR
transfigurar	4	HABLAR	traspasar	4	HABLAR
transformar	4	HABLAR	traspirar	4	HABLAR
transfundir	6	VIVIR	trasplantar	4	HABLAR
transgredir	9	ABOLIR	trasquilar	4	HABLAR
transigir	30	DIRIGIR	trastabillar	4	HABLAR
transitar	4	HABLAR	trastear	4	HABLAR
transliterar	4	HABLAR	trastocar	71	SACAR
translucir	47	LUCIR	trastornar	4	HABLAR
transmigrar	4	HABLAR	trastrocar	78	TROCAR
transmitir	6	VIVIR	trasudar	4	HABLAR
transmutar	4	HABLAR	tratar	4	HABLAR
transparentar	4	HABLAR	traumatizar	79	UTILIZAR
transpirar	4	HABLAR	trazar	79	UTILIZAR
transponer	60	PONER	trefilar	4	HABLAR
transportar	4	HABLAR	tremolar	4	HABLAR
transvasar	4	HABLAR	trenzar	79	UTILIZAR
trapacear	4	HABLAR	trepanar	4	HABLAR
trapalear	4	HABLAR	trepar	4	HABLAR
trapear	4	HABLAR	trepidar	4	HABLAR
trapichear	4	HABLAR	triangular	4	HABLAR
traquetear	4	HABLAR	tributar	4	HABLAR
trascender	56	PERDER	tricotar	4	HABLAR
trasegar	65	REGAR	trifurcarse	71	SACAR
trasferir	74	SENTIR	trillar	4	HABLAR
trasfigurar	4	HABLAR	trinar	4	HABLAR
trasformar	4	HABLAR	trincar	71	SACAR
trasfundir	6	VIVIR	trinchar	4	HABLAR
trasgredir	9	ABOLIR	tripartir	6	VIVIR
trasladar	4	HABLAR	tripear	4	HABLAR
traslucir	47	LUCIR	triplicar	71	SACAR
trasmigrar	4	HABLAR	triptongar	52	PAGAR
trasmitir	6	VIVIR	tripular	4	HABLAR
trasmutar	4	HABLAR	triscar	71	SACAR
trasnochar	4	HABLAR	triturar	4	HABLAR
traspapelar	4	HABLAR	triunfar	4	HABLAR

VERBO	TABLA	MODELO	VERBO	TABLA	MODELO
trivializar	79	UTILIZAR	universalizar	79	UTILIZAR
trocar	78	TROCAR	untar	4	HABLAR
trocear	4	HABLAR	upar	4	HABLAR
trompear	4	HABLAR	uperisar	4	HABLAR
trompicar	71	SACAR	uperizar	79	UTILIZAR
tronar	25	CONTAR	urbanizar	79	UTILIZAR
tronchar	4	HABLAR	urdir	6	VIVIR
tronzar	79	UTILIZAR	urgir	30	DIRIGIR
tropear	4	HABLAR	usar	4	HABLAR
tropezar	79	UTILIZAR	usufructuar	10	ACTUAR
troquelar	4	HABLAR	usurpar	4	HABLAR
trotar	4	HABLAR	utilizar	79	UTILIZAR
trovar	4	HABLAR	vaciar	41	GUIAR
trucar	71	SACAR	vacilar	4	HABLAR
trufar	4	HABLAR	vacunar	4	HABLAR
truncar	71	SACAR	vadear	4	HABLAR
tullir	58	PLAÑIR	vagabundear	4	HABLAR
tumbar	4	HABLAR	vagar	52	PAGAR
tundir	6	VIVIR	vaguear	4	HABLAR
tupir	6	VIVIR	valer	80	VALER
turbar	4	HABLAR	validar	4	HABLAR
turnar(se)	4	HABLAR	vallar	4	HABLAR
tutear	4	HABLAR	valorar	4	HABLAR
tutelar	4	HABLAR	valorizar	79	UTILIZAR
ubicar	71	SACAR	valuar	4	HABLAR
ufanarse	4	HABLAR	vampirizar	79	UTILIZAR
ulcerar	4	HABLAR	vanagloriarse	4	HABLAR
ultimar	4	HABLAR	vaporizar	79	UTILIZAR
ultrajar	4	HABLAR	vapulear	4	HABLAR
ulular	4	HABLAR	varar	4	HABLAR
uncir	6	VIVIR	varear	4	HABLAR
ungir	30	DIRIGIR	variar	41	GUIAR
unificar	71	SACAR	vasectomizar	79	UTILIZAR
uniformar	4	HABLAR	vaticinar	4	HABLAR
uniformizar	79	UTILIZAR	vedar	4	HABLAR
unir	6	VIVIR	vegetar	4	HABLAR

VERBO	TABLA	MODELO	VERBO	TABLA	MODELO
vehicular	4	HABLAR	vigilar	4	HABLAR
vehiculizar	79	UTILIZAR	vigorizar	79	UTILIZAR
vejar	4	HABLAR	vilipendiar	4	HABLAR
velar	4	HABLAR	vincular	4	HABLAR
vencer	81	VENCER	vindicar	71	SACAR
vendar	4	HABLAR	violar	4	HABLAR
vender	5	BEBER	violentar	4	HABLAR
vendimiar	4	HABLAR	virar	4	HABLAR
venerar	4	HABLAR	virilizarse	79	UTILIZAR
vengar	52	PAGAR	visar	4	HABLAR
venir	82	VENIR	visibilizar	79	UTILIZAR
ventanear	4	HABLAR	visionar	4	HABLAR
ventear	4	HABLAR	visitar	4	HABLAR
ventilar	4	HABLAR	vislumbrar	4	HABLAR
ventiscar	71	SACAR	visualizar	79	UTILIZAR
ventisquear	4	HABLAR	vitalizar	79	UTILIZAR
ventosear	4	HABLAR	vitorear	4	HABLAR
ver	83	VER	vitrificar	71	SACAR
veranear	4	HABLAR	vituperar	4	HABLAR
verbalizar	79	UTILIZAR	vivaquear	4	HABLAR
verdear	4	HABLAR	vivar	4	HABLAR
verdecer	53	PARECER	vivificar	71	SACAR
verificar	71	SACAR	vivir	6	VIVIR
verraquear	4	HABLAR	vocalizar	79	UTILIZAR
versar	4	HABLAR	vocear	4	HABLAR
versificar	71	SACAR	vociferar	4	HABLAR
versionar	4	HABLAR	volar	25	CONTAR
vertebrar	4	HABLAR	volatilizar	79	UTILIZAR
verter	56	PERDER	volcar	71	SACAR
vestir	54	PEDIR	volear	4	HABLAR
vetar	4	HABLAR	voltear	4	HABLAR
vetear	4	HABLAR	volver*	49	MOVER
viajar	4	HABLAR	vomitar	4	HABLAR
vibrar	4	HABLAR	vosear	4	HABLAR
viciar	4	HABLAR	votar	4	HABLAR
vidriar	4	HABLAR	vulcanizar	79	UTILIZAR

* Su participio es *vuelto*.

VERBO	TABLA	MODELO	VERBO	TABLA	MODELO
vulgarizar	79	UTILIZAR	zangolotear	4	HABLAR
vulnerar	4	HABLAR	zanjar	4	HABLAR
xerocopiar	4	HABLAR	zanquear	4	HABLAR
xerografiar	41	GUIAR	zapatear	4	HABLAR
yacer	84	YACER	zapear	4	HABLAR
yantar	4	HABLAR	zarandear	4	HABLAR
yermar	4	HABLAR	zarpar	4	HABLAR
yugular	4	HABLAR	zascandilear	4	HABLAR
yuxtaponer	60	PONER	zigzaguear	4	HABLAR
zafar(se)	4	HABLAR	zozobrar	4	HABLAR
zaherir	74	SENTIR	zumbar	4	HABLAR
zamarrear	4	HABLAR	zunchar	4	HABLAR
zambullir	58	PLAÑIR	zurcir	85	ZURCIR
zampar	4	HABLAR	zurear	4	HABLAR
zancadillear	4	HABLAR	zurrar	4	HABLAR
zanganear	4	HABLAR	zurriagar	52	PAGAR

MÉXICO

BELICE

GUATEMALA

EL SALVADOR

NICARAGUA

COSTA RICA

PANAMÁ

ECUADOR

CUBA

HONDURAS

REP. DOMINICANA

PUERTO RICO

VENEZUELA

COLOMBIA

PERÚ

BOLIVIA

PARAGUAY

CHILE

URUGUAY

ARGENTINA

ESPAÑA

GUINEA
ECUATORIAL